ROBERSTON METHOD

DO YOU SPEAK SPANISH?

A SIMPLE, PRACTICAL METHOD OF
SPEAKING SPANISH BY MEANS OF
IMITATED PRONUNCIATION

LATEST EDITION
CORRECTED AND ENLARGED

Containing all the words required in daily life, as
well as a comprehensive English-Spanish dictionary
with imitated pronunciation

EDITORIAL RAMÓN SOPENA, S. A.
Provenza, 95 — Barcelona

© Editorial Ramón Sopena, S. A.
Depósito Legal: B. 41.390 - 74
Gráficas Ramón Sopena, S. A.
Provenza, 93 - Barcelona - 1977 (70.802)   ISBN 84-303-0252-2
Impreso en España - *Printed in Spain*

INDEX

PREFACE

The cover of this book suggests that you can speak Spanish by this method.

Let it be understood that we do not pretend that with this little book you can acquire a complete and absolute knowledge of the Spanish language. Neither do we pretend to give you a complete and exact imitation of the way in which Spaniards speak. The pronunciation is the peculiar, characteristic element of a language, and a graphic representation thereof —what is called an imitated pronunciation—, has always been a stumbling block that each author has had to overcome as best he could, without ever attaining a wholly satisfactory result. Thus, whilst some have used what are termed phonetic signs, many recommend the *viva voce* as the only way to learn the true pronunciation of a foreign language.

We may, therefore, assert that the imitated pronunciation give here is exact enough for any Englishman or North Americen to understand perfectly what is said by anyone who, for a month, has studied attentively the exercises in this book, or for any Spaniard or South American visiting England or North America to understand and make himself understood in these countries. This which after all, is the most essential, is the purpose of this manual.

To speak a foreign language, it is necessary, first and foremost, to get rid of all feeling of bashfulness. Most Germans, for instance, speak several languages, not only because they do not trouble at first if their pronunciation is not up to the mark, nor do they take any notice of the humorous comments their errors may excite if, after all, they have succeeded in expressiing their thoughts fairly clearly. We, however, are differently made. Whilst having the necessary intellect and intelligence for studying, we fail to study because we have no confidence in our success, besides which we are needlessly sensitive to ridicule, which hampers all our iniciative, and we cannot rid ourselves of these qualities that are inherent in our race.

But be assured, there is no other way. To learn languages, in harmony with the demands of modern life, two things are indispensable, diligence and perseverance in study and an entire absence of false shame in speaking. A resolute will can fufill the first condition, and the second is only a question of getting rid of foolish fears and remembering that foreigners are generally most considerate to those who cannot express themselves as well as they would wish.

Germans and Englishmen always travel with a load of books and lists of words. Here is case of an Englishman who did not know a word of Italian travelling all over Italy and making himself understood everywhere. We have just as great facilities, if not more, for knowing how to express ourselves, but we do not like to consult books nor to ask questions by means of looking up the words in a dictionary for the childish fear of being laughed at.

By way of example an to show what constancy and perseverance can do, I will relate an experience of my own.

On a journey from Barcelona to South America I met two young Germans going out to Buenos Ayres on business. Neither of them could speak a word of Spanish, but in their pockets they carried German—Spanish dictionaries and word-books, and with no other aid than these books and their resolution to succeed they began the study of Spanish. For two days they were learning hard. On the third one of them approached the maid of a family travelling to Argentine and, pointing to the sea, asked what that was in Spanish. They asked her several questions and constantly wished to be informed of the names of different things. After ten days on board they could make themselves understood. Of course the girl spoke slowly to them and tried to pronunce as clearly as possible.

They cntinued always studying and asking questions and on arriving at Buenos Ayres, that is to say, after 18 days' journey, they could make themselves understood quite well in Spanish.

Travelling is a pleasure, but it is also a necessity. The Spanish who goes to England not knowing English has a very bad time, being able neither to understand nor to make him self understood. One is at the mercy of any number of awkward moments and even has to eat anything one is given. I will not enumerate all the troubles one may get into in such a case. Plenty of people know it from their own sad experience, and these lines will only arouse in them memories none too pleasant.

But the reader of this book will be saved this risk. If he studies its pages with serious interest and repeats each lesson a hundred times, he will finish by making himself understood, to the very lively satisfaction, one alwys feels on reaping the harvest of one's own efforts.

There is everything in this book that will be needed in practical life, and it contains some very important notes and remarks taken from experience in travelling abroad.

If the reader has to book hotel accomodation in advance or ask the price of full board for one or more persons, he may use one of the models of letters o telegrams.

The volume closes with a small Spanish-English dictionary with the Spanish pronunciation appended. This dictionary, with its 5.000 words, is sufficient to get one out of all difficulties that may crop up.

Suppose, for instance, the reader is going to buy some things at Schoolbred's The book has shown him how to build up his sentence. If he wants to buy a fan, some handkerchiefs, socks, cuffs, a hat, etc., and does not remember the page on which these words occur, it will be quicker for him to look in the dictionary, and so he will simply say.

«Give me a fan, please.» (Deme Vd. un abanico), etc.
«Give me, please, some handkerchiefs, socks, cuffs, a hat, etc.» (Haga Vd. el favor de darme...).
«Déme Vd. por favor, un abanico etc.» (Give me a fan, please.)
«Haga Vd. el favor de darme, calcetines, un sombrero, etc.» (Please give me a fan, some handkerchiefs, some socks, a hat, etc.)

He will ask like this, then, and with this same pronunciation:
«déhmeh por fuvvór oon ubbanéekor.»
«árga costáy el fuvvor deddármeh púnyuélyoss, culthetéenas, oon sombráiroh, etc.»

It only remains for me to say that, in the making of this book, one essential principle has been followed, — clearness. Every care has been taken to see that there be not a single sentence that the reader cannot understand immediately and with the greatest of ease without tiring his brain.

The price I have fixed is so insignificant as to bring it witthin everybody's reach. Anyone can buy the book without any sacrifice, and with the certainty of having procured a most useful help whose value he will be able to appreciate when he needs to avail himself of it.

All the abone is worth the student's notice, but there is one piece of advice that he should follow implicitely, if the book is to be any use to him. There are many who, for want of patience or from some false sense of shyness or through carelessness sometimes due to hurry or to that same false shame, do not read the imitated pronunciation slowly and calmly. If every letter is pronounced as though it were English (but bearing in mind the remarks given below on one or two vowel sounds), any Spaniard will understand you perfectly well and your pronunciation will not be in way strange or ridiculous. For instance, «Kéh dessàir oostéh» is the exact equivalent of «What do you want?» Pou simply have to stress the vowel marked with the Accent.

INDISPENSABLE INSTRUCTIONS TO BE STUDIED
BEFORE USING THIS BOOK

In the imitated pronunciation:

u is always like u in *cut*, *up*, etc., never as in *put*, *bull*.
Ex. *under* (Sp. anda=come on).

r at the end of a syllable is not pronounced, as in *far*, better.
Ex. *arger* (Sp. haga = do, make).

rr is always to be pronounced (as in Scotch), tomorrow.
Ex. *Kyerreh* (Sp. quiere = want). In some cases the *r*.
is overlined instead of being doubled. The sound is the same.

g always hard, as in *get*, *give*.
Ex. *gérrer* (Sp. guerra = war), *gissárr* (Sp. guisar = cook.

th always hard, as in *think*. Never as in *this*, *the*.
Ex. Looth (Sp. luz = light).

e alone or followed by a vowel, as in *he*, *me*.
Ex. *e* (Sp. y = and), cumbeo (Sp. cambio = change).

e in all other cases is pronounced as in *let*, *send*.
Ex. Pwéddeh (Sp. puede = can).

i alone as in English. In all other cases, as in *it*, *middle*.

y as in English.

oo always short, as in foot, good. Never as in food, boon.

A full stop (.) in the middle of a word is to facilitate the pronunciation and to give each part its full value.

ACCENTS. The real tonic accent is always the last. When we have placed two or more in one word, the last must be the strongest.

The Spanish vowels have one invariable sound, though they may be slightly longer in some words than in others.

a has the shound of *u* in *up*, *under*. Ex. anda (under), bata (butter).
Imitated pronunciation: u.

ar is pronounced as in English, but sounding the *r* as in Scotland.

arr has the U (as in up), cound. but with the *r* rolled.
Comp. *caro* (caroh) and *carro* (curroh).

i short *i* as in *it*, *pin*. Ex. visto (vistoh), dinero (dináiroh).
long *e* as in *me*, *feed*. Ex. pino (peenoh), hilo (éeloh).

e short *e* as in *fed*, *get*. Ex. me (meh), éste (ésteh).

o short *o* as in *not*, *gone* (never as in *go*, *home*). Ex. no (noh).
a little longer, like *or* in some words. Ex. coma (cormer).

u   short *oo*, as in *foot*, *look*. Ex. mucho (moochoh), punto (poontóh).
      longer, as in *spoon*, *food*. Ex. tuyo (tooyoh), luna (loonah).
y   as in English. Ex. yeso (yéssoh).
ay   English *i* or *y*. Ex. ái! (I).
oi, oy   as in English. Ex. doy (doy), boina (bóina).
au   English *ow* in *now*. Ex. aula (owler).

Consonants differing from the English

c   As in English before *a o u*. Ex. cubo (cooboh), caro (caroh).
     Hard *th*, as in *thank*, before e and i. Ex. cesto (théstoh), cinco
      (thinkoh).
ch As in English. Ex. chico (cheekoh), techo (téchoh).
d   Initial as in English; final very soft, sometimes like *th* in *the*.
      Ex. venid (vennëëthe), sed (seth).
g   Before *a, o, u* as in English. Before *e, i*, like Scotch *ch* in *loch*.
      Ex. general (hhenerál).
h   Always mute.
j   Like *g* before *e* and *i*, or German *ch* in *ach*! Ex. jefe (hhéffeh).
ll   Like *lli* in *billiard*, *million*. Ex. Estrella (estrélya).
ñ   Like *ny* in *canyon*. Ex. Niña (nínya), Baño (bunnyo).
r   Stronger than in English, and always pronounced. Ex. caro (cároh),
      perro (pairroh).
s   Always sharp, as in *see*, *wants*. Ex. libros (lëëbross).
z   Like English th hard, as in *thank*, *which*. Ex. zoro (thorroh), paz
      (path or puth).
au English oe as in *now*. Ex. palau (pallów).

English	Spanish	Pronunciation (1)
AT THE FRONTIER	EN LA FRONTERA	EN LAH FRONTÁIRER
CUSTOMS	EN LA ADUANA	EN LAH ADOOÚNNER
The Customs.	La aduana.	Lah adoo.únner. (2).
The Customs examination.	El vista de aduana.	El víster deh adoo.únner.
The carabineer (Innal Revenue Police).	El carabinero.	El cúrra.bináiroh. (3)
The matron (female searcher).	La matrona.	Lah muttrórner.
The porter.	El mozo.	El mórthor.
The luggage.	El equipaje.	El ekkipúkhy.
The trunk.	El baúl.	El bah.ool.
The suit case.	La maleta.	Lah mullétter.
The portmanteau.	El portamantas.	El pórrter.múntuss.
The camera.	El aparato fotográfico.	El upperrártoh forto.grúfficoh.
The sack.	El bolso.	El bólsoh.
The portfolio.	La cartera.	La carr.taïrer.
The stick.	El bastón.	El bustón.
The umbrella.	El paraguas.	El pah.rúg.wus.
The traveller.	El viajero.	El veer.háirroh.
The inspection.	La revisión.	Lah revisseón.
The passport.	El pasaporte.	El pússa.porteh.
The collective passport.	El pasaporte colectivo.	El pússa.pórteh collectēēvoh.
Your papers.	La documentación.	La dóckoo.mentúthee.ón.
Where is the Customs House?	¿Dónde está la oficina de aduana?	Dóndeh estár la offitheena del ádoo.únner.
Please call me a Customs officer.	Llame, por favor, a un empleado de la aduana.	Ll.yármer paw fuvvor ah oon emplayárdoh deh la ádoo.únner.

---

(1) To avoid needless repetition, we must remind the reader that the headings on this page are consistent throughout the book. The first column gives the English, the second the Spanish and the third the imitated pronunciation.

(2) Please remember that, in the imitated pronunciation, a sigle r at the end of a sylable is not to be pronounced, but only gives the correct value to the preceding vowel.

(3) Double r (rr) is to be pronounced.

Passport please.	¿Su pasaporte, por favor?	Soo pússapórrfeh, porr fuvvórr.
Here it is.	Tenga usted.	Ténga oostéh.
Who is with you?	¿Quién le acompaña?	Kee.én lah acum.púnya.
My wife and daughter.	Mi mujer y mi hija.	Me moohāīrr e me ēēhher.
What is the purpose of your journey?	¿Cuál es el objeto de su viaje?	Kwúl es el obhétto deh soo vee.úhheh.
Holidays, touring, extension of studies, family affairs.	Vacaciones, turismo, ampliación de estudios, asuntos familiares.	Vucca.theónis, tourísmoh, úmpli.uthión deh estōōdios, assōontos fumilli.áress.
Where were you born?	¿Dónde ha nacido usted?	Dondy ar nuthēedoh oostéh?
Date of birth.	Fecha de nacimiento.	Fétcher deh núthy.myéntoh.
I expect to stay... days in this country.	Pienso estar... días en este país.	Pyénsoh estár... deersen ésteh pi.ées.
All right.	Está todo conforme.	Estár tóhdoh confórrmeh.
Entry permit (visa).	Visado de entrada.	Visárdoh deh entrarda.
Permit to stay.	Visado de estancia.	Visárdoh deh estunthia.
Transit visa.	Visado de tránsito.	Visárdoh deh trúnsitoh.
Will the luggage be examined now?	¿Revisarán en seguida el equipaje?	Rehvisserán el ekki.púkhy.
Yes, sir.	Sí, señor.	Sēē senyórr.
How many pieces have you?	¿Cuántos bultos lleva usted?	Kwúntoss bōōltoss lyéhver osstéh.
Four.	Llevo cuatro.	Lléhvoh kwútroh.
Have you anything to declare?	¿Tiene usted algo que declarar?	Týeneh oostéh úlgoh keh déklarárr.
No.	No, señor.	Noh, senyórr.
Please look.	Examine.	Exummēēneh.
I have no tobacco, spirits.	No llevo tabaco, licores.	Noh lyévoh tabúckoh, lickóres.
I have two packets of cigarettes.	Tengo dos paquetes de cigarrillos.	Téngoh dos puckéttes deh siggerríllyos.
Have you any money?	¿Lleva moneda...?	Lyever monéhda.
Yes, I have six thousand...	Sí, llevo seis mil...	See, lyévoh sáis mil.

How much is allowed?	¿Cuánto está permitido?	Kwúntoh estar pairmittēēdoh?
Up to two thousand per person.	Hasta dos mil... por persona.	Úster dos mil porr pairsäwna.
Will these formalities last long?	¿Duran mucho tiempo estos trámites?	Dooran mōōchoh tyémpoh éstos tráhmittes?
No, they will soon be over.	No, se terminan muy pronto.	No. tairmēēna mooy próntoh.
Porter, take the keys.	Mozo, tome usted las llaves.	Māwthoh, tórmeh oostéh lars lyárves.
Come with me.	Acompáñeme usted.	Uccúm.páhnyahmeh oostéh.
The two ladies will have to go with the matron.	Las dos señoras deben ir con la matrona.	Lars dos senyórras débben ear con lah muttrówna.
In this trunk I have personal clothing, linen, one suit and two pairs of shoes.	En este baúl hay prendas de mi uso personal, ropa blanca, un traje, y dos pares de zapatos.	En ésteh bah.ōōl i prénders deh me ōōsoh pairsonárl, rāwper blúnca, oon trárkne e dos páhres deh thupártos.
Please open this suitcase.	Haga el favor de abrir esta maleta.	Árger el fuvvórr deh ubbreer éster mullétter.
Must I open this small bag?	¿Debo abrir el maletín?	Débboh ubbreer el mulleteen?
Do you want me to open the trunk?	¿Quiere usted que abra el baúl?	Kyairy oostéh keh ubbry el baool?
With pleasure.	Con mucho gusto.	Con moochoh goostoh.
Here you are.	Vea usted.	Vair oostéh.
Is there anything dutiable.	¿Hay algo que pague derechos?	I úlgoh keh párgch derrétchos?
No, sir. All these things are duty free.	No, señor; todos son artículos libres de derechos.	Noh, senyar. Tāwdos arrtícoolos lēēbres deh derréchos.
May I shut the bag?	¿Puedo cerrar la maleta?	Pwédoh therrarr lah mullétter?
Yes, that's all.	Sí, hemos terminado.	See, éhmos tairmináhdoh.
How much duty have I to pay?	¿Cuánto he de pagar de derechos?	Kwúntoh áydeh puggár?

Porter, take the keys and lock my baggage.	Mozo, tome la llave y cierre mi equipaje.	Mawthòh, tommeh lah lyarveh e thérreh me écky.púkheh.
Is this the passport officer, please?	Por favor; ¿ese señor es el vista?	Porr fuvvor, essy senyrr ess el viséēterr?
No, he is the Customs Collector.	No, es el administrador.	Noh, es el udministradórr.
See me to the train.	Acompáñeme al tren.	Ukkum.púnyameh ul trén.
What class, sir?	¿Qué clase tiene usted?	Keh clússeh tyéneh osstéh?
First, second, third class.	Primera, segunda, tercera clase.	Primāīrer, segōōnder, tairthāīr clússeh.
Where to?	¿Dónde va usted?	Dóndeh váh osstéh?
To ..	Voy a...	Voy ah...
Then I will find you a through coach. Here is your seat and here are your bags.	Entonces le buscaré un coche directo. He aquí su sitio. Ahí están sus maletas.	Entónthess leh bcoscurréh oon cótcheh diréctoh. Eh ukkēē soo sēētioh. Ukkee esstún sooss mullétters.
There are two, three, four, five pieces.	Son dos, tres, cuatro, cinco bultos.	Son dós, trés, kwúttroh, thínkoh búlltoss (booltoss).
Right.	Está bien.	Esstár bee.en (byen).
Here you are, porter.	Tome usted, mozo.	Tómmeh oostéh, mawthoh.
Thank you, sir.	Muchas gracias, señor.	Mōōchus grárthius, senyór.

JOURNEY BY CAR	VIAJE EN AUTOMÓVIL	VEE.ÚHHEH EN OWTOH.MAWVIL
The car	**El automóvil**	**El owtoh.mawvil**
The bumpers.	El parachoques.	El púrra.tchóckess.
The mud-guards.	El guardabarros.	El gwárder.búrross.
The radiator.	El radiador.	El rúddier.dórr.
The wheel.	La rueda.	Lah roo.édda.
The spare wheel.	La rueda de recambio.	Lah roo.édda deh reh.cúmbeoh.
The tyre, the cover.	El neumático o la cubierta.	El náyo.mútticoh or lah coobayáirter.

The inner tube.	La cámara.	Lah cúmmerer.
The lamps.	Los faros.	Loss faross.
The registration number.	La matrícula.	Lah muttríckoolah.
The bonnet.	La cubierta del motor (el «capot»).	Lah coobyáirter del mottórr (el cupotter).
The windscreen.	El parabrisas.	El purra.brēēsus.
The hood, the cover.	La capota (cubierta del coche).	Lah coppótter (coobyáirter del cótcheh).
The door.	La portezuela.	La pórrteh.thouéller.
The step.	El estribo.	El estreeboh.
The boot.	El departamento para equipajes.	El departamyéntoh púrra ékkipúkhes.
The tank.	El tanque de gasolina	El túnkeh deh gazzoleener.
The steering wheel.	El volante.	El vollúnteh.
The claxon.	La bocina.	La bothēēner.
The petrol gauge.	El indicador de gasolina.	El indicadórr deh gazzoleener.
The oil gauge.	El indicador de aceite.	El indicadórr deh atháiteh.
The temperature gauge.	El indicador de temperatura.	El indicadórr de temperatōōrer.
The contact.	El contacto.	El contúctoh.
The lamp switch.	El interruptor de los faros.	El interrooptór deh loss fáross.
The accelerator.	El acelerador de mano.	El uthélleradórr deh márnoh.
The choke.	El interruptor de aire.	El interróoptór deh íreh.
The speed change lever.	La palanca del cambio de marchas.	Lah pullúnker del cumbeoh deh mártchass.
The brake lever.	La palanca del freno.	Lah pullúnca del frénnoh.
The foot accelerator.	El acelerador de pie.	El uthélleradórr deh pēē.eh.
The clutch.	El embrague.	El embrárgeh.
The starting handle.	La manivela de puesta en marcha.	La munivélla deh pwéstoh en mártcher.
The ventilator.	El ventilador.	El véntiladórr.
The air filter.	El filtro de aire.	El filtroh deh íreh.

The battery or the accumulator.	La batería o el acumulador.	La butteréar oh el accōōmooladórr.
The differential.	El diferencial.	El differentheál.
The frame.	El bastidor.	El bustidorr.
The motor.	El motor.	El mottórr.
The platinum points.	Los platinos.	Los plutteenos.
The sparking plugs.	Las bujías.	Luss bookhéas.
The condensor.	El condensador.	El condensadórr.
The valves.	Las válvulas.	Luss vúlvoolers.
The carburetter.	El carburador.	El cárrbooradórr.
The bearings.	Los cojinetes.	Loss cokhinétterr.
The crankcase.	El cárter.	El cárrterr.
The oil pump.	La bomba de aceite.	Lah bómba deh atháyteh.
The torque rod.	La biela.	Lah be.élla.
The piston.	El pistón.	El pistón.
The dynamo.	La dínamo.	Lah dēēnamoh.
The coil.	La bobina.	Lah bobbēēner.
The driving axle.	El eje de transmisión.	El ékheh deh trunsmissión.
The cam shaft.	El árbol de leva.	El árrbul deh láiver.
The wheel plates.	Los platos de las ruedas.	Loss plártoss deh luss roo.éduss.
The wireless, the aerial.	La radio, la antena.	Lah rárdioh, la unténner.

At the frontier — En la frontera — En lah frontáirer

Here we are at the frontier.	Ya estamos en la frontera.	Yah esstármos en lah frontáirer.
We have to pass the customs.	Hemos de pasar por la aduana.	Emmos deh pussárr porr lah úddoo.wúnner.
Passparts, please.	Los pasaportes, por favor.	Loss pússer.pórrtess porr fúvvórr.
Here you are.	Tenga usted.	Ténger oostéh.
Entry visa, exit visa, permit to stay.	El visado de entrada, de salida, de estancia para dos meses, de tránsito.	El vissárdoh deh entrárda, deh sulleeder, der esstunthea, púrra doss messess, deh transitoh.
Please show me your car papers.	Hagan el favor de enseñarme la documentación del automóvil.	Uckee lah tēēyenneh Áymoss del buskhárr del cotcheh?

Here they are.	Aquí la tiene usted.	Uckēē lah tyénneh oostéh.
Have we to get out of the coach?	¿Hemos de bajar del coche?	Aymos deh buhkárr del cotcheh?
That's all right.	Está en regla.	Essrtáh en régla.
Your international driving licence.	El permiso internacional de conducción.	El permissoh internúthionúl deh condōōctheeón.
The triptych.	El tríptico.	El trípticoh.
The Customs pass.	El carnet de pasaje de aduana.	El carrnét deh pussúhheh deh úddoo.wúnner.
The temporary export licence.	El cuaderno de exportación temporal.	El kwuddáirnoh deh exportatheeón temporúll.
The temporary import permit.	La tarjeta de admisión provisional.	Lah tarkhétter deh údmissión provissionúll.
Where is the exchange office? (1)	¿Dónde está la oficina de cambio de moneda? (2)	Dóndeh esstár la offithēēner de cúmbeoh deh monehder?
Will you please change me ... into Spanish money.	Haga el favor de cambiarme... en moneda del país.	Árger el fuvvór deh cumbiárrmeh... en munéhder del pahēēss.
What rate have you given me?	¿Qué cambio ha cotizado?	Keh cumbeoh ah cóttithárdoh?
Thank you.	Muchas gracias.	Mōōtchus grártheuss.
Where can I buy a road map?	¿Dónde puedo comprar un mapa de carreteras?	Dóndeh pwédoh comprárr oona múpper deh cúrretáirruss?
At a book shop at the end of this street.	En una librería que hay al final de esta calle.	En oona lēēbrarēēa keh i ull finúll deh ésster cúllyeh.

On the road / En el trayecto / En el trahyéktoh

| Could you please tell me which is the road to...? | ¿Haría el favor de indicarme la carretera general de...? | A réar el fuvvorr deh indicármeh lah curretáirer khenerúll deh...? |

(1) See heading At the frontier.
(2) Consultar el epígrafe En la frontera.

Is there a petrol pump near here?	¿Hay cerca de aquí un surtidor de gasolina?	I tháirrker deh uckēē oon sōōtidórr deh gússoleēner?
Follow the road and you will come to a service station.	Siguiendo la carretera encontrará una estación de servicio.	Sigyéndoh lah curretairra encontraráh oon estáh.theón deh sairr.vēēthio.
I want to fill up. The tank is nearly empty.	Deseo repostar. El depósito del coche está casi vacío.	Dessáyoh reppostár. El deppósitoh del cótcheh esstáh cusēē vathēēoh.
How much shall I put?	¿Qué cantidad desea le ponga?	Keh cunti.dárd dessáyer leh póngoh?
Put in 40 litres of petrol and two of oil.	Ponga 40 litros de gasolina y dos de aceite.	Pónger kwurrénter lēētross deh gússoleēner ee dos deh utháyteh.
Do you want the car greasing?	¿Desea engrasar el coche?	Dessáyer engrussárr el cótcheh?
It's not necessary.	No es necesario.	Nóh ess nethessarrioh.
Please see if the tyres are hard enough.	Haga el favor de revisar la presión de aire de los neumáticos.	Árger el fuvvór deh revvisárr lah presseeón deh ireh deh loss náyoo.mútticos.
Put some water in the radiator.	Ponga agua en el radiador.	Pónger úggwer en el rúddier.dórr.
Tell the mechanic to come.	Diga al mecánico que venga.	Dēēger úll mecúnnicoh keh vénger.
What is it, sir?	¿Qué desea?	Keh dessáir?
Will you please look at the ignition.	¿Quiere revisar el encendido?	Kee.áiry revvisárr el énthen.dēēdoh?
Do you notice any defect?	¿Qué deficiencia observa?	Keh déffy.thee.énthia obsáirrver?
The off (right) flare does'nt light.	Que no se enciende el faro derecho.	Keh nóh seh énthee.éndeh el fárroh derétchoh.
That's all right now.	Ya está arreglado.	Yáh estáh arreglárdoh.
Mechanic, please look over the carburettor, the lighting, the motor, the suspension, the brakes.	Mecánico, haga el favor de revisar la carburación, el encendido, el motor, la suspensión, los frenos.	Mecúnnicoh, árger el fuvvorr deh revisárr lah cárrboorrúthee.ón, el enthendēēdoh, el mottórr, lah soospénsee.ón, loss frénnoss.

How much will that be?	¿Cuánto es?	Kwúntoh éss?
I want a sparking plug, a new tyre.	Deseo una bujía, un neumático nuevo.	Dessáyoh ööna boohéer, oon náyoo.mútticoh nooévvoh.
Test the battery.	Compruebe la batería.	Cómproo.ébbeh las butterrēēr.
See to the brakes, the steering gear.	Arrégleme los frenos, la dirección.	Urrégglumméh loss frénnoss, lah diréck.theón.
The car won't start.	El coche no arranca.	El cótcheh noh urrúncker.
The starter doesn't work properly.	El arranque no funciona bien.	El urrúnckeh noh foon. theóner bee.én.
The carburetter needs seeing to.	El carburador precisa un reglaje.	El cárrbooradór pre thēēser oon regláh.heh.
The radiator leaks.	El radiador pierde.	El rárdee.uddór peeáirdeh.
The motor has seized.	El motor está agarrotado.	El mottórr estáh uggúrrer.tárdoh.
The clutch does not work.	El embrague no funciona.	El embrárgay nóh foon.theórner.
The fuses are burned.	Se han quemado los fusibles.	Sayún kehmárdoh loss foosēēbless.
It needs new lamps.	Necesita lámparas nuevas.	Netthessēēter lúmperruss nwáivus.
How long will the repairs take?	¿Cuánto tiempo durará la reparación?	Kwúntoh tee.émpoh dōōrerráh lah réppurrútheoón.
How many kilometers is it to...?	¿Cuántos kilómetros hay hasta...?	Kwúntoss killómmetross i usster...?
Is there an autostrade?	¿Hay autopista?	I owtoh.pister?
Is the road good or is it very rough?	¿Es buena la carretera o está muy accidentada?	Es mwénner la cúrretáirer oh csstáh mōōy úkthedentárder?
Are there many bends?	¿Hay muchas curvas?	I mōōtchuss corrvuss?
No. It's fairly level as far as.	No. Hasta... es bastante recta.	Nóh. Ussterr... es busstúnteh récter.
After kilometer... the Puerto rise begins, with many dangerous bends.	A partir del kilómetro... empieza la subida del Puerto... con muchas curvas peligrosas.	Upparteer del killómmetroh... empyéther lah soobēēder del pwáirrtoh... con mōōtchuss cōōrrvuss pelligrósseras.

Is the summit of the Puerto very high?	¿Está a mucha altura la cima del Puerto...?	Esstár ar mōōtcher ulltōōrer la thēēmer del pwáirrtoh?
1.400 meters above sea level.	A 1.400 metros sobre el nivel del mar.	Ar mēēl kwúttron thee.éntos métros sobbreh el nivvéll del marr.
It the road tarred?	¿La carretera está alquitranada?	Lah cúrretáirer estár úllkittrunnárder.
Is it narrow?	¿Es estrecha?	Es esstrétcher?
Dangerous?	¿Peligrosa?	Pelligrórser?
Snowed over?	¿Nevada?	Nevvárder?
Frozen?	¿Helada?	Ellárder?
What is this district called?	¿Cómo se llama esta comarca?	Cómmor sel lyármer ésster cumárker?
Is it flat, mountainous?	¿Es llana, montañosa?	Es lyárner, móntunn yáwser?
How far is the station, the hotel, the Post Office, the telephone, the river, the bridge, the garage, the Police Station?	¿A qué distancia está la estación, el hotel, la estafeta de Correos, el teléfono, el río, el puente, el garaje, la Comisaría de Policía?	Ah kéh distúnthear estár lah estúh.theón, estúh.theón, ellor.tél, lah estuffetter deh corráyoss, el telléffonnóh, el réo, el pwénteh, el gurrúheh, las commissarrear deh polli.théar?
Thanks for your information.	Muchas gracias por su información.	Moochus grártheus porr soo informártheón.
Can you tell me whether there is a road house near here?	¿Puede decirme si hay un parador cerca?	Pwéddeh dethéarmeh see i oon púrrer.dórr tháirker?
At four kilometers beyond the next village.	A cuatro kms. pasado el primer pueblo que viene.	Ah kwúttroh killómetros pussardoh el primáir pwébloh keh vé,eny.
Here is the road house. Waiter, we want lunch (1).	Ya hemos llegado al parador. Camarero, deseamos almorzar (2).	Yar áymos lyeggardoh ull púrrer.dorr. Cummerráiror, dessayármos úllmorrtharr.

---

(1) See heading At the restaurant.
(2) Consultar el epígrafe En el restaurante.

Put us up two bags for supper.	Prepárenos dos bolsas de comida para la cena.	Preppárrennos dos bolsers deh comméēder púrrer lah thénner
Is there a repair garage in this village?	¿Hay en este pueblo algún taller de reparación de coches?	I en ésteh pwéblor ullgoon tullyáir deh reppurruthéo deh cótches?
Yes, in the first crossing on the right.	Sí, en la primera travesía a la derecha.	See, en lah primmáirrer travvessēēr úllah derrétcher.
The car has broken down... miles from here.	Mi coche está con avería a ..., kms. de aquí.	Me cótcheh estár con uvverrreēr ah... killómmettros deh ukkee.
Mechanic, will you please look at my motor?	Mecánico, míreme el motor.	Mekkúnnich, meerer el mottórr.
What is the matter?	¿Qué le pasa?	Kéh leh pússer?
There's a funny noise. Listen!	Que se oye un ruido extraño. Observe.	Keh sélleh ōīyeh oon rooēēdor extrúnnyor. Obsáirrveh.
Of course. The fourth rod is melted.	Efectivamente. Tiene la cuarta biela fundida.	Effecteever.menteh Tee.enneh lah kwarrter bee.éllar foondēēder.
What a nuisance. Get it mended as soon as possible.	Qué contrariedad. Haga el arreglo lo antes que pueda.	Keh contrárreadud. Árger el úrrégloh loh úntess keh pwedder.
It will take a day to finish.	Tardaré un día en dejar terminada la reparación.	Tarrderreh oon dēār en dehár tairminárdoh lah réppurrútheon.
Well, it can't be helped. I will come back tomorrow.	Si no hay otro remedio qué le vamos a hacer. Volveré mañana.	See noh i órtrroh remáidio keh leh vármos ar uthéirr? Volverréh munnyúnner.
Is it all right now?	¿Qué, ha quedado bien?	Keh? ar keddárdoh bēē.en?
Yes, sir. I have cleaned the cylinder head, too. It was full of carbon dust.	Sí, señor. De paso he limpiado la culata que estaba llena de carbonilla.	See sennyórr. Deh pussoh eh limpe.ardoh lah coolárter keh estárber ylénner deh carrbonnēēlyah.

I shall have to speed up, to see whether can catch up some of the time lost.	Tendré que aumentar la velocidad, para ver si recupero algo este retraso.	Tendreh keh ówmentárr lah velóssidud, púrrer váir see reccōōpairoh úlgod ésteh retrússoh.
Which is the straightest road to get to the coast?	¿Cuál es la carretera más recta para alcanzar la costa?	Kwúll ess lah cúrrettáirer muss réctoh púrrer úllcunthárr lah coster?
Is it a good one or are there a lot of holes?	¿Es buena o hay muchos baches?	Ess bwénner oh i mootchos bútchess?
Which is the nicest beach round here?	¿Qué playa es la más bonita en esta parte?	Keh plýer ess lah múss bonnēēter en ésster párrteh?
How long does it take to go to...?	¿Cuánto tiempo se necesita para ir a...?	Kwúntoh tee.émpoh seh nethesseeter púrrer earr ah...?
Which is the best road for...?	¿Cuál es la mejor carretera para ir a...?	Kwúll ess lah mehórr curretáirer púrrer ear ah...?
Is there any monument, historical church or anything else worth visiting in this village?	¿Hay en este pueblo algún monumento, templo histórico u otra cosa típica dignos de visitarlos?	I en ésteh pwébloh úllgōōn monooméntoh, témploh isstóricoh oo áwtrrer córser típica dígnoss deh vissitarrloss?
No, but in the next place there is a very famous museum of antiquities.	No, pero en la próxima localidad... hay un museo antiguo muy célebre.	Noh, páiroh en lah próxima loccúllidud... i oon moosáyoh untigwoh mōōee théllebreh.
Are we near the watering place?	¿Estamos cerca del Balneario...?	Estármus tháirrca del búniárrio...?
This is a very pretty village.	Este pueblo es muy bonito.	Éssteh pwébloh es mōōee bonēētoh.
It's an important tourist centre.	Es una importante estación turística.	Ess oon importtúnteh estuthōn toorística.
Large numbers of summer visitors come here in the hot period.	En la época de calor afluyen a él una numerosísima colonia de veraneantes.	En lah éppoker deh cullórr ufflooen en el noomairrosíssimer colónnia deh vérrenee.úntess.

Where do you advise me to stay overnight?	¿Qué localidad me recomienda para pernoctar?	Kéh loccullidúd meh reckommyénder púrrer páirrnoctárr?
Can you tell me how to come out onto the high road to...	¿Podría indicarme qué dirección debo tomar para salir a la carretera general de...?	Poddrréar indicarrmeh ken dirréctheón débboh tommárr púrrer sulléērr úller currettáirer hennerrúll deh...
Is there much traffic on this road?	¿Hay mucha circulación por esta carretera?	I mootcher théercooltheón porr éster curretáirrer?
Yes, a lot of lorries, buses and cars go by every day.	Sí, diariamente pasan muchos camiones, autocares y automóviles.	See, de.írermménteh pussen mōōtchoss cúmmeóncss, ówtocárress ee ówtommóvvilless.
Are we far from...?	¿Falta mucho para llegar a...?	Fullter mōōtchoh púrrer lyegárr ah...?
I say, young man. I want some water for the radiator. Can you tell me where there is a fountain near here?	Oiga, joven. Necesito agua para el radiador. ¿Podría decirme dónde hay una fuente cerca?	óyger, hóvven, nethissēētoh úggwer púrrer el rúddierdórr. Poddréar detheermeh dóndeh i ōōner fwénteh tháirrker?

In case of an accident — En caso de accidente — En cússoh deh úckthidéhteh

Where is the nearest Police Station?	¿Dónde está la comisaría de Policía más próxima?	Dóndeh estár lah commissarréar deh' pollithéar muss próxima?
Please call a doctor.	Haga el favor de llamar a un médico.	Árger.el fuvvórr deh lymmárr ah oon méddico.
There has been an accident... miles from here, and some people seriously injured.	Se ha producido un accidente a... kilómetros de aquí y hay heridos graves.	Seh ar prodootheedoh oon úckthidénteh ah... killómetross deh uckēē ee i erēēdoss grárvess.
There are some slightly injured.	Hay heridos leves.	I erēēdoss lévvess.

There is some material damage.	Hay daños materiales.	I dúnnyoss muttairy.úl-less.
Where is the nearest hospital?	¿Dónde está el hospital más próximo?	Dóndeh esstár el ospittúll muss próximoh?
Please telephone for an ambulance.	Sírvase telefonear a una ambulancia.	Sëërrver seh telephónniárr ah oonà úmbullúnthear.
Are you wounded?	¿Está Vd. herido?	Estár oostéh errëëdoh?
My Insurance Company is... Here is the policy.	Mi Compañía de Seguros es ... Aquí está la póliza.	Me compunyéar deh segōōross es... Ukkëë estár lah pollither.
Did you witness the accident?	¿Ha sido Vd. testigo del accidente?	Ar sëëdoh oostéh testëëgoh del úkthidénteh?
Do you mind giving evidence?	¿No tiene inconveniente en hacer de testigo?	Noh tëë.eny inconvenee.énty en utháir deh testëëgoh?
Will you give me your name and address?	¿Puede decirme su nombre y señas de donde vive?	Pwéddeh dethëërr meh soo nómbreh i sénnyuss deh dóndeh vëëveh?
Can you tow my car in? It has broken down... miles from here.	¿Puede Vd. remolcar mi coche? Está con avería a... kilómetros de aquí.	Pwédeh oostéh remmolcárr me cótcheh? Estár con uvverréar ah... killómmetros deh uckee.

## The arrival	## La llegada	## Lah lyeggárder
Constable, where is the. Hotel, please?	Guardia, tenga la bondad de decirnos dónde está el Hotel...	Gwárrdear, ténger lah bondárd deh dethéarrmeh dónde estár el otél...
Could you tell me a first, second, third class hotel, a boarding house (pensión)? (1)	¿Podría indicarme un hotel de primera categoría, de segunda, de tercera, una pensión? (2)	Poddréar indicárrmeh oon otél deh primmáirer cuttégorréar, deh segoonder, deh tairrtháirer, oona penseón?

---

(1) See heading At the hotel.
(2) Consultar el epígrafe En el hotel.

I should like two rooms with a bath.	Quisiera dos habitaciones con baño.	Kissáirrer doss ubbituthióness con búnnyoh.
Porter, where is there a garage near here?	Conserje, ¿dónde hay cerca un garaje?	Consáirheh, dónde í tháirrcker oon gurrúhheh?
Do they take in cars?	¿Admiten automóviles?	Udmeetun owtohmóvvilles?
The garage is full, but we can recommend you another, that is...	Está el garaje completo, pero le recomendamos otro que está...	Estár el gurrúhheh compléttoh, páiroh leh reccumendármoss āwtroh keh estár...
What do they charge a day?	¿Cuánto hacen pagar por día?	Kwúntoh úthen púggárr porr déar?
All right. Do I have to fill up any form?	Conforme. ¿Se ha de llenar alguna hoja-registro de entrada?	Confárrmeh. Seh ar deh lyennár ulgōōner ohher deh entrarder?
Yes, sir. Please give me the details.	Sí, señor. Haga el favor de darme los datos.	See, senyórr. Úgger el fuvvórr deh dárrme loss dártoss.
My name and surname are...	Mi nombre y apellido son...	Me nómbreh i sényuss son...
Registration number...	Matrícula...	Muttríckooler...
Make...	Marca...	Marrker...
I am staying at...	Me hospedo en...	Meh ospéddoh en...
Please give it a general greasing.	Hagan un engrase general.	Árgan oon engrússeh henerúll.
Grease the transmission, and speed change gear, the water feed and the dynamo.	Hagan engrase de la transmisión y caja de cambios, de la bomba de agua, de la dínamo, etc.	Árgan engrússeh den lah trunsmisseón e cúhher deh cúmbeoss, deh lah bómber deh úggwer, deh lah dēēnermoh, etc.
Look over the brakes. Only one of the rear wheels brakes.	Revisen los frenos. Sólo frena una rueda trasera.	Revēēsen loss frénnoss. Sāwlaw frennun ōōner roo.édder trussáirer.
Please fill the petrol, oil tank.	Sírvase llenar el depósito de gasolina, de aceite.	Seërvusseh lyennárr el deppóssitoh deh gússollēēner, deh utháyteh.

Give me ten, fifteen, twenty, thirty litres of petrol.	Ponga diez, quince, veinte, treinta litros de gasolina.	Pónger dee.eth, kín-theh, vénty, trénter lēētross deh gússolleener
Fill the radiator.	Ponga agua en el radiador.	Ponger úggwer en el rúddy.úddórr.
Test the tyres.	Compruebe los neumáticos.	Comproo.ébbeh loss náyoo.mútticoss.
The window cleaner does not work.	El limpia-parabrisas no funciona.	El limpyer púrrer, brēēsus noh foontheóner.
Wash the car.	Laven el coche.	Lúvvun el cótcheh.
I want to hire a car with, without a driver.	Deseo alquilar un automóvil con chófer, sin chófer.	Dessáyoh ulkillár oon óutommóvvil conn choffeur, sin choffeur.

VOYAGE BY AIR

VIAJE EN AVIÓN

VEEÚHHEH EN UVVYÓN

The aerodrome

El aeródromo

El áiroh.drom

Terminus.	Estación terminal.	Esstuthión tairminúll.
Bus.	Autocar.	Outohcarr.
Air station.	Estación aérea.	Estutheón ah.áiria.
The pilot.	El piloto.	El pilllóttoh.
The mechanic.	El mecánico.	El meckúnnicoh.
The wireless operator.	El radiotelegrafista.	El rárdioh.télligruffíster.
The bimotor.	El bimotor.	El bee.mottórr.
The three engine plane.	El trimotor.	El tree.mottór.
The four motor plane.	El cuatrimotor.	El kwúttre.mottórr.
The small plane.	La avioneta.	Lah úvvionétter.
The helicopter.	El helicóptero.	El élicópterroh.
The runway.	Las pistas de aterrizaje.	Luss písters deh utterri.thúhheh.
The airport.	El aeropuerto.	El ah.áiroh.pwáirrtoh.
The motors.	Los motores.	Loss mottórress.
The retropropelled plane.	El avión de propulsión a chorro.	El uvveón deh propoolseón ah chórroh.
The seats.	Las butacas.	Luss bootúccuss.
The berths.	Las literas.	Luss lēēteruss.

The windows.	Las ventanillas.	Luss ventuuíllvus.
The wings.	Las hélices.	Luss élly.thess.
The propellers.	Las alas.	Luss árluss.
The vertical rudder.	El timón de dirección.	El timmón deh directheón.
The horizontal rudder.	El timón de profundidad.	El timmón de proffoondidud.
The fuselage, the body.	El fuselaje.	El foosillúhheh.
The undercarriage.	El tren de aterrizaje.	El tren deh uttérrithúhheh.
The cockpit (pilot's cabin).	La cabina del piloto, la carlinga.	Lah cubbēēncr del pillóttoh, lah carrlínger.
The hangar.	El hangar.	El ungárr.
The lifesaving apparatus, the parachute.	El aparato salvavidas, el paracaídas.	El upperrártoh súllvervēēduss, el purrer.cah.ēēduss.
The stewardess.	La azafata.	Lah úttherfárter.
The safety belt.	El cinturón de seguridad.	El thintoorrón deh seggōōridúd.

At the air line office

En la oficina de la compañía de aviación

Eh la óffitheener dellah cómpunnéar deh úvvi.uthión

Are there any places in the first plane tomorrow for...?	¿Hay plazas para el primer avión de mañana con destino a...?	I plúthers púrrer el primáir uvvión deh munyúnner con destēēnoh ah?
Yes, sir. How many do you want?	Sí, señor; ¿cuántas quiere?	See, senyórr. Kwuntuss kyáireh?
Give me one for M...	Déme una a nombre de...	Démmeh ōōner ah nómbrch deh...
How much is it?	¿Cuánto es?	Kwúntoh ess?
At what time does the plane leave for...?	¿A qué hora sale el avión para...?	Ah keh āwrer sárleh el uvvión púrrer...?
At half past two punctually.	A las dos y media en punto.	Ulluss dóssy méddier en pōōntoh.
When must we be at the airport?	¿Con cuánta antelación se ha de estar en el aeropuerto?	Con kwúntah úntellútheón sayár deh estár en el íro.pwáirtoh?
Half an hour beforehand.	Es suficiente con media hora.	Es soofíthiénteh con méddier órrah.

Is the airport very far from the town?	¿Está muy apartado el aeropuerto de la ciudad?	Estár mooy úpparr. .tárdoh el iro.pwáirtoh de lah théoodúd?
Not very. 35 minutes by car from the Company's office.	No mucho. Hay unos 35 minutos en coche desde las oficinas de la compañía.	Noh mōōtchon. I ōōnoss trénter e thínkoh minootoss en cótcheh desseh luss óffiithēēnuss deh lah cómpunnēēr.
At what time must I be at the office if I want to go to the aerodrome by the service bus?	Si deseara utilizar el servicio de autocares para dirigirme al campo, ¿a qué hora habría de estar en las oficinas?	See dessay.árrer ootillithárr el sairrvēēthio deh owtoccarress púrrer dirrihēērmeh ul cúmpoh, ar keh awrer ubbréar deh estárr en luss óffithēēnuss?
Passengers must be at the terminus at the time stated on the ticket.	Conforme se indica en las instrucciones del billete, a... han de estar los pasajeros en la estación terminal.	Cónfórmeh seh indēēker en luss instrōōcktheeóness del bilyétth, ah .. un deh estárr loss pússuh. háiross en lah estútheon táirrminnúll.
That is, an hour before the plane leaves.	¿O sea, una hora antes de la salida del avión?	Or sáyer, ōōner āwrer úntess de lah sullēēder del uvvión?
That's right.	Eso es.	Essoh ess.
Porter, will you attend to my luggage?	Mozo, ¿quiere despachar mi equipaje?	Mórtoh, cáirreh desputchárr me ecki. .púhheh?
At once, sir, Have you got your ticket?	En seguida. ¿Tiene el billete?	En seggēēder. Tyéneh el bilyétteh?
Yes. Here it is.	Sí, tome usted.	See, tórmer oostéh.
You had better have a label on your bags with your name on it.	Es conveniente que las maletas lleven una etiqueta con su nombre.	Es convennivénth keh luss mullétuss lyévvun oona étty kétter con soo nómbreh.
If you are crossing the ocean, I would advise you to put the things	Haciendo un viaje transoceánico le aconsejo lleve en la valija	Uthyéndoh oon vee. iúhheh trúnsotheánnicoh leh uccanséc-

you need most in a hand bag.	de mano lo que pueda serle más necesario.	coh lyéveh en la vullééher deh márnoh law keh pwédder sáirleh muss néthessárrioh.
Why?	¿Por qué?	Pórrkéh?
Because the baggage hold is not accessible to passengers during the flight.	Porque las bodegas, que es donde van los equipajes, no son accesibles al pasaje durante el vuelo.	Pórrkeh luss boddégguss, keh ess dondeh vun loss ekkipuhhess, noh son úck. .thcsseebless doorúnteh el vwélloh.
I would also advise you to empty your fountain pen.	También le aconsejo que lleve su pluma estilográfica descargada.	Tumbee.én lch uccon-séhhoh keh lyévveh soo ploomer esteelogrufficoh dess.carrgarda.
Thanks for your advice.	Gracias por sus consejos.	Grútheus porr soos conséhhoss.
You will have to pay... for excess luggage.	Deberá abonar... por exceso de equipaje.	Debberrár úbbohnárr ... por extheéssoh deh ékkipúhheh.
How much free luggage is allowed?	¿Qué peso admiten libre de pago?	Keh péssoh udméēten lēēbreh deh párgoh.
Fifteen kilos per person.	Hasta quince kilos por persona.	Ússter kíntheh kēēloss porr páirsáwner.
Up to twenty kilos.	Hasta veinte kilos.	Ússer vénteh kēēloss.
What hand luggage is allowed?	¿Qué equipaje está permitido llevar a mano?	Keh ékki.p;hheh estár paimittēēdoh lyevvárr ah múnnoh?
An overcoat, a rug, a lady's sack, an umbrella, a walking stick a pair of field glasses and a few magazines or books.	Un abrigo, una manta, un bolso de señora, un paraguas, un bastón, un par de gemelos y algunas revistas o libros.	Oon ubbrēēgoh, ooner múntah, oon bóllser deh senyórrer, oon purrúgwuss, oon bustón, oon parr de hemmélloss e ulgōōnuss revvístuss oh lēēbross.
At the airport	En el aeropuerto	En el ah.áiroh pwáirtoh
The plane for...?	¿El avión para...?	El uvvión porr ...?
Don't worry. The loud speaker will warn you.	No se preocupe, el altavoz ya le avisará.	Noh seh pre.occōōpeh, el ultervóth yar leh uvvēēsarráh.

I will wait in the bar.	Esperaré entretanto en el bar.	Espérreréh entreh.túntoh en el barr.
You have to pass the Customs, too (1).	Además ha de pasar por la aduana (2).	Uddemúss ar deh pussár porr lah úddoo.únner.
At what time shall we get to...?	¿A qué hora llegaremos a...?	Ah keh āwrer lyeggurráimuss ah...?
Do we fly direct?	¿Hacemos el vuelo directo?	Utháimoss el vwélloh dirréctoh?
No. We make a stop at...	No, hacemos escala en...	Noh, uthaymoss esscúller en ...
Passengers for...! Wait on the ground! The officer will take you to the plane.	¡Pasajeros de... para...! ¡Sitúense en la pista! ¡El empleado les acompañará al avión!	Pusser.háiross deh ... púrrer ...! Sittōōansy en lah píster. El émplay.árdoh less uccumpúnnyerrár ull uvvión.
Hurry up! The loud speaker is calling us.	Dése prisa, que nos llaman por el altavoz.	Désseh prēēser, keh noss yármun por el últervóth.
I am rathen thrilled.	Estoy un poco emocionado.	Estóy oon pórcor emmóthionárdoh.
Have you never flown?	¿No ha hecho ningún viaje en avión?	Noh ar étchoh ningōōn vee.húhheh en uvvión?
It's my fifth or sixth flight, bul I always feel thrilled when we go up.	Es mi quinto o sexto vuelo, pero siempre me impresiona cuando subo.	Es mi kíntoh oh séxtoh vooéloh, páiroh syémpreh meh imprésseóner kwúndoh sōōboh.
Are we to go up in that three engined plane?	¿Hemos de subir en aquel trimotor?	Áymoss deh soobéar en ukkél treemottór?
No, I think the officer is taking us to that other bi-motor.	No, parece que el empleado se dirige a ese otro bimotor.	Noh, purrétheh keh el émplay.árdoh seh dirēēheh ah ésseh āwthoh bee.mottór.

---

(1) See heading **At the frontier.**
(2) Consultar el epígrafe **En la frontera.**

In the plane	En el avión	En el uvvión
The motors are starting up.	Ya se ponen en marcha los motores.	Yah seh pónnen en márrtcher loss mottóress.
We are leaving punctually to the minute (exactly on time).	Salimos a la hora fijada.	Sullēēmoss ullah āwrer fihárder.
Don't forget to fasten your lifebelt that is on your seat.	No olvide abrocharse el cinturón de seguridad que está en su butaca.	Noh olvēēdeh úbbrotchárrsch el thíntoorón deh segōōridúd keh estár en soo bootúcker.
That's true. I must remember to take this precaution.	Es verdad, debo tener en cuenta esta medida de precaución.	Es vaird.r débboh tennáir en kwénter éster medēēder deh precāwtheón.
May one smoke?	¿No podemos fumar?	Noh podémmos foomárr?
Not now. Only when we are in full flight.	Ahora no. Cuando estemos en pleno vuelo.	Uh.órer noh. Kwundoh estáimuss en pláinoh vooéloh.
We can hear the noise of the motors very loudly in this plane.	Se oye mucho el ruido de los motores en este avión.	Seh óyeh mōōtchoh el rooēēdoh de los mottórres en ésteh uvvión.
If it annoys you, ask the stewardess for some cotton wool to put in your ears.	Si le molesta, pida a la azafata un poco de algodón para taponar sus oídos.	See leh mollésster, peedeh úller útherfútter oon póccoh deh ullgoddón púrrer túpponnárr soos o.ēēdoss.
Stewardess, can I have some cotton wool?	Señorita, ¿haría el favor de un poco de algodón?	Senyorēēter, úrrear el fuvvórr deh onn pocco deh úllgoddón?
It's not necessary. The heat disturbs me more.	No es necesario. Me molesta más el calor que hace.	Noh ess néthessárrio. Meh mollésster múss el cullórr keh útheh.
You can regulate the air by the air intake beside your seat.	Puede regular la aireación por la toma de aire, situada junto a su butaca.	Pwéddeh regoolárr lah íreh.; theón porr lah tómmer deh íreh sittooárder hōōntoh ar soo bootúcker.

Are we still far?	¿Falta mucho para llegar?	Fúllter mōōtchon púrrer lyegárr?
No, we have fifteen minutes to go.	No, tan sólo unos quince minutos.	Noh, tun sawlaw oonos kíntheh minootoss.
I'm feeling a bit sick.	Estoy algo mareado.	Estóy úlgoh múrreh. .árdoh.
Ask the stewardess to look after you.	Solicite asistencia de la azafata.	Sollithēēteh ússisténthea dellah úther. fárta.
The plane is going down. We are arriving.	El avión está descendiendo. Ya llegamos.	El uvvión estáh déssthendee.éndoh. Yah lyégármoss.
I advise you to move your jaw, as if you were chewing, so as to avoid trouble with your ear drum, and to button your life belt.	Le recomiendo que haga movimientos de masticación para evitar molestias en su tímpano, y que se abroche el cinturón de seguridad.	Leh reccommiéndoh keh árger movvimyéntoss deh místicútheón púrrer evvitárr molléstius en soo tímpunnoh, e keh seh ubbrótcheh el thíntoorón deh seggōōridúd.
We have already landed.	Ya hemos tomado tierra.	Yah áymos tommádoh tyérrer.

### The arrival	### La llegada	### Lah lyegárder
It's been a splendid trip. What do we have to do now?	El viaje ha sido excelente. ¿Qué trámites debemos cumplir?	El vyúckeh ah sēēdoh éxthellenth. Kéh trúmmitess debéhmos koompléērr?
We have to pass the Customs (1). We shall be warned by loud speaker.	Hemos de pasar por la aduana (2). Los altavoces ya nos avisarán.	Áymos deh pussárr porr lah úddooúnner. Loss últrvóthess yah nos uvvissarrún.
In the meantime we can wait in the waiting room or at the bar.	Entre tanto puede esperar en la sala de espera, o en el bar.	Entreh tuntoh pwéddeh ésperárr en las súllah deh espáirrer, oh en el barr.

(1) See heading **At the frontier.**
(2) Consultar el epígrafe **En la frontera.**

Excuse me, where is the lavatory?	Oiga, señor, ¿dónde está el lavabo?	Óyger, senyórr, dóndeh estár el luvvárboh?
Is the town very far from the field?	¿Está muy lejos la ciudad del campo?	Estár mooy léhhos lah theudúd del cúmpoh?
About twenty minutes by the bus.	A unos treinta minutos en autocar.	Ar ōōnoss trénter minnōōtos en ōūtocárr.
Can we get into the bus already?	¿Podemos subir ya al autocar?	Poddáymos soohēērr yah úl oūtocárr?
No, not until the lugage and the mail have been unloaded and put into the bus.	No, señor. Cuando hayan descargado los equipajes y el correo del avión y los hayan colocado en él.	Noh, senyórr. Kwúndoh áhyun déscarrgárrdoh luss ékkipúhhes ee el corráyo del uvvión y los íyun collocárdoh en el.
Where do I get my luggage.	¿Dónde he de retirar el equipaje?	Dóndeh ay de rettirarr el ekkipúhheh?
At the airport office or at the town office, when the bus gets there.	Puede hacerlo en las oficinas del aeropuerto, o en la estación terminal cuando lleguemos con el autocar.	Pwéddeh utháirloh en luss óffithēēnuss del íropwáirtoh, oh en la estúthíon táirminúll kwúndoh lyeggemos con el ōūtocárr.
I had rather get it when we arrive in town.	Prefiero retirarlo en la ciudad, a la llegada.	Preffyáirroh rettirárrloh en lah théudúd, ullah lyeggárder.
Passeengers for... please get into car No. 12, at the exit.	¡Pasajeros de... para...! Hagan el favor de subir en el autocar número 12, situado en la salida.	Pusserháiross deh... púrrer...! árgun el fuvvórr deh soobēēr en el ōūtocarr nōōmeroh dótheh sittoo-árdoh en lahsullēēder.
Lets go. They are calling us by the loud speaker. Don't forget your suitcase.	Vamos, que nos llaman por el altavoz. No olvide su maletín.	Várrmoss, keh noss lyúm mun porr el últervóth. Noh ollveedeh soo mulleteen.

Where is the town station, in the centre or in a suburb?	¿Dónde está la estación terminal, en el centro de la ciudad o en un barrio extremo?	Dóndeh estár lah estútheón táirminúll, en el théntroh de lah thēē.oodúd oh en oon búrrioh extráimoh?
They are generally in the centre, but this one is just outside.	Generalmente suelen estar en el centro, pero ésta se halla a la entrada.	Hwnerallménteh swéllen estar en el théntroh, pairoh ésstar se úllyer ah la entrárder.
Can we get out now?	¿Podemos bajar ya?	Poddáimos buhhárr yah?
Yes, sir. We are there.	Sí, señor. Ya hemos llegado.	See, senyórr. Yah hémmos lyeggárdoh.
Porter, here's my ticket. Get my luggage.	Mozo, tenga mi billete y retíreme el equipaje.	Mawthaw, téngur me bilyétteh e retéererméh el ekkipúhheh.
I'll bring it at once.	En seguida se lo traigo.	En seggheeder seh loh trýgoh.
Shall I put it in a taxi?	¿Quiere que se lo coloque en un taxi?	Kyáireh keh scr loh collóckeh e oon túxxy.
No, thank you. I'll take it myself.	No es necesario. Me lo llevaré yo.	Noh es nethessário. Meh loh lyévvarréh yoh.
All right. Get one and put it in.	Bueno, búsqueme uno y póngalo dentro.	Bwénno, bōōskehmeh ōōnoh e póngaloh déntroh.
Here's the taxi. Your things are inside.	Ahí tiene el taxi. Sus maletas están ya en su sitio.	Ah.é tyénne el túxxy. Soos mulléttuss estún yah en soo sēētioh.
Thanks. Here you are.	Gracias. Tome usted.	Grútheuss. Tómmeh oostéh.
Driver, take me to... Hotel.	Chófer. Lléveme al Hotel...	Chofeur. Lyévermeh ull ottél...

THE SEA VOYAGE | VIAJE EN BARCO | VEE.ÚHHY EN BÁRCOH

The port | El puerto | El pwáirtoh

The quay.	El muelle.	El mwéllyeh.
The marine station.	La estación marítima.	Lah estutheón murrítimmer.

The cranes.	Las grúas.	Luss groo.uss.
The sheds.	Los tinglados.	Loss tinglárdoss.
The boat, ship.	El barco, el buque, el paquebote.	El bárrcoh, el bōōkeh, el púkkborth.
The transatlantic.	El transatlántico.	El trúnsutlúnticoh.
The motor ship.	La motonave.	Lah móttonárveh.
The ferry boat.	El barco transbordador.	El bárrcoh trunssbórderdórr.
The cargo boat.	El barco de carga.	El bárrcoh deh cárrger.
The fishing boat.	El barco pesquero.	El bárrcoh pesscáiroh.
The warships:	Los barcos de guerra:	Loss bárrcoss deh gherrer:
The battle ship.	El acorazado.	El uccórrerthárdoh.
The cruiser.	El crucero.	El crootháiroh.
The destroyer.	El destructor.	El destrooctórr.
The torpedo boat.	El torpedero.	El torrpedáiroh.
The miner layer.	El minador.	El meenadórr.
The submarine.	El submarino.	El soobmarēēnoh.
The supply ship.	El buque nodriza.	El bookeh nodrēēther.
The aeroplane carrier.	El portaaviones.	El pórrter.uvvióness.
The coast guard ship.	El guardacostas.	El gwarrder.cóstuss.
The training ship.	El barco-escuela.	El bárrcoh escwéller.
The speed lanch.	La lancha rápida.	Lah lúncher rúppidder.
The tanker.	El petrolero.	El petrolláiroh.
The canoo.	La canoa.	Lah cunnóa.
The sailing ship.	El velero.	El velláirroh.
The tug boat.	El remolcador.	El remolcadórr.
The yacht.	El yate.	El yútteh.
The lighter.	La chalana.	Lah tchullúnner.
The bark.	La barca.	Lah bárrker.
Rowing boats, skiffs.	Embarcaciones deportivas.	Émbarrcútheóness depporrtēēvuss.
The dock.	La dársena.	Lah dárrsenner.
The hydroplane.	El hidroavión.	El íddroh.uvvión.
The anchor.	El áncora.	El úncorah.
The chain.	La cadena.	La cuddáiner.

The deck.	La cubierta.	Lah coobyáirter.
The bridge.	El puente de mando.	El pwénteh deh mún-do.
The cabin.	El camarote.	El cúmmmerrótteh.
The hold.	La bodega.	Lah boddáiger.
The bow.	La proa.	Lah präwer.
The stern.	La popa.	Lah pópper.
Port.	Babor.	Bubborr.
Star board.	Estribor.	Esstreeborr.
The hatchway.	La escotilla.	Lah escottílyer.
The rudder.	El timón.	El timmón.
The propellor.	La hélice.	La éllitheh.
The keel.	La quilla.	Lah killyer.
The boilers.	Las calderas.	Luss culldáiruss.
The funnels.	La chimenea.	Lah chemmináir.
The siren.	La sirena.	Lah sirrénner.
The foremast.	El trinquete.	El trinkétteh.
The mizzen mast.	La mesana.	La messúnner.
The mast.	El mástil.	El músteill.
The aerials for the wireless.	Los cables de la radio y telegrafía sin hilos.	Loss cárbless de lah rárdioh e télligruffféar sin ëëloss.
The lifeboat.	El bote salvavidas.	El bórteh súlververëëduss.
The life belt.	El salvavidas.	El súlververëëduss.
The life saving jacket.	El chaleco salvavidas.	El tchulléckoh súlververëëduss.
The captain.	El capitán.	El cuppitún.
The first officer (the mate).	El primer oficial.	El primmáir offitheúl.
The purser.	El sobrecargo.	El sóbreh.cérgoh.
The chief steward.	El primer mayordomo (jefe de la despensa).	El primáir myorrdāwmoh (héffeh dellah dispénser).
The head waiter (second steward).	El segundo mayordomo (jefe del comedor).	El segoondoh my.or.dāwmoh (héffeh del commidórr).
The pilot.	El piloto.	El pillóttoh.
The engineer.	El maquinista.	El múkkinnister.
The seaman (sailor).	El marinero.	El murrináiroh.
The waiter.	El camarero.	El cummerráiroh.
The waitress.	La camarera.	Lah cummerráirah.

At the shipping company's office	En la oficina de la compañía de navegación del consignatario	En lah offitheener deh lah compunyéar deh núvvigutheón del consignatórioh
I want a passage to... On what days does the boat sail?	Deseo un pasaje para... ¿Qué días sale barco?	Dessáyoh oon pussúhheh púrrer ... Keh dēēuss sárleh barrcoh?
Every Thursday.	Los jueves de cada semana.	Loss hwévves deh cárther semmúnner.
There is a regular service.	Hay servicio regular.	I sairvēēthioh reggoolárr.
Splendid. Please book me for next week. Can you tell me the name of the ship?	Magnífico. Démo una plaza para el de la próxima semana. ¿Puede decirme el nombre del buque?	Mugnífficoh. Démmeh ōōner plúther púrrer el deh lah próximersemmúnner. Pwédeh dethēērmeh el nómbreh del bōōkeh?
The... sails next week.	La semana que viene saldrá el...	Lah semúnner keh vyenneh suldrár el...
A tourist class ticket.	Pasaje clase turística.	Pussúhheh clússeh toorística.
What cabin do you want?	¿Qué camarote desea usted?	Keh kummerrótteh dessáfer oostéh.
What classes are available?	¿Qué clases tiene disponibles?	Keh clússess tyéneh disponēēbless?
There are first, second, third and luxury class cabins available.	Hay camarotes de primera, segunda, tercera y de lujo.	I cúmmerróttess deh prímmáirer, segōōnder, tairtháirre e del lōōhoh.
Give me a first class with one berth, but not a hot one.	Déme uno de primera, con una litera, pero que no sea caluroso.	Démme oōnoh deh prímmáirer, conōōner lēēterer, páiroh keh noh sáyer cullerāwsoh.
This one here on the cabin plan is just what you want.	Éste que le señalo en el plano de distribución de cabinas reúne esa condición.	Ésteh keh leh senyúlloh en el plárnoh deh dístribōōtheón deh cubbēēnuss reh. díōōneh ésser conthión.

Whereabouts is it?	¿Dónde está situado?	Dóndeh estár sitooárdoh?
Amidship on the port side.	En el centro del barco y a babor.	En el théntroh del barrcoh y ar búbbórr.
How much is it?	¿Cuánto vale?	Cw;ntoh várleh?
All right, book it for me, please.	Bien, resérvemelo.	Byen, resáirrvemmelloh.
Can you give me a few labels for my luggage?	¿Puede, usted, darme algunas etiquetas para el equipaje?	Pw;ddeh oostéh dármeh ulgōōnuss éttikéttus purrer el ékkipúhheh?
How many pieces have you?	¿Cuántos bultos lleva?	Kwúntoss bōōltoss lyévver?
Here you are. These are for the luggage you want to keep with you in the cabin, and these for the luggage to go into the hold.	Tome usted. Éstas son para los bultos que quiera tener en el camarote, y éstas otras para los de bodega.	Tómmeh osstéh. Éssson púrrer loss bōōltoss keh kyáirer tennáirr en el cúmmerróteh, e ésstuss awtros púrrer loss deh boddégger.
At what time does the ship sail?	¿A qué hora sale el buque?	Ah keh wärer sárleh el bōōkeh?
At seven, eight, half past nine, a quarter to eleven, in the morning.	A las siete, ocho, nueve y media, once menos cuarto, de la mañana.	Ah luss sēē.etty. ótchoh, noo.évveh e méddier, óntheh ménnos kwárrtoh e kwuttroh de lah munyúnnah.
At a quarter past two, at three twenty-two, a quarter past four in the morning.	A las dos y quince, las tres y veintidós, las cuatro y cuarto de la tarde.	Ah luss doss e kíntheh luss tres e ventidóss. luss kwúttroh e kwárrtoh de lah tárrdeh.
At midday, at midnight.	A mediodía. A medianoche.	Ah méddioh déar. Ah méddioh nótcheh.
How long is the crossing?	¿Cuánto tiempo dura la travesía?	Kwúntoh tyémpoh dōōrra lah trúvvairséer?
On what day and at what time does the ship get to...?	¿Qué día llega el barco a..., y a qué hora?	Keh déear lyégger el bárrkoh ah..., e ah keh āwrer?
How often does it stop?	¿Cuántas escalas hace?	Kwúntuss escúllus útheh?

Five times. It stops at the following places.	Cinco. Toca en los siguientes puertos...	Thinkoh. Tóccer en loss siggyéntess pwáirtoss ...
From which quay does it leave?	¿De qué muelle sale?	Deh keh mwélyeh sárleh?
From the International Marine Station.	De la estación marítima internacional.	Deh lah esstútheón murríttimmer internútheonúll.
Do we have to be at the port much beforehand?	¿Se ha de estar en el puerto con mucha antelación?	Seh ar deh estár en el pwáirtoh con mōōtcher úntilúlhión?
Two hours before sailing.	Dos horas antes de la salida.	Doss āwrers úntess deh lah sullēēder.
How much do I owe you?	¿Cuánto le debo?	Kwuntoh leh débboh?
Here you are, and thanks for your information.	Tome usted, y muchas gracias por su información.	Tómmeh oostéh e mōōtchus grútheus porr soo informutheón.

At the port — En el puerto — En el pwáirtoh

Here we are at the quay.	Ya estamos en el muelle.	Yah estármoss en el mwéllyeh.
Where's the boat?	¿Dónde está el barco?	Dóndeh estár el barrcoh?
Its this one.	Es ése de ahí.	Ess éssy deh ahēē.
It's a magnificent transatlantic.	Es un transatlántico magnífico.	Ess onn trúnsutlúnticoh.
And up to date. It was launched last year.	Y moderno. Fue botado el pasado año.	E modáirnoh. Fweh bottárdoh el únyoh pussárdoh.
They are still loading.	Todavía están haciendo las operaciones de carga.	Tóddervéar estún uthyéndoh luss óppairútheónes deh carrger.
There are two hours before they raise the anchor.	Es que faltan casi dos horas para levar anclas.	Ess keh fúltun cússy dóss āwrers púrrer lyevvárr úncluss.
Porter, here are my bags. These are for	Mozo, tenga mis maletas. Éstas han de ir	Māwthaw, ténger mees mulléttus. És-

the hold and these for cabin No. 35.	a la bodega, y éstas otras colóquelas en el camarote 35.	stuss hun deh ear ah lah boddégger, e éstuss āwtruss colóckehlúss en el cummerrotteh trénty- -thinkoh.
There's a lot of traffic in the port.	Este puerto tiene mucho movimiento.	Este pwáirrtoh tyénneh mōōtchoh móvvimyéntoh.
There are no warships.	No hay ningún buque de guerra.	Noh i ningōōn bōōkeh de gérrer.
Because they all left for manoeuvres yesterday.	Porque ayer salió toda la flota de maniobras.	Pórrkeh ayáir sulliōh tāwder la flótter deh múnni.āwbruss.
But there are several cargo boats and tankers.	En cambio hay varios barcos de carga y petroleros.	En cúmbioh i várrioss bárrcoss deh cárrger e pétrolláiross.
They are finishing the loading.	¿Están terminando la carga?	Estún táirminúndoh lah cárrger?
Yes, passengers may go aboard.	Sí, los pasajeros ya pueden subir a bordo.	See, loss pússerháiross yah pwédden soobēēr ah bórrdoh.
Porter, come aboard with me.	Mozo, acompáñeme al barco.	Mawthaw, uccompúnyerméh ul bárrcoh.
Take care, sir. Hold the railing firmly.	Tenga cuidado, señor. Cójase bien a la barandilla de la pasarela.	Ténger kweedárdoh, senyórr. Cóhherseh byén ah lah búnderríllyer deh lah pussaréller.

On board

En el barco

En el bárrcoh

On what side is my cabin?	¿Por qué lado está mi camarote?	Porr keh lárdoh, estár me kúmmerrótteh?
It's forward. Go along that corridor and you'll come to it.	Está hacia proa. Siga aquel pasillo y lo enencontrará.	Estár úthier präwer. Seeger ukkéll pússēēlyoh e loh encóntrarrár.
Is that a good place?	¿Es buen sitio?	Ess bwén sēētioh?
One of the best. Those below deck are hotter.	Es uno de los mejores. Los que están bajo cubierta son más calurosos.	Ess ōōnoh dehloss mehhórress. Loss keh estún búhhoh coobyáirth son múss cúllooróssoss.

This **deck** is very roomy.	Esta cubierta es muy espaciosa.	Éstah coobyáirtoh es mōōy esputhiāwser.
What a lovely saloon!	Este salón es precioso.	Ésteh sullón es préthiāwsoh.
You will like the smoking room better.	Le gustará más el salón de fumar.	Leh goostaréar máss el sullón deh foomárr.
Where is the dining room, the bar, the library, the sick bay, the hair dresser's, the gymnasium, the tea room, the bathing pool, etc.?	¿Dónde está el comedor, el bar, la biblioteca, la enfermería, la peluquería, el gimnasio, el salón de té, la piscina, etc.?	Dóndeh estáh el cómmidórr, el barr, lah bibliotékker, lah enfáirmerréar, lah péllookerréar, el himnússio, el sullon deh lah, pistheener, etc.?
My cabin is rather large.	Mi camarote es bastante grande.	Me cúmmerrótte es bustúnteh grúndeh.
Mine is smaller, but comfortable.	El mío es más pequeño, pero confortable.	El méoh es múss pekkényoh, péhroh confort!rbleh.
The berths are cosy.	Las literas son cómodas.	Luss lēēterus son cómmodus.
Steward, get me a deck chair, please.	Oiga, mozo, proporcióneme una silla de cubierta.	óyger, māwthaw, propórtheónermeh ōōner síllyer deh coobyáirter.
How much is that?	¿Cuánto es?	Kwúntoh ess?
Steward, I want my dinner on deck, in my cabin.	Camarero, sírvame la comida en cubierta, en el camarote.	Cummerráiroh, sēērvermeh lah commēēder en coobyáirter, en el cúmmerrāwteh.
Steward, I am on a diet and want a special meal. Who attends to that?	Camarero, estoy a régimen y deseo una comida especial. ¿Quién se cuida de esto?	Cummeráiroh, estóy ah réhimen a dessáyoh ooner commēēder espéthiúl. Kee.én seh kwēēder deh éstoh?
The second steward. I will tell him.	El segundo mayordomo. Ahora le avisaré.	El segōōndoh mýorrdāwmoh. Uh.óra leh uvvíssarréh.
Are you feeling sick?	¿Está usted mareado?	Estáh oostéh múrriardoh?
I'm never seasick.	Nunca me mareo.	Nōōnker meh murráyoh.

Does she rock a lot?	¿Se mueve mucho este barco?	Seh mooáyveh mōōtchoh ésteh bárrcoh?
No, only a little in a heavy sea.	No, un poco sólo cuando hay mar gruesa.	Noh, oon pāwcoh sāwloh kwúndoh i marr gruéssoh.
The sea is a little choppy.	El mar está picado.	El marr estáh pickárdoh.
She is pitching somewhat, and yet there are no waves.	El barco cabecea algo, y, sin embargo, no hay olas.	El bárrcoh cubbetháyer úlgoh, y, sin embárrgoh, noh i āwlerss.
There is a ground swell.	Es que hay mar de fondo.	Ess keh i marr deh fóndoh.
This rolling is almost unbearable.	Este movimiento de balanceo es casi insoportable.	Ésteh móvimyéntoh deh búllontháyoh ess cssy ínsupporrtárbleh.
I'm feeling dizzy. I'm beginning to be sick.	Siento náuseas. Empiezo a marearme.	Syéntoh nāwsayerss. Empyéthoh ah murreármeh.
When one is sick, the best thing is to lie down, though they say the best cure is eating.	Cuando uno se marea, creo que lo mejor es acostarse, aun cuando se dice también que el remedio más eficaz es comer.	Kwúndoh oonoh seh murráyer cráyoh keh loh mehórr ess uckostárrseh, ah.ōōn kwúndoh seh dēētheh túmbe.én keh el remmédioh múss efficúth ess commáirr.
I have a headache.	Siento dolor de cabeza.	Syéntoh dollorr deh cubbéther.
Its the beginning of seasickness.	Eso es principio de mareo.	Éssoh ess el printhíppioh deh murráyoh.
Now the sea looks like a pool of oil.	Ahora el mar parece una balsa de aceite.	Ah.órer el marr purrétheh ooner búllser deh utháyteh.
Have you any binoculars?	¿Tiene usted unos prismáticos?	Tyénneh oostéh ōōnoss prismútticóss?
I can see a ship on the horizon. It looks like a cargo boat.	En el horizonte se divisa un barco. Parece de carga.	En el orrithónteh ser divēēser oon bárrcoh. Purrétheh de cárrger.
I should like to be on land.	Tengo ya ganas de pisar tierra.	Téngoh yah gúnners deh pissárr tyérrer.

At dawn tomorrow we shall reach...	Mañana, al alba, llegaremos a...	Munnyúnner, al úllber, lyégarráymoss ah...
Come over to starboard.	Venga usted a estribor.	Vénger osstéh ah éstribórr.
What's happening?	¿Qué ocurre?	Keh uccōōrreh?
What a magnificent sunset!	Hay una puesta de sol magnífica.	I ooner pwéster deh sol mugníffiker.
Oh! its wonderful. I have never seen anything like it.	¡Oh!, es admirable. No recuerdo haber visto cosa semejante.	Oh! ess údmirárbleh. Noh rekwairdoh ubbáirr vistoh cáwser semmihúnteh.
What speed is she making?	¿A qué velocidad navega este barco?	Ah kéh velóthidúd nuváiger ésteh bárrcoh?
Twenty miles an hour.	A veinte millas por hora.	Ah vénteh míllyuss porr óra.
Is that a lot?	¿Es mucho?	Ess mōōhchoh?
It's about 37 kilometres an hour, but other times she does a better day's run.	Representan unos 37 kilómetros por hora. Pero otras veces hace mejor singladura.	Represéntun o o n o s s tréntithinkoh killómmetross porr óra. Péhroh āwtruss véthess útheh myórr sin gladōōrah.
Does she burn coal?	¿Va con carbón?	Vah con carrbón?
Nowadays ships burn gas-oil or petroleum.	Hoy día los barcos van con gasoil y petróleo.	Oy dear loss bárrcos vun con gússoil e petrólleo.
The compass.	La brújula.	Lah brōōhoolah.
The ventilator, the rudder.	La hélice, el timón.	Lah éllitheh, el teemón.
The propellor, the funnel, the smoke the breeze.	El ventilador, la chimenea, el humo, la brisa.	El véntilladórr, la chímmenáyer, el ōōmoh, lah brēēsser.
Where's the swimming pool?	¿Dónde está la piscina?	Dóndeh estáh lah pisthēēner?
Which, the open air or the covered one?	¿Cuál, la cubierta o la descubierta?	Kwull, lah coobyáirter oh lah désscoobyáirter?
At what time shall we arrive?	¿A qué hora llegaremos?	Ah keh óra lyéggarráymos?
I must see a doctor. Where is he?	Tengo necesidad de ver al médico. ¿Dónde está?	T é n g o h nethéssidud deh váir ull médicoh. Dóndeh estár?
In the sick bay.	En la enfermería.	En lah enfáirrmerréar.

The pilot has taken over.	El práctico se ha hecho cargo del barco.	El prúcticoh seh ar ét-choh cárrgoh del bárrcoh.
We are coming into the harbour.	Estamos entrando ya en el puerto.	Estármos estrúndoh en el pwáirtoh.
The tugs have also taken over.	Los remolcadores también han entrado en acción.	Loss remólcadérress túmby.én un entrárdoh en úctheón.

The arrival — La llegada — Lah lyegárder

Will it be long before we go ashore, Captain?	¿Tardaremos mucho en poder desembarcar, oficial?	Tardarráymos mōōt-choh en podáirr déssembarrcárr, offí-thiál?
First we have to pass the medical and immigration officers, and then the Customs (1).	Antes hemos de pasar por los trámites de sanidad y de inmigración, y a continuación por la aduana (2).	Úntess áymoss deh pussarr loss trmmi-tess deh súnnidúd e deh ínmiggrúthión e ah cóntinoo.útheón porr lah údderwún-ner.
Porter, get my luggage from the cabin and from the hold. There are five pieces. Here is my ticket.	Mozo, retíreme el equi-paje del camarote y de la bodega. Tengo cinco bultos. Aquí tiene mi pasaje.	Māwthaw, retēērermeh el ékkipúhheh del cúmmerrótteh e deh lah boddégger. Téngoh thínkoh bōōltoss. Ukkēē tyénneh me pussúhheh.
Here's all your luggage, sir.	Señor, aquí está todo su equipaje.	Senyórr, ukkēē estár tāwdoh soo ékkipúh-heh.
Can I take the luggage somewhere for you?	¿Quiere que le lleve el equipaje a algún si-tio?	Kyáireh keh leh lyév-veh ekkipuhheh ah ulgoon seetioh?
Yes. to the Hotel... No, I'll see to it myself. Here you are.	Sí, al Hotel... No, ya me cuidaré yo de él. Tenga usted, y gracias.	See, ull awtél. Noh, yah meh kwēē-durréh yóh deh el. Téngah oostéh, e grúth-eass.

(1) See heading At the frontier.
(2) Consultar el epígrafe En la frontera.

THE TRAIN JOURNEY	VIAJE EN TREN	VYUHHEH EN TREN
At the station	En la estación	En lah estútheón
The station.	La estación.	Lah estútheón.
The platform.	El andén.	El undén.
The tracks.	Las vías.	Luss véarss.
The rails.	Los raíles.	Loss ríless.
The awning.	La marquesina.	Lah márrkessēēner.
The train.	El tren.	El tren.
The engine.	La locomotora.	Lah lāwcawmottórrah.
The tender.	El ténder.	El ténderr.
The van.	El furgón.	El foorrgón.
The coaches, carriages.	Los vagones.	Los vuggónness.
The electric rail.	El autovía.	El ōūtaw.vēēr.
The windows.	Las ventanillas.	Luss véntunníllyuss.
The engine driver.	El maquinista.	El múkkiníster.
The stoker.	El fogonero.	El fóggonnáiroh.
The station master.	El jefe de estación.	El héffeh deh estútheón.
The inspector.	El revisor.	El revvisórr.
The employee.	El empleado.	El empleárdoh.
The pointsman.	El guardagujas.	El gwárrder.uggōōhuss.
The guard.	El factor.	El fuctór.
The porter.	El mozo.	El māwthaw.
The time table.	El cuadro de horarios.	El kwódroh deh orrárrioss.
The passenger.	El viajero.	El vēēaháiroh.
The truck.	El baúl.	El bah.ōōl.
The valise.	La maleta.	Lah mullétter.
The suit case.	El maletín.	El mullettēēn.
The luggage.	El equipaje.	El ékkipúhheh.
The electric wire.	El cable eléctrico.	El cárbleh eléctricoh.
The smoke.	El humo.	El ōōmoh.
Porter, have my luggage registered to...	Mozo, facture mi equipaje para...	Mawthaw, fuctōōreh me ékkipúhheh púrrer ...
You must get your ticket first, sir.	Primero debe sacar el billete, señor.	Primmáiroh débbeh succár el bylyétteh, senyórr.
Give me the ticket.	**Déme usted** el billete.	**Démmeh oostéh** el billyéte.

At which window do I get a ticket to...?	¿En qué ventanilla despachan los billetes para...?	En kéh véntuunílyer despútchun billéttess púrrer ...?
Where is the window?	¿Dónde está la ventanilla?	Dóndeh estár lah véntunníllyer?
Are you selling tickets to...	¿Despachan aquí billetes para...?	Despútchun ukkéē billyéttes púrrer ...?
Three firsts please.	Déme tres primeras.	Démmeh tress primáirass.
How much is it?	¿Cuánto es?	Kwúntoh ess?
How much is a ticket to...?	¿Cuánto vale un billete para...?	Kwúntoh várleh oon billyétte púrrer ...?
First, second, third, couchette, sleeping car, pullman.	En primera, en segunda, en tercera, en coche cama, en coche pullman.	En primmáirer, en seggōōnder, en tairrtháirer, en cótcheh cúmmer, en cotcheh pōōlmun?
A half ticket.	Un billete medio.	Onn billyétteh méddioh.
Combined ticket.	Billete combinado.	Billyétteh combinárdoh.
Family ticket.	Billete familiar.	Billyétteh fummílliárr.
Platform ticket.	Billete de andén.	Billyétteh deh undén.
Do I have to change?	¿Hay transbordo en el trayecto?	I trunssbórdoh en el raryéctoh?
No, you don't have to change.	No, señor, no tiene usted que cambiar de tren.	Noh, senyórr. Noh tyénneh oostéh keh cúmbyár deh tren.
Yes, sir. At the frontier.	Sí, señor; en la frontera.	See, senyórr, en lah frontáirer.
Changing trains is always very annoying.	Los cambios de tren son siempre muy molestos.	Loss cúmbioss, deh tren son mōōy molésstoss.
Lets go to the waiting room.	Vamos a la sala de espera.	Vármoss úller súller deh esspáirer.
When does the train leave?	¿A qué hora sale el tren?	Ah keh óra sárleh el tren?
At twenty past three; at half past three; at quarter to four.	A las tres veinte; a las tres y media, a las cuatro menos cuarto.	Ah luss tres vénteh; ah luss tres e méddier; úllus kwúttroh ménnoss kwárrtoh.
We have time for a drink.	Tengo tiempo de tomar algo en el bar.	Tengoh tyémpoh deh tommárr úlgoh en el barr.

Which platform does it go from?	¿De qué vía sale?	Deh keh veer sárleh?
From No. 1, line 5.	Del andén número 1, vía 5.	Del undén nōōmairoh ōōnoh, veer thínkoh.
Where is the book stall? I want to buy a time table.	¿Dónde está el quiosco de periódicos? Deseo comprar una guía de ferrocarriles.	Dóndeh estár el keeóscoh deh perrióddiccoss? Dessáyoh comprárr o o n e r géar férroh.currēēless.
I'll wait here for you.	Yo le espero aquí.	Yoh leh espáiroh ukkēē
In the meantime you can register your luggage.	Mientras tanto, puede usted facturar el equipaje.	Myéntruss túntoh, pwéddeh oostéh fuctoorrárr el ékkipúhheh.
All right. See me to the comparment.	Bueno, acompáñeme al coche.	Bwénnoh, uccompúnyermeh ull cótcheh.
Please put the bags in.	Haga el favor de subir las maletas.	Árger el fuvvór deh soobēēr luss mulléltus.
They are already in the compartment.	Ya están colocadas en su departamento.	Yah estún collocárduss en soo depártaméntoh.
Give me the luggage ticket.	Déme el talón del equipaje.	Démmeh el tullón del ékkipúhheh.
This way. Seat 6 is yours.	Pase usted aquí; ocupa el asiento número 6.	Pússeh oostéh ukkēē; occōōper el usyéntoh nōōmairoh sáiss.
Thanks. Here you are.	Tenga usted, y gracias.	Ténger oostéh, e grútheus.
Good luck, sir.	Que tenga buen viaje.	Keh ténger bwén vee.úhheh.

In the train

En el tren

En el tren

First class.	Primera clase.	Primáirer clússeh.
Second class.	Segunda clase.	Segōōnder clússeh.
Third class.	Tercera clase.	Tairrtháirrer clússeh.
The compartment.	El departamento.	El depártaméntoh.
This coach is very comfortable.	Este coche es muy cómodo.	Ésteh cótcheh ess mōōy cómmodoh.
There are also reserved seats.	También los hay reservados.	Túmbee.én loss i resserrvárdoss.

Are we going very fast?	Llevamos mucha velocidad.	Lyevvármoss mōōcher vellóssidúd.
Sixty, seventy, eighty, ninety, a hundred kilometers an hour.	Sesenta, setenta, ochenta, noventa, cien kilómetros por hora.	Sessénter, setténter, otchénter, novénter, thee.én killómmetross por óra.
This window doesn't open, doesn't close.	Esta ventanilla no se puede abrir, no se puede cerrar.	Ésstah véntunēēlyer noh seh pwéddeh úbrrēērr, noh seh pwéddeh therrárr.
I am going to look at the time table.	Voy a consultar la guía.	Voy ah cónsooltárr lah géar.
Is there no restaurant, no saloon car?	¿No hay coche restaurante, coche salón?	Noh i cótcheh résstorrúnteh, cótche sullón?
There are, but only on the expresses	Sólo lo lleva el expreso.	Sāwlaw loh lyéver el expréssoh.
Yes, there's a restaurant car.	Sí, hay coche restaurante.	See, i cótcheh réstorrúnth.
At what time is the first, second sitting?	¿A qué hora sirven la primera, la segunda serie?	Ah keh óra sēērrvun lah preemáirrer, lah segōōnder sáirrier?
We shall go through a long tunnel.	Pronto pasaremos un largo túnel.	Próntoh pusserráimus oon lárrgoh toonél.
One can't smoke here.	Aquí no se puede fumar.	Ukee noh seh pwedde foomárr.
What pretty country!	¡Qué paisaje más bonito!	Khe pie.súhheh múss bonnēētih.
Look at that house at the top of the mountain!	Fíjese en aquella casa que está en lo alto de la montaña.	Fēēherseh en uckéllyer cússer keh estár en lo últoh déllah montúnyer.
Do you mind the open window?	¿Le molesta que esté abierta la ventanilla?	Leh mollésster keh estéh ubyáirter lah vénttunnílyer?
A lot of wind and dust comes in.	Entra mucho aire y mucho polvo.	Entrrer mōōcher íry e mōōtchoh pólvoh.
Are you very sleepy?	¿Tiene usted sueño?	Tyénneh oostéh swénnyoh?
Yes, I want to sleep.	Sí, deseo dormir.	See, dessáyoh dorrmeerr.
The bed's already made.	Ya está hecha la cama.	Yah estár étcher lah cúmmer.

Excuse me, this seat is taken.	Perdone, este asiento está reservado.	Pairdónneh, ésteh ussyéntoh está resserrrvártoh.
If you wish, we can put out the light.	Si usted quiere podemos apagar la luz.	See oostéh kyáireh poddémmoss uppergárr lah looth.
Yes, if you like.	Sí, si usted quiere.	See, see oostéh kyáireh.
Good night!	¡Buenas noches!	Bwennuss notchess.
These suitcases are mine.	Estas maletas son mías.	Ésstuss mulléttus son méuss.
Can I put my bags here?	¿Puedo poner aquí mis maletas?	Pwéddoh ponnáir ukkēē mees mulléttus?
This man is the inspector.	Este empleado es el revisor.	Ésteh emplaïárdoh ess el revvissórr.
What a long journey!	¡Qué viaje más largo!	Keh veeúhheh múss lárrgoh!
How many stations are there to...?	¿Cuántas estaciones faltan para llegar a...?	Kwúntuss estútheóness fúlltun púrrer lyeggárr ah ...?
Four more. We shall be there in an hour.	Faltan cuatro. Llegaremos dentro de una hora.	Fúlltun kwútthoh. Lyeggarráimuss dentroh deh ooner óra.
These are the suburbs of...	He aquí los alrededores de...	Eh ukkēē loss ulréddedórress deh ...
Ten minutes stop.	Diez minutos de parada.	Dee.eth minōōtoss deh purrárder.
I'n going to the canteen (bar).	Voy a la cantina.	Voy úllah cuntēēner.
What station is this?	¿Qué estación es ésta?	Kéh esttheón ess éster?
All aboard, please.	¡Señores viajeros, al tren!	Senyórres vēē.uhháirress, ull tren!
I want to get in.	Deseo subir.	Dessáyoh soobēēr.
I want to get out.	Deseo bajar.	Desáyoh buhhárr.
I want to go to the water-closet.	Deseo ir al retrete.	Dessáyoh éarr ull rettrétteh.
I want to go to the lavatory.	Deseo lavarme.	Dessáyoh luvvárrmeh.
I should like to get there soon.	Quisiera llegar pronto.	Keesáirer lyeggárr próntoh.

We are getting there, thank Heavens.	Felizmente ya llegamos.	Felleethménteh **yah** lyegármos.
We are there.	Ya hemos llegado.	Yah áymoss lyegárdoh.
May I get out?	¿Me permite bajar?	Meh pairmēēteh buhhárr?
Good luck, gentlemen.	Buen viaje, señores.	Bwén vee.úhheh, senyórr.

Changing trains	Cambio de tren	Cúmbeo deh tren
We have to change at the next station.	En la próxima estación debemos cambiar de tren.	En lah próximah estútheón debbémoss cumbeárr deh tren.
We need'nt hurry.	No nos precipitemos.	Noh nos prethíppitáimos.
Porter, which is the train for...?	¡Mozo! Indíqueme el tren que va a...	Māwthaw! Indēēkermeh el tren keh **vah** ah ...
You have fifteen minutes to wait.	Hay que esperar quince minutos.	I keh ésperrárr kíntheh minóotoss.
What a nuisance!	¡Qué fastidio!	Kéh fusstíddioh!
Is this our train?	¿Debemos pasar a ese tren?	Débbémos pussárr ah ésseh tren?
No, sir. It's one that will come come in on this line.	No, señor; a uno que vendrá por esta línea.	Noh, senyórr; ah ōōnoh keh vendrár porr éstah línnear.
Here comes the train.	Ya llega el tren.	Yah lyegger el etren.
What a muddle!	¡Qué confusión!	Keh confōōsión!
Can we get in now?	¿Podemos subir ya?	Podémmos soobēēr yahh
Is this train through to...?	¿Va este tren directo a...?	Vah ésteh tren dirréctoh ah ...?
Yes, sir. It's a through train.	Sí, señor; es tren directo.	See, senyórr, ess tren dirréctoh.
Do you like travelling by train?	¿Le gusta a usted viajar en tren?	Leh gōōster ah oostéh vea.hárr en tren?
Yes, but I don't like to spend a night in the train.	Sí, pero pernoctar en él no tanto.	See, péhroh pairnoctárr en él noh túntoh.
Through train.	Tren directo.	Tren diréctoh.
Express train.	Tren expreso.	Tren expréssoh.

Fast train.	Tren rápido.	Tren rúppidoh.
Mixed train.	Tren mixto.	Tren míxtoh.
Slow train.	Tren ligero.	Tren liháiroh.
Mail train.	Tren correo.	Tren corráyoh.

The arrival — La llegada — Lah lyegárder

Have we far to go yet?	¿Falta mucho para llegar?	Fúllter mōōtchoh púrrer lyegárr?
We are just arriving.	Estamos llegando ya.	Estármos lyegúndoh yah.
Here we are.	Ya estamos.	Yah estármos.
I'm going to get out.	Voy a bajar.	Voy ah buhhárr.
Porter! Porter!	¡Mozo! ¡Mozo!	Māwthaw, māwthaw!
Take my bags to a taxi.	Tome usted mis maletas, y búsqueme un taxi.	Tómmeh oostéh mees múllétters e bōōskemmeh oon túcksy.
Take this suitcase, this rug, this small bag, etc. There are six pieces in all.	Tome usted estas maletas, esta manta, este maletín, etc. Entre todo hay seis bultos.	Tómmeh oostéh meess mulléttus, éstah múnter, ésteh mulletēēn, etc. Éntreh tāwdoh i sáyss bōōltoss.
Do you want a taxi?	¿Quiere usted un taxi?	Kyáirreh oostéh oon túcksy?
Yes, find me one.	Sí, búsqueme uno.	See, bōōskehméh ōōnoh.
Put the luggage in the taxi.	Coloque usted los bultos en el taxi.	Collóckeh oostéh loss bōōltos en tl túcksy.
There are six altogether.	Son seis en total.	Son sáyss en totúll.
Wait, porter. Take this ticket and get the registered trunk. I'll wait for you in the taxi.	Espere, mozo; tome este talón, y sáqueme el baúl que viene facturado. Le espero dentro del auto.	Esspérreh, māwthaw; tómmeh ésteh tullón e súckehmeh el bah.ōōl keh tyénneh fucvtoorárdoh. Loh esspáiroh déntroh del ōwtoh.
How time flies!	¡Cómo pasa el tiempo!	Cómmoh pússer el tyémpoh!

Ah, here's the porter with my trunk.	¡Ah! ya está ahí el mozo y mi baúl.	Ah! Yah estár uh.ēē el māwthaw e me bah.ōōl.
Put the trunk by the driver and the bags inside.	Coloque el baúl al lado del chófer y las maletas en el interior.	Collóckeh el bah.ōōl al lárdoh del choffeur e las mulléttus en el intáiriórr.
Here you are, porter.	Tenga usted, mozo.	Téngah oostéh, māwthaw.
Driver, to... Hotel.	Chófer, al Hotel...	Choffēū, al awtél ...
Quickly, please, driver.	Vaya de prisa.	Váryer deh prēēser.
Drive slowly.	Vaya despacio.	Váryer despútheo.
Driver, have we much farther to go?	Chófer, ¿falta mucho para llegar?	Choffeur, fúllter mōōtchoh púrrer lyégárr?
No, we are just arriving.	No, señor; llegaremos en seguida.	Noh, senyórr. Lyéggaráymoss enseggeeder.
What's the name of this street?	¿Cómo se llama esta calle?	Cómmoh sch lyármer éster cúllyeh?
And this one?	¿Y esta otra?	E éster āwtrer?
And that building in the distance?	¿Y aquél edificio que se ve al fondo?	E uckél eddifēētheo keh seh veh ull fóndoh?
There are a lot of cars here.	Aquí hay muchos automóviles.	Ukkēē i mōōtchoss ōwtommóvvi:ess.
The streets are full of poeple going to and fro.	Las calles están llenas de gentes que van y vienen.	Luss cúllyess estún lyénnuss deh héntess keh vun e vyénnun.
When shall we get there?	¿Cuándo llegaremos?	Kwúndoh lyéggurráymoss?
We are there.	Ya estamos.	Yah esstármoss.
Driver, open the door, please.	Chófer, abra la puerta.	Choffeur, úbbrrer lah pwáirter.
How much do I owe you?	¿Cuánto le debo?	Kwúntoh leh débboh?
The meter shows...	El taxímetro marca...	El tucksímmetroh márrcer ...
Here you are, and your tip.	Tenga el importe del trayecto, y la propina.	Ténger el impórrteh del trayéctoh, e lah propēēner.

AT THE TRAVEL AGENCY	EN LA AGENCIA DE VIAJES	EN LAH UHÉNTHEA DEH VEE.ÚHHESS
Good morning.	Buenos días.	Bwénnoss déarss.
I want to leave for England, France, the United States on the...	Deseo salir para Inglaterra, Francia, los Estados Unidos... el día...	Dessáyoh sulléarr púrrer inglutérrer, frúnthea, loss estárdoss ... el déar ...
I want to go by plane.	Me interesa ir en avión.	Meh interrésser éar en uvvión.
I should like to leave next week.	Me gustaría salir la semana próxima.	Meh gōōsterréar sulléarr lah semúnner próximer.
Could you make me a plan of the journey and an estimate?	¿Podría hacerme un itinerario del viaje y presupuesto?	Padréar utháirmeh oon ittínnerrrário del vee.úhheh e presoopwéstoh?
A contract journey.	Un viaje a «forfait».	Oon vee.úhheh ah forfeh.
Is it to be a return trip?	¿Ha de ser ida y vuelta?	Ar deh sair ēēder e vwélter?
No, there only, as I may be going from there to another country.	Sólo ida, pues es posible que desde allí me dirija a otro país.	Sāwloh ēēder, pwess ess posēēbleh keh meh dirrēēher ah āwtroh pice.
Do you want hotels included?	¿Ha de ser con hoteles incluidos?	Ah deh seir con awtéless incloo.ēēdos?
All included, with second class hotels.	Todo completo y en hoteles de segunda tegoría.	Tawdo compléttoh e en awtélles deh segōōnder cúttegorréar.
How many days do you want to spend on the journey?	¿Cuántos días desea destinar a ese viaje?	Kwúntoss déarss dessáyer destinárr ah ésseh vee.úhheh?
Is your passport in order?	¿Tiene el pasaporte en regla?	Tyénneh el pússerpórrteh en régler?
I only require the visas of the... consulates.	Sólo me faltan los visados de los consulados de...	Sālo meh fúllteh loss visscárdoss deh loss cónsoolárdoss deh ..
What does that all come to?	¿Cuánto cuesta todo?	Kwúntoh kwōstes tawdoh?

If I cannot go, will you return me the fares?	De no poder salir, ¿me devolverán el importe del billete?	Dek non poddáair sul·lēērr, meh devvólvairrēēan el imporrteh del billyétteh?
Yes, but you must give us twentyfour hours notice. I shall deduct 10% (1).	Sí, pero ha de avisarnos con veinticuatro horas de antelación. Se le deducirá el 10 por ciento (2).	See, péhroh deh uvvissárnoss con vénteh kwúttroh órass deh úntilutheón. Seh leh deddoothēērrár el dé.eth por thyéntoh.
I want a first class two berth cabin.	Deseo un camarote de primera para... con dos literas.	Dessáyoh oon cummerrótte deh primáirrer púrrer... Con doss lēēteruss.
I'm sorry, there's only one first left, with one berth, and a second with four.	Lo siento, sólo quedan de primera con una litera y de segunda con cuatro.	Loh syéntoh, sāwloh kéhdun deh primairroh con ōōner lēē terer e deh segōōnder con kwúttroh.
Is there a smoking room on the steamer (motor ship, boat)?	¿Tiene el barco (vapor, motonave, buque) salón de fumar?	Tyénneh el bárrcoh (vuppórr, móttonáhveh, bōōñeh) sullón deh foomárr?
Yes sir. There's also a swimming pool, gymnasium, orchestra and bar.	Sí, señor, y también piscina, gimnasio, orquesta y bar.	See, senyórr, e tumbyén pisthēēner, hymnárseó, orrkéster e barr.
What does it cost?	¿Cuánto vale?	Kwúntoh várleh?
All right, I'll come for my ticket tomorrow.	Perfectamente, mañana pasaré a recoger el pasaje.	Pairféctaménteh, múnnyúnner pusserréh ah recohháirr el pussúhheh.
Please send the tickets to the hotel. The porter will pay for them (3).	Haga el favor de enviarme el pasaje al hotel, allí lo abonará el conserje (4).	Árger el fuvvórr deh énviarrmeh el pussúhheh awtél, úlyēē loh ubbónnerráy ul consáirrheh.

---

(1) Más información en el epígrafe **Viaje en avión.**
(2) See heading **Journey by plane,** for more information.
(3) See heading **The sea voyage,** for more information.
(4) Más información en el epígrafe **Viaje en barco.**

I want to take a pleasure trip to...	Quisiera hacer un viaje de recreo por...	Keesáirer utháir oon ve.úhheh deh reccreóh porr ...
What towns do you advise me to visit?	¿Qué ciudades me aconseja que visite?	Kéh theoodáress meh úkkonséhher keh visséēteh?
This is the best moment to go to...	Estamos en la mejor época para ir a...	Estármoss en lah mehhór éppocker púrrer ear ah ...
Could you arrange me a combined journey for...?	¿Podría combinarme un viaje para...?	Podréar combinárrmeh oon veúhheh púrrer ...?
Yes sir. I'll arrange you a route that you'll like.	Sí, señor, le haré un itinerario que le agradará.	See, senyyórr. Len urráy oon ittínnerrárrio keh leh uggrúdderrár.
I should like to make the trip by road car, by pulman car, and stay at second class hotels.	Desearía hacer el viaje en autocar, en autopullman, y los hospedajes en hoteles de segunda clase.	Déssayarréar utháir el veúhheh en ōwtocárr, en ōwtoppōólman, e loss ósspiddúhhes en awtéles deh 'segōōnder clússeh.
I should like to visit the... region.	Quisiera visitar la región...	Kissáirer víssitárr lah réh-heón ...
We have fortnightly trips to... with visits to monuments, picturesque spots, etc.	Tenemos viajes quincenales para..., con visita a monumentos, museos, lugares pintorescos, etc.	Tennémoss ve.úhhess kínthennárless púrrer ... con vissēēter oh mónuméntoss, moosáyoss, loogárress pintorréscoss, etcétera.
Book me two seats for... ...'s car,	Resérveme dos plazas para el autocar del día...	Ressáirvameh doss plúthuss púrrer el ōwtocárr del déar ...
Have you any tourist literature?	¿Me podría facilitar folletos turísticos?	Meh podréar futhillitárr folléttoss toorísticoss?
How much do I owe you?	¿Cuánto le debo?	Kwúntoh leh débboh?

AT THE HOTEL AT THE BOARDING HOUSE	EN EL HOTEL EN LA PENSIÓN	EN EL AWTEL EN LAH PENSIÓN
At the hotel (1)	**En el hotel (2)**	**En el awtél**
The hall.	El vestíbulo.	El vestíbbooloh.
The porter.	El portero.	El porráirroh.
The clerk.	El conserje.	El consáir.heh.
The buttons.	El botones.	El bottóness.
The management.	La dirección.	Lah diréctheón.
The reception office.	La oficina de recepción.	Lah óffithēēner deh rethéptheón.
The cash desk.	La caja.	Lah cúhher.
The interpreter.	El intérprete.	El int!irrpretteh.
The waiter.	El camarero.	El cumáirroh.
The waitress.	La camarera.	Lah cúmmerráirer.
The lift.	El ascensor.	El ústhensórr.
The American bar.	La escalera.	Lah ésculláirer.
The dining room.	El bar americano.	El bárr ummericúnnoh.
The staircase.	El comedor.	El cómmidórr.
The smoking room.	El fumador.	El foomerdórr.
The library.	La biblioteca.	Lah bíbliotécker.
The first floor.	El primer piso.	Elprimáirr pēēsoh.
The rooms.	Las habitaciones.	Luss úbbitúthioness.
The inner and outer rooms.	Las habitaciones interiores y exteriores.	Luss úbbitúthióness intáirioress e extáiriórress.
The corridor.	El pasillo.	El pússilloh.
The bath room.	El cuarto de baño.	El kwárrtoh deh búnyoh.
The lavatory.	El lavabo.	El luvvánhboh.

(1) In view of the large crowds of travelers usually found in the hotels at this season, it is advisable to book in advance and be certain of your room when starting on your journey. You can use the models of letters and telegrams and is inserted in this book after the models of ordinary telegrams.

(2) Teniendo en cuenta la mucha aglomeración de viajeros que en todas las épocas del año suele haber en los grandes hoteles, conviene pedir habitación previamente y saber que se cuenta con ella al emprender el viaje. Para ello, pueden utilizarse los modelos de cartas y telegramas que insertamos en este libro, después de los modelos de telegramas ordinarios.

The electric bell.	El timbre eléctrico.	El tímbreh eléctricon.
The management?	¿La administración?	Lah údmínistrútheón?
I booked a room for M...	Tengo reservada una habitación a nombre de...	Téngo réssairvárdoh oon úbbitútheón ah nómbreh deh ...
I'm sorry I couldn't get here sooner.	Siento no haber podido llegar antes.	Syéntoh noh ubbáir poddēēdoh lyeggárr úntess.
I want a single bedded room.	Deseo una habitación con una cama.	Desséo comer úbbitútheón con ooner cúmmer.
I want a single bedded room and a bath room.	Deseo una habitación con una cama y cuarto de baño.	Desséoh ooner ubbitútheón con ooner cúmmer e kwúrrtoh deh búnyoh.
Two communicating rooms.	Dos habitaciones con comunicación interior.	Doss úbbitútheónes con commōōnicútheón intáirriórr.
A double bedded room.	Una habitación con dos camas o cama de matrimonio.	Ooner ; bitútheón con doss cúmmers oh cúmmers oh cúmmer deh múttrimónio.
I want the room with or without board.	¿Desea la habitación sola o con pensión?	Dessáir lah úbbitutheón sāwlah oh con penseón?
How much is the room? And the board?	¿Cuánto importa la habitación? ¿Y la pensión?	Kwuhtoh impórrter lah úbbitútheón? E lah penseón?
Everything included?	¿Todo incluido?	Tāwdoh íncloo.ēēdoh?
No, there's the 10% for service.	No, falta el diez por ciento del servicio.	Noh, fúlter el dēē.eth porr thyéntoh del sáirvēētheo.
This way, please sir.	Pase por aquí, señor.	Pússy porr uckēē, senyórr.
Step into the lift.	Haga el favor de entrar en el ascensor.	Úgger el fuvvórr deh entrárr en el usthensórr.
Do you like this room?	¿Le gusta esta habitación?	Leh gōōster éster úbbitútheón?
It's all right. It's light. I'll take it.	Está bien. Es clara. Me quedo con ella.	Estár bién. Es cléroh. Meh kéddoh con élyer.

Will you please fill in the registration form in the office.	Deberá llenar la hoja de registro de viajeros, en la conserjería.	Débberrár lyennárr lah óhher de rehisstroh deh véaháiross, en el consáirherréar.
Will you fill in the form, porter?	¿Quiere llenar la hoja, conserje?	Káireh lyennárr lah óhher consáirheh?
Name and surname, please.	¿Su nombre y apellido, por favor?	Soo nómbre e úppelyēēdoh, porr fuvvórr.
Age.	¿Edad?	Eddud?
Thirty.	Treinta años.	Trénter únyoss.
Married, single, widower.	Soltero. Casado. Viudo.	Soltáiroh. Cussardoh. Vyúdoh.
Your profession?	¿Su profesión?	Soo professión?
Manufacturer.	Industrial.	Indōōtriál.
Reason for journey?	¿Motivo del viaje?	Motte.vóh del vyúhhy?
Pleasure.	Recreo.	Reccráyoh.
Coming from?	¿Procedencia?	Préthedénthea?
Thank you. Where is your luggage? The boy will take it to your room.	Muchas gracias. ¿Dónde tiene el equipaje? El botones se lo llevará a su habitación.	Mootchuss grútheuss. Dóndeh tyénneh el ékkiphhe? El bottóness loh lyévvararr ah soo úbbitútheón.
Can you tell me where the... consulate is?	¿Podría indicarme dónde está el consulado de...?	Pordéar indiccármeh dóndeh estár el consoolárdoh de ...
Have my luggage sent up.	Haga subirme el equipaje.	Úgger soobéarme el ékkipúhheh.
Where is the bath?	¿Dónde está el baño?	Dóndeh estár el búnnyoh?
In the corridor. The last door on the right.	En el pasillo. La última puerta a la derecha.	En el pussílyoh. Lah ōōltimmer peváirter uller derrétcher.
Call me at half past eight tomorrow and have a bath ready.	Llámeme mañana a las ocho y media y téngame preparado el baño.	Lyummermeh mungúnner ullus ótchohe téngermeh prepurrárdoh el búnnyóh.
Is the office open yet? I want to leave some money there.	¿Está ahora abierta la caja del hotel? Deseo entregar cierta cantidad.	Estar ah.óra ubyáirter lah cúhher del awtel? Dessáyoh éntreggárr tháirter kuntidúd.

Will you keep this money for me, please? Here is my card. Room No...	¿Quiere guardarme usted ese dinero? Ahí tiene mi tarjeta. El número de habitación es el...	Kyáireh gwarrdármme oostéh ésseh dinairo? Uh.ëë tyénne me tarrhétter. El noomairoh deh úbbitthón es el...
Here is the receipt. Thank you. Can you tell me where there is a garage near the hotel?	Tenga el recibo. Muchas gracias. ¿Puede decirme dónde hay un garaje cerca del hotel?	Tenger el retheeboh. Mōōtchus grútheus. Pwéddeh dethëërme dóndeh i con gurrúhheh tháirker del awtél?

At the boarding house | ## En la pensión | ## En la pénsión

The hall.	El recibidor.	El rethíbbidórr.
The room.	La habitación.	Yah úbbitúthón.
The bath.	El baño.	El búnnyoh.
The bedroom.	El dormitorio.	El dórrmitório.
The dining room.	El comedor.	El cómmidórr.
The table.	La mesa.	La messer.
The chairs.	Las sillas.	Lus síllyus.
The rpet.	La alfombra.	Lah afolómbrer.
The lamp.	La lámpara.	Lah húmperrer.
The clock.	El reloj de pared.	El réllóh deh purréth.
The pictures.	Los cuadros.	Loss kwúdross.
The wireless.	La radio.	Lah rárdio.
The wireless with gramophone.	La radiogramola.	Lah rárdio-grummórler.
The radiator.	El radiador de la calefacción.	El rúddierdór deh lah cúllefúctheón.
The sideboard.	El aparador.	El uppúrrerdórr.
The sitting room.	La sala de estar.	La súller deh esstár.
The piano.	El piano.	El pyúnnoh.
The sofa.	El sofá.	El sofár.
The armchairs.	Los sillones.	Loss sillyóness.
The bookcase.	La biblioteca.	Lah bíbliotécker.
The books.	Los libros.	Loss lēēbross.
Have you any rooms free?	¿Tienen habitaciones libres?	Tyénnen úbbittutheóness lēēbress.
I should like one for a fortnight.	Desearía una para dos semanas.	Déssairréarrooner púrrer dos semmunnerss.

We have one available on the second floor.	Nos queda disponible una en el segundo piso.	Noss kéddah disponnebleh ooner en el seggóónder pēēsoh.
Is there a lift?	¿Hay ascensor?	I ústhensórr?
How much is the full board?	¿Cuánto cuesta la pensión completa?	Kwúnter kwéster lan pensión complétter?
Please have my suitcase brought up to the room.	Sírvase hacerme subir la maleta a la habitación.	Seervvusseh útháirme soobeer lah mullétter ah lah úbbitúthéon.
I should like to have a shower.	Desearía tomar una ducha.	Déssairéar tomárr ooner dōōtcher.
The bath is in room No. 25, next to yours.	El baño está en la habitación 25, contigua a la suya.	El búnnyoh estár en lah úbbitúthéon vénteh-thínkoh, contígwah úller sōōyer.
At what time is breakfast?	¿A qué hora se desayuna?	A ken óra seh desahyōōner?
There is no fixed time. Whenever you like.	No hay hora fija. A la que usted desee.	Noh i óra fēēhher. Ulláh keh oostéh dessáyer.
And lunch?	¿La hora del almuerzo?	Lah óra del ulmwáirthoh.
At two.	A las dos.	A luss doss.
When is supper?	¿Y la de la cena?	E lah deh lah thénner?
At half past nine.	A las nueve y media.	A luss nwévveh a méddier.
I don't want full board, only the room.	No me interesa la pensión completa, sino únicamente la habitación?	Noh meh interrésser lah pénsión complétter, seenoh ōōnicaménte lah úbbitúthéon.
Where is the telephone?	¿Dónde tienen el teléfono?	Dóndeh tyénnen el telléffonnóh?
May I phone?	¿Puedo telefonear?	Pwéddoh telleffónneárr?
Do you like the room, sir?	¿Le gusta la habitación, señor?	Leh gōōster lah úbbitathéón, senyor?
Yes, I think it's very comfortable.	Sí, la encuentro muy confortable.	See, lah enkwéntroh mooy cónfortúbbleh.
I find the bed rather hard.	La cama la encuentro algo dura.	Lah cúmmer la encuéntroh úlgoh dōōrah.

Going to bed	Al acostarse	Ull uccostárrseh
The bedroom.	El dormitorio.	El dormittórrio.
The bed.	La cama.	Lah cúmmer.
The double bed.	La cama de matrimonio.	Lah cúmmer deh múttrimónio.
The pillow.	La almohada.	Lah úllmohúdder.
The large pillow.	El almohadón.	El úllmohuddón.
The spring matress.	El sommier.	El sómmieh.
The sheets.	Las sábanas.	Lus súbbbunnuss.
The blanket.	La manta.	Lah múnter.
The coverlet.	La colcha.	Lah cóltcher.
The eiderdown quilt.	El edredón.	El édruddón.
The carpet, the mat.	La alfombra, alfombrilla.	Lah úlfombrer, úllfombríllyer.
The night table.	La mesita de noche.	Lah messēēter deh nótcheh.
The armchairs.	Los sillones.	Loss sillyónness.
The cupboard.	El armario.	El armarrio.
The armchairs.	Las butacas.	Luss bootuccuss.
The dressing table.	El tocador.	El tóccerdórr.
The alarm clock.	El despertador.	El despáirtudorr.
Please wake me at six, half past seven...	¿Hará el favor de despertame a las seis, a las siete y media...?	Úrrer el fuvvórr deh déspairtárrmeh ah luss sēē.etty e méddier.
Have a bath ready for me.	Téngame preparado el baño.	Téngermeh preparráhdoh el búnnyoh.
How do you like the water, very hot?	¿Cómo desea el agua, muy caliente?	Cómmoh dessáyer el úgwer, mooy cullyenteh?
No, warm.	No, templada.	Noh, templárdoh.
Cold water.	Agua fría.	Ugwer freer.
Can you clean my shoes?	¿Podrán limpiarme los zapatos?	Podrún limpiárrme loss thuppártoss?
Yes, sir. Leave them in the corridor in front of your door.	Sí, señor. Déjelos en el pasillo en su misma puerta.	See, senyórr. Déheh loss en el pussíllyoh en soo mísmer pwértah.
Please leave them at the foot of the bed.	Haga el favor de dejarlos a los pies de la cama.	Árger el fuvvórr deh dehhárloss ah loss pé.es deh lah cúmmer.

Is this the call bell?	¿Este es el timbre para llamar?	Éste ess el tímbreh púrrer lyamárr?
Yes, sir.	Sí, señor.	See, senyórr.
I am cold. Put another blanket on the bed.	Siento frío. Póngame otra manta en la cama.	Syéntoh frēēoh. Pongermeh āwtrer múnter en lah kúmmer.
I'm tired. I shall sleep well.	Estoy cansado. Dormiré bien.	Estóy cunsárdoh. Dorrmirréh byen.
What do you generally have for breakfast, sir?	¿Qué acostumbra a tomar el señor para desayunarse?	Keh uccóstōōmbrer ah tommárr el senyórr púrrer déssa-yoonárr?
Coffee.	Un café.	Oon cufféh.
Chocolate.	Chocolate.	Chócolárteh.
Ham and eggs, marmalade, coffee and milk.	Huevos con jamón, mermelada y café con leche.	Wévoss con humón, máirmalárder e cufféh con létcheh.
Coffee and milk, a roll and butter.	Café con leche, un panecillo y mantequilla.	Cufféh con letcheh, oon púnnithíllyoh e múntikillyer.
Will you close the balcony, the window, please?	Cierre el balcón, la ventana, por favor.	Thiérreh el bulcón, lah ventúnner, por fuvvórr.
There is a lot of noise. One can't sleep.	Hacen mucho ruido, no se puede dormir.	Úthen mōōtchoh roo,ēēdoh, noh seh pwéddeh dormeerr.

Getting up	Al levantarse	Ull levuntárrseh
Good morning, sir. Have you slept well?	Buenos días, señor, ¿ha descansado bien?	Bwénnoss déuss, senyór. Ah déscunsardoh bé,en.
Very well.	Muy bien.	Mōōy bé,en.
What's the time?	¿Qué hora es?	Keh óra ess?
Eight o'clock.	Las ocho.	Luss ótchoh.
I had an unbroken sleep.	He dormido toda la noche en un sueño.	Eh dorrmēēdoh tāwder lah nótcheh en oon swénnqyoh.
Do you want your breakfast?	¿Quiere usted el desayuno?	Kyérreh oostéh el déssayōōnoh?
Yes, bring it at once.	Sí, tráigamelo en seguida.	See, trygermehlóh en seggēēder.

No, I shall come down presently.	No, ya bajaré luego.	Noh, yah búhherráy lwéggoh.
You're up very early.	Ha madrugado usted mucho.	Ah múdroogárdoh oostéh mōōtchoh.
Yes. It's my habit. I don't like to lose the morning.	Sí, es mi costumbre. Quiero aprovechar la mañana.	See, es me costōōmbreh. Kyáirroh pprovetchárr lah munnyúnner.
Do you know the town?	¿Conoce usted la ciudad?	Connátheh oostéh lah théodúd?
It's the first time I've been here.	Es la primera vez que vengo.	Es lah primmáirer veth keh véngoh.
I want a guide who speaks...	Desearia un guía que hable...	Déssairréar oon géar keh úbbleh...
You can arrange that in the office.	Puede usted encargarlo en la administración.	Pwéddeh oostéh encarrgárrloh en lah udministrútheón.
Is there a hairdresser in the hotel?	¿Hay peluquero en el hotel?	I péllookáiroh en el awtél?
At what time is dinner?	¿A qué hora se come?	A keh óra se cāwmeh?
At what time is supper?	¿A qué hora se cena?	Ah keh óra se thénner?
Ask if there are any letters for me.	Pregunte si hay cartas para mí.	Pregoonteh see i cárrtuss púrrer me.
If anybody asks for me, tell them I shall be back immediately.	Si pregunta alguien por mí diga usted que volveré en seguida.	See pregōōnter úlgee.en porr me, dēēger oostéh beh vólverreh en seggēēder.

The bath | El baño | El búnnyoh

The bath.	La bañera.	Lah bunnyáirer.
The taps.	Los grifos.	Loss griffos.
The shower bath.	La ducha.	Lah dōōtcher.
The lavatory.	El water o lavabo.	El vútterr oh luvvárboh.
The mirror.	El espejo.	El espéhhoh.
The towels.	Las toallas.	Luss to.úllyuss.
The towel rack.	El toallero.	El twulláiroh.
The soap.	El jabón.	El hubbón.
The soap box.	La jabonera.	Lah jubbonnáirer.
The sponge.	La esponja.	Lah espónher.

The tooth brush.	El cepillo para los dientes.	El théppíllyoh púrrer loss dyéntess.
The tooth paste.	La pasta dentífrica.	Lah puster dentíffricker.
The comb.	El peine.	El páyneh.
The hair brush.	El cepillo para el cabello.	El theppíllyoh púrrer el cubbéllyoh.
The bidet.	El bidé.	El bíddeh.
The friction glove.	El guante para fricción.	El gwúnteh púrrer fríctheón.
Bath salts.	Sales para baño.	Sárless púrrer búnnyoh.
Massage brush.	Cepillo para masaje.	Theppíllyoh púrrer mussúhheh.
Talcum powder.	Polvos de talco.	Pólvoss deh túlcoh.
Can I have a bath?	¿Puedo bañarme?	Pwédde hbunyárrmeh?
Yes, sir, The bath is ready.	Sí, señor; el baño está preparado.	See, senyorr. El búnnyoh estar prepurrárdoh.
Is the bath being got ready?	¿Está preparado el baño?	Estár preparrádoh el búnnyoh?
As soon as you like.	Cuando usted guste.	Kwúndo oostéh bōōsteh.
Get the towels and soap ready for me.	Prepáreme usted jabón y toallas.	Prepárrermeh hubbón e twúllvuss.
You'll find averything in the bathroom.	Todo lo encontrará usted en el cuarto.	Tãwdoh loh encóntrarrár oostéh en el kwártoh.
Where is the bath room?	¿Dónde está el cuarto de baño?	Dóndeh estár el kwarrtoh deh búnnyoh?
At the end of the corridor.	Al extremo del pasillo.	Ull éxtráimoh del pussíllyoh.
Do you want the bath warm?	El baño lo tomo con agua templada.	El búnnyoh lo tómmoh con úggwer templárdah.
If you want a shower bath...	Si usted quiere una ducha...	See kyérreh oostéh ooner dōōtcher fréer?
No. In the morning I prefer a bath.	No, por la mañana prefiero un baño.	Noh, porr lah munnúnner prefyáiroh oon búnnyoh.
If you like you can have a luke warm bath.	Puede usted tomar, si gusta, un baño tibio.	Pwéddeh oostéh tommarr, see gooster, oon búnnyoh tibbioh.

I had rather. Cold water doesn't suit me.	Lo prefiero. No me prueba el agua fría.	Loh prefyáiroh. No meh prwébber el uggwer fréer.
After the bath I shall shave.	A la salida del baño me afeitaré.	Úller sulléeder del búnnyoh meh uffaiteréh.
This towel is very small.	Esta toalla es pequeña.	Éster twúllyer es peckényoh.
Give me a Russian towel.	Déme una toalla rusa.	Démmeh ooner twúllyer rōōsser.

Breakfast — El desayuno — El désser.yoonoh

Waiter, coffee and milk, sugar, plum, strawberry, apricot, peach jam.	Camarero, café con leche, azúcar, mermelada de ciruelas, de fresas, de albaricoque, de melocotón.	Cummerráiroh, cúffeh con létcheh, úthhher, mairmalárder den thirru.éllus, deh fréssuss, deh úlberry, cóckeh, deh méllacottón.
Bring me a roll.	Tráigame un panecillo.	Trýgermeh oon punnithíllyoh.
This milk is cold.	Esta leche está fría.	Éster létcheh estar fréoh.
Give me some fresh water.	Déme agua fresca.	Démmer úgwer frésker.
I want some toast.	Quiero pan tostado.	Kyáirrah pun tostárdoh.
I want chocolate with milk.	Quiero chocolate y leche.	Kyáirroh chocolárteh e lécheh.
Give me some rusks.	Déme bizcochos.	Démmeh biicótchoss.
Bring me an ommelette.	Tráigame una tortilla.	Trýgermeh ooner torrtíllycr.
Fried eggs, ham and eggs.	Huevos fritos, huevos con jamón.	Wévvoss frēētoss, wévvoss con hummón.
Toast. Honey.	Tostadas. Miel.	Tosstarduss. Myél.
One cup of coffee, please.	Un café.	Oon cufféh.
Butter.	Mantequilla.	Múntikillyer.
Bring me some toothpicks.	Tráigame mondadientes.	Trygermeh mónder. dyéntess.
A packet of cigarettes.	Un paquete de cigarrillos.	Oon puckétteh deh thíggarríllyoss.

| Give me a match, please. | Déme un fósforo. | Démmeh oon fósfor-róh. |
| How much do I owe you? | ¿Cuánto debo? | Kwúntoh débboh? |

## The meals	## Las comidas	## Lúss cummeederss
At what time is dinner?	¿A qué hora sirven la comida?	Ah keh óra sēērvun luss cumééderss?
At what time is supper?	¿A qué hora sirven la cena?	Ah keh óra seervun lah thénner?
Can one go to the dining room?	¿Se puede pasar al comedor?	Seh pwéddeh pussárr al comméhdórr?
Waiter, where can I sit?	Camarero, ¿dónde me siento?	Cummerráiroh, dóndeh meh syéntoh?
Are you alone?	¿Va usted solo?	Var oostéh sawloh?
How many are you?	¿Cuántos son ustedes?	Kwúntos son oostéddess?
You will be alright here.	Aquí estará usted bien.	Ukke éstarrár oostéh byén.
You can sit at this table.	En esta mesa pueden sentarse.	En éster mésser pwédden sentárrseh.
May I serve you?	¿Quiere usted que le sirvan?	Kyérreh oostéh keh leh sēērven?
No, a little later.	No; un poco más tarde.	Noh. Oon pāwcoh múss tárdeh.
Yes, at once. I'm in a hurry.	Sí, en seguida, tengo prisa.	See, en seggeeder. Téngoh prēēser.
Give me the menu.	Déme la lista.	Lémmeh lah lísta.
Waiter, make out the menu yourself.	Camarero, haga usted mismo el menú.	Cummerráiroh, árger oostéh mismoh el el menú.
Give us some hors d'oeuvres first, then a good soup, fish, vegetables, chicken or veal cutlet, beefsteak, etc., pudding, coffee and liqueurs (1).	Sírvanos primero entremeses. Luego una buena sopa, pescado, legumbres, pollo o chuletas de ternera, bistec, etc., y postres, café y licores (2).	Seervanoss primmairoh éntreh.méssess. Lwéggoh ooner bwenner sāwper, pescárdoh, póllyoh oh chooléttuss deh táirnairer, bissteck, etc., e postress, cuffé e lickórress.

---

(1) Fusther information under the heading **At the restaurant.**
(2) Más información en el epígrafe **En el restaurante.**

The washing	Encargando el lavado de la ropa	Encarrgúndoh el luvvár-doh déller rãwper
Waiter, don't forget to have my linen washed.	Camarera, no olvide de hacer lavar mi ropa.	Cummeráirer, noh ol-vēēdeh deh uttháir luvvárr me rãwper.
It is at the foot of the bed.	Está a los pies de la cama.	Estár ah loss lé.ess de lah cummer.
Here is the list.	Aquí tiene usted la lista.	Ukkee tyénneh oostéh lah lista.
There are two shirts.	Hay dos camisas.	I doss cummēēsuss.
Four pairs of cuffs.	Cuatro pares de puños.	Kwúttroh páress dch púnyoss.
Six collars.	Seis cuellos.	Sáyis kwwéllyoss.
Four pairs of socks.	Cuatro pares de calcetines.	Kwúttroh páress deh cúlthtēēness.
Two pants.	Dos calzoncillos.	Doss cúlthetēēness.
Eight handkerchiefs.	Ocho pañuelos.	Ochoh púnyoo.élloss.
Two vests.	Dos camisetas.	Doss cummisséttus.
Two pyjamas.	Dos pijamas.	Doss pihúmmus.
When do you want this back?	¿Cuándo quiere esta ropa?	Kwúndoh kyérreh éster rãwper?
In one, two, three, four days.	Dentro de uno, dos, tres, cuatro días.	Déntroh deh doss, tress, kwúttroh déars.
As soon as possible.	Lo antes posible.	Loh úntess possēēbleh.
I will try to manage it.	Procuraré complacerle.	Procōōrrarrréh cómpluthéirleh.

To write a letter	Para escribir una carta	Púrrer escribeerr ooner cárrter
Waiter, bring me omse paper and an envelope.	Camarero, tráigame papel y sobre.	Cummeráirroh trýgermeh puppél e sóbreh.
I don't need a pen.	No necesito pluma.	Noh nethessēētoh plōōmer.
Bring me some ink for my fountain pen.	Tráigame tinta para cargar la pluma estilográfica.	Trýgermeh tínter púrrer carrgárr lab plōōmer estēēlogrúfficoh.
What day is it today?	¿Qué día es hoy?	Keh déar ess hoy?

What is the date?	¿A cuántos estamos?	Ah kwúntoss estármoss?
Where can I post these letters?	Dígame dónde puedo echar estas cartas.	Dēēgermeh dóndeh pwéddoh etchárr éstuss cártuss?
Where is the nearest pillar box?	¿Dónde está el buzón más próximo para echar estas cartas?	Dóndeh estár el boothón múss próximoh púrrer etchárr éstuss cárrtuss?
Please post this letter.	Écheme esta carta al correo.	Etchérmeh éstuss cárrtuss ul corráyoh.
Don't forget to put the stamps on.	No olvide de poner los sellos de franqueo.	Noh olvēēdeh deh ponnáir loss sélyoss deh frunkáyoh.

Telephone   Teléfonos   Telléffonoss

Exchange.	Central.	Thentrúll.
Supplementary No...	Supletorio núm...	Sooplettórrioh nōōmerroh ...
The receiver.	El aparato.	El úppérrártoh.
The ear phone.	El auricular.	El awríccoolárr.
No, one, two, three, four, five, six, seven, eight, nine, o, Mr...	Señorita, póngame con el número uno, dos, tres, cuatro, cinco, seis, siete, ocho, nueve, cero, señor...	Senyorreeterr, pongermeh con el nōōmerro oonoh, doss, tress, kwúttroh, thinkoh, sáyis, sée.etteh, ótchoh, nwévveh, tháiroh, senyórr...
I want a long distance call to No... at...	Deseo una conferencia con el número... de...	Dessáyoh onner conferrénthier con el nōōmeroh... deh...
Will it be long?	¿Tardará mucho?	Tárdarráh mōōtchoh?
You will have to wait thirty minutes.	Hay una demora de treinta minutos.	I ooner demórrer deh trénter minōōtoss.
Where is the exchange?	¿Dónde está la central de teléfonos?	Dóndeh estár lah tréntrúll deh telléffonnóss?
May I use this telephone?	¿Puedo usar este teléfono?	Pwéddoh posárr éste telléffonóh?
Hallo, hallo.	¡Oiga! Oiga!	Oyger! Oyger!
Yea?	¡Dígame!	Dēēgermeh!

What about my long distance call?	Señorita, ¿cómo está la conferencia que he pedido?	Senyorrēēter, cāwmoh estár la cónferrénthier keh eh peddēē doh?

IN TOWN

EN LA CIUDAD

EN LAH THÉUDÁH

The City

La ciudad

Lah théudáh

The street.	La calle.	Lah cúllyeh.
The Promenade.	El paseo.	El pussáyoh.
The Avenue.	La avenida.	Lah úvvenēēder.
The Passage.	El pasaje.	El pussúhheh.
The Square.	La plaza.	Lah plúther.
The Lane.	El callejón.	El cúllyehhón.
The gardens.	Los jardines.	Loss hardēēness.
The source.	La fuente.	Lah fwénteh.
The fountain.	El surtidor.	El sōōtidórr.
The road.	La calzada.	La culthárder.
The pavement.	La acera.	El utháiroh.
The lights, traffic signal.	El semáforo, el puesto de señales.	El semmúfforoh, el pwéstoh deh senyúlless.
The traffic policemen.	El guardia urbano, el guardia de tráfico.	El gwardia oorbúnnoh, el gwárdia deh trúfficoh.
The trees.	Los árboles.	Loss árrbolless.
The bus.	El autobús.	El ōwtobōōss.
The tram.	El tranvía.	El trunvéar.
The trolley bus.	El trolebús.	El trólleybooss.
The overhead wires.	El cable eléctrico.	El cárbleh eléctrico.
The tube (underground).	El metro.	El méttroh.
The car.	El automóvil, el auto.	El owtomóvvil, el awtoh.
The taxi.	El taxi.	El túxi.
The car.	El coche.	El cétcheh.
The road car.	El autocar.	El owtocárr.
The lorry.	El camión.	El cumión.
The small lorry.	La camioneta.	Lah cummionnétter.
The motor cycle.	La motocicleta.	Lah māwtorthickletter.
The tricycle.	El triciclo.	El treethíckloh.

The bicycle.	La bicicleta.	Lah beethiclétter.
The pedestrians.	Los peatones.	Loss páyertónness.
The building.	El edificio.	El éddiféēthio.
The house.	La casa.	Lah cússer.
The villa.	La torre.	Lah tórreh.
The door.	La puerta.	Lah pwáirter.
The balconies.	Los balcones.	Loss bulcónness.
The windows.	Las ventanas.	Luss ventúnnuss.
The verandas.	Las galerías.	Luss gúllerréass.
The roof.	La azotea.	Lah úthottáyer.
The roof.	El tejado.	El tehhárdoh.
The lightning conductor.	El pararrayos.	El púrrerrýoss.
The district.	Un barrio.	Oon barrio.
The Town Hall.	El Ayuntamiento.	El ahyōōntermyéntoh.
The County Council.	La Diputación.	Lah díppootúthión.
The Consulate.	El consulado.	El consoolárdoh.
The University.	La universidad.	Lah oonivársidúd.
The Library.	La biblioteca.	Lah bíbliotecker.
The Museum.	El museo.	El moosáyoh.
The Post and Telegraph Office.	Correos y Telégrafos.	Corráyoss e telléggruffóss.
The Telephone Office.	Teléfonos.	Telléffonoss.
The tourist office.	La oficina de turismo.	Lah offitheener deh toorrismoh.
The hospital.	El hospital.	El ospitúll.
The Cathedral.	La catedral.	La cúttidrúll.
The church.	La iglesia.	Lah iggléssia.
The bank.	El banco.	El búnckoh.
The restaurant.	El restaurante.	El restorúnteh.
The chemist's.	La farmacia.	Lah farmúthea.
The public house.	El bar.	El barr.
The hotel.	El hotel.	El awtél.
The prison.	La cárcel.	Lah carrthel.
The police station.	La comisaría de policía.	Lah cómmissarréar deh pollithéa.
The boarding house.	La pensión.	Lah pensión.
The shop.	La tienda.	Lah tyénder.
The stores.	Los grandes almacenes.	Loss grúndess úllmuthénness.
The cinema.	El cine.	El thínneh.
The theatre.	El teatro.	El tayártroh.
The circus.	El circo.	El thēērrcoh.

The entertainments hall.	La sala de fiestas.	Lah súller deh fyestuss.
The night club.	El club nocturno.	El cloob noctōōrrnoh.
The stadium, the sports ground.	El estadio, el campo de deportes.	El estárdio, el cúmpoh deh depórrtess.
The fair.	Las atracciones.	Luss uttrúcthéones.
The station.	La estación.	Lah estúthión.
The bull ring.	La plaza de toros.	Lah plúther deh tāwross.
The port.	El puerto.	El pwáirtoh.
The shipping company.	La compañía de navegación.	Lah companyía deh núvviguthión.
The air line.	La compañía de aviación.	Lah companyía deh ve.úhhes.
The travel agency.	La agencia de viajes.	Lah uhhénthea de vyúhhes.
The newspaper stand.	El quiosco de periódicos.	El keeéscoh deh pēērióddicoss.
The tobacconist's.	El estanco.	El estúnckoh.
The hairdresser.	La peluquería.	Lah péllookerrea.
The market.	El mercado.	El maircárdoh.

Asking the way
Para pedir una dirección
Pûrrer peddeer oonet dirréctheón

Excuse me. Is... street far from here?	Usted perdone. ¿Está muy lejos la calle de...?	Ostéh pairdonneh. Estár mooy léhhoss lah cúllyeh deh...?
No, sir. The third on the left.	No, señor; la tercera calle, a la izquierda.	No, senyórr. Lah tairtháirer cúllyeh ah lahithkyáirder.
Round that corner.	Al doblar aquella esquina.	Ull dobblárr ukkéllyer esskēēner.
Many thanks.	Muchas gracias.	Mōōcthuss grútheuss.
Is it near the... Hotel?	¿Está cerca el Hotel de...?	Estár tháirker el awtél deh...?
Rather far. Quite near. Take the first, second, third street on the right.	Está lejos. Está cerca. Tome usted la primera, la segunda, la tercera calle a la derecha.	Estár léhhoss. Estár tháirker. Tómme oostéh las primáirer, lah seggōōnder, lah tairtháirer cúllyeh ah lah derrétcher.

Go straight on along this street.	Siga usted esta misma calle.	Sēēger oostéh éstah mísmer cúllyeh.
Constable, can you tell me where the... consulate is?	Guardia, ¿puede decirme dónde está el consulado...?	Gwárrdia. Pwéddeh dethéarrmeh dóndeh estár el cónsoolárdoh?
In... Avenue.	En la avenida de...	En lah úvvenēēder deh...
How can I get there?	¿Qué combinación puedo hacer para ir?	Keh cómbinúthion pwéddoh utháir púrrer eerr ah...?
Take No... tram, the bus, the trolley bus, the underground.	Tome el tranvía del disco..., el autobús, el trolebús, el metro.	Tómmeh el trunvéar del díscoh..., el owtobōōss, el trólleybōōss, el méttroh.
Where is St.... Church, Square,.... A v e n u e, The Town Hall, the Hotel, the bull ring,... Museum, the Tourist Office?	¿Dónde está la iglesia de..., la plaza de..., la avenida de..., el Ayuntamiento, la comisaría de policía, el Hotel..., la plaza de toros, el museo de..., la oficina de turismo...?	Dóndeh estár lah igglessia deh..., lah plúther deh..., lah úvvenēēder deh..., el ahyōōntamyéntoh, lah commissaréar deh póllithéar, el awtél..., lah plúther deh tāwrross, el moosáyoh deh..., lah óffithēēner deh toorrísmo?
What tram, bus, underground must I take to get to...?	¿Qué tranvía, autobús, trolebús, metro, he de coger para ir a...?	Keh trunveer, owtobooss tróllybōōss, méttroh eh deh cohháir púrrer éar ah...?
How can I get to the theatre?	¿Cómo podré ir al teatro...?	Cómoh podréh éarr ul tayúttroh...?
Is it far?	¿Está lejos?	Estár léhhoss?
About how far is it?	¿Qué distancia aproximada hay?	Keh distúnthear uppróximárder i?
Where is the tram, the bus stop?	¿Dónde está la parada del tranvía, del autobús...?	Dóndeh estár lah purrárder del trunvéar, del owtobōōs?

In the taxi	El taxi	El túcksy
Taxi! Taxi!	¡Taxi, taxi!	Tucksy! Tucksy!
Are you free?	¿Está libre?	Estár lēēbreh?

We are going to have a drive through the principal streets.	Vamos a dar un paseo por las avenidas principales.	Vármoss ah darr oon pussáyoh porr luss úvveneedus printhipúless.
Take me to... street, No...	Lléveme a la calle..., número...	Llévummeh al lah cúllyeh..., noomeroh...
How far is it to... street?	¿Qué distancia hay de aquí a la calle...?	Keh distunthear i deh ukkée ah lah cúllyeh.
Take the shortest route.	Vaya por el camino más corto.	Vý.yer porr el cummeenoh múss córrtoh.
Go faster.	Vaya usted más de prisa.	Vý.yer oostéh múss deh peeser.
Go slowly, quickly.	Vaya usted despacio, deprisa.	Vý.yer oostćh múss despúthio, deppreeser.
Driver, stop.	Chófer, pare usted.	Choffeur, púrreh oostéh.
Stop at the next tobacconist's.	Cuando vea un estanco, pare usted.	Kwúndoh vayer oon estúncoh, purréh oostéh.
To the station.	A la estación.	A lah estútheón.
How much do I owe you?	¿Cuánto le debo?	Kwúntoh leh débboh?
What does the meter say?	¿Cuánto marca el taxímetro?	Kwúntoh márrca tacsímmetroh?
Here you are.	Tome usted.	Tómeh oostéh
Thank you.	Muchas gracias.	Mootchuss grútheus.

The bus, the trolley bus, the tram, the underground	El autobús, el trolebús, el tranvía, el metro	El owtobooss, el tróllybooss, el trunvéar, el méttroh
Where does this bus go to?	¿A dónde va este autobús?	Ah dóndeh var oosteh ōwtobōōss?
Where are you going?	¿A dónde va usted?	Ah dóndeh var oostéh?
To... street, avenue, square.	A la calle, avenida, plaza...	Ah la cúllyeh, uvveneeder, plúther.
Take the one behind.	Tome usted el que sigue.	Tómmeh oostéh el keh seegeh.

What is the fare?	¿Cuánto vale el trayecto?	Kwúntoh várle el traryéctoh?
Stop at the first stop.	Pare usted en la primera parada.	Púrreh oostéh en lah primáirer purráder.
Where does No... bus, tram pass?	Por dónde pasa el autobús..., el tranvía número...?	Porr dóndeh pússer el ōwtobōōss..., el trunvéar nōōmeroh ...?
Along that street.	Por aquella calle.	Porr ukéllyer cúllyeh.
Conductor, does this tram go to the port?	Cobrador, ¿este tranvía va al puerto?	Cóbrradórr, éste trunvéar var ull pwáirtoh?
Yes, sir. No, sir but it drops you very near to it.	Sí, señor. No, señor, pero le dejará muy cerca.	See, senyórr. Noh, senyórr, pénhroh leh déhhurráh mooy tháircker.
Will you tell me when we get there?	¿Hará el favor de avisarme cuando lleguemos?	Húrrah el fuvvórr deh uvvissármeh kwúndoh lyeggémmos?
Three tickets. How much is it?	Déme tres billetes. ¿Cuánto es?	Démmeh tress billyéttess. Kwúntoh ess?
What is the best way to go to...?	Para ir a... ¿qué medio de locomoción me aconseja?	Púrrer éar ah... keh méddioh deh lóccomóthión meh úcconséhher?
The underground is the fastest, and it leaves you very near.	El metro es muy rápido y le deja cerca.	El métthoh ess mooy rúppidoh e leh déhher tháircker.
Where do I take it?	¿Dónde se coge?	Dóndeh seh cóggeh?
At the first corner you will see the way in.	En la primera esquina encontrará la entrada.	En lah primáirer eskēēner encóntrarrar lah entrárder.
At what station do I get out?	¿En qué estación he de bajar?	En keh estútheón eh deh buhhárr?
Please give me a ticket to...	Haga el favor de darme un billete para...	Árger el fuvvórr deh dárrmeh oon billyétteh púrrer...
Is it far? At what station must I get out?	¿Está lejos? ¿En qué estación he de apearme?	Estar lehhoss? En keh estúthión eh deh úppayármeh
It's near. The third station.	Está cerca. Es la tercera estación.	Estar tháirker. Ess lah airtháir estúthión

The rendezvous	La cita	Lah theéter
Hallo, friend! Ah, it's you, old man.	¡Hola, amigo! ¡Ah! ¿Es usted, amigo?	óhlah! ummēēgoh. Ah! Ess oostéh, um-mēēgoh?
How do you like this town? Very well. How long have you been here? Three days.	¿Cómo le prueba esta ciudad? Muy bien. ¿Desde cuándo está usted aquí? Desde hace tres días.	Cómmoh leh prwébber éstah thé.oodúd? Mooy be.én. Désdeh kwúndoh estár oostéh ukkēē? Désdeh úttheh tres déars.
I didn't know. You have given me a very pleasant surprise. How long will you be here?	No lo sabía. Me ha dado una sorpresa muy agradable. ¿Cuánto tiempo se quedará usted en...?	Noh loh subbéar. Mch ah dárdoh ooner sorprésser mooy úg-gruddárbleh. Kwúntoh tyémpoh seh kédderrár oostéh en ...?
I don't know exactly yet. I expect to be here at least a week.	No lo sé aún exactamente. Pienso permanecer por lo menos una semana.	Noh loh seh ahōōn exúctaménteh. Pyénsoh páirmmunnehtháir porr loh ménnos ooner semmúnner.
Will you have supper with me today? With great pleasure. I'm sorry, but it's quite impossible today.	¿Cenará usted conmigo hoy? Con mucho gusto. Lo siento mucho, pero hoy me es imposible.	Thennerrár oostéh con mēēgoh oy? Con mōōtchoh gōōstoh. Loh syéntoh mōōtchot, péhroh oy me ess ímpossēēbleh.
When can I have the pleasure of having supper with you?	¿Cuándo podré tener el gusto de cenar con usted?	Kwúndoh poddréh tennáirr el gōōtoh deh thennárr con oostéh? ah luss étchoh e máddea.
Tomorrow. Where and at what time may I expect you? At... restaurant at half past eight.	Mañana. ¿Dónde y a qué hora quiere que le espere? En el restaurante... a las ocho y media.	Munnyúnner. Dóndeh e ah keh óra kyáireh keh leh espáireh? En el réstorrúnteh . ah luss ótchoh e méddea.

Good, without fail.	Bien, no faltaré.	Byén, noh fullterréh.
Until tomorrow.	Hasta mañana.	Ússter munnyúnner.
Until tomorrow, my friend.	Hasta mañana, amigo mío.	Ú.sster munnyúnner ummēēgoh méoh.

Greetings   El saludo   El sulloodoh

Good morning, sir.	Buenos días, señor.	Byénnoss déarss, senyórr.
Did you have a good night?	¿Qué tal ha pasado la noche?	Keh tull ar pussárdoh lah nótcheh?
Very good. And you? Splendid.	Muy bien, ¿y usted? Perfectamente.	Mooy be.én e oostéh? Pairféctamenteh.
Is your family well?	¿Sigue bien su familia?	Sēēgeh be.én soo fummílyer?
They are all in the best of health.	Todos gozan de excelente salud.	Tāwdoss góthun deh exthellénteh sullōōth.
I am very glad.	Me alegro mucho.	Meh ullégroh mōōtchoh.
Please give them my kind regards.	Le ruego que los salude en mi nombre.	Leh rwéggoh keh loss sullōōdeh en me nómbreh.
I'm glad. Give them my best wishes.	Me alegro. Salúdelos en mi nombre.	Meh ulléggróh. Súllōōdellos en me nómbreh.
I certainly will	Será usted complacido.	Serráh oostéh cómthēēdoh.
Have you had any illness in your house?	¿Ha tenido enfermos en su casa?	Ah tenēēdoh enfáirmoss en soo cússer?
My wife and sister-in-law have been a little unwell.	Mi señora y mi cuñada han estado algo enfermas.	Me senyórrer e me coonyárder un estárdoh úlgoh enfáirmuss.
I am glad to say they are well.	A Dios gracias ya están bien.	Ah déuss grútheus yah estún byen.
I'm glad to have seen you. Kind regards to everybody.	Me alegro mucho de haberle visto. Recuerdos a todos.	Meh ullégroh mōōtchoh deh ubbáirleh vístoh. Reckwáirdoss ah tāwdos.
Good bye and good luck.	Adiós. Usted siga bien.	Uddióss. Oostéh sēēger byen.
Hallo. How are you?	¡Hola! ¿Cómo está usted?	Óhlah; Cómmoh estár oostéh?

Very well.	Muy bien.	Mooy byen.
I'm glad to hear it.	Lo celebro mucho.	Loh thellébroh mōōt-choh.
How are you Mr., Mrs., Miss...?	¿Qué tal, señor, señora, señorita?	Keh tull, senyórr, sen-yórrah, senyorrēē-ter?
How are you getting on?	¿Cómo le va?	Cómmoh leh vár?
Well, and you.	Bien, ¿y a usted?	Byén, e ah oostéh?
Good bye.	Adiós, señor, señora, señorita.	Udddréss senyórr, sen-yórah, senyorēeter.
Remember me to our friends.	Recuerdos a nuestros amigos.	Reckwáirdoss ah nwés-tross ummēēgoss.
Kisses for the children.	Besos a los niños.	Béssoss ah loss nēē-nyoss.
Until very soon.	Hasta muy pronto.	Úster mooy próntoh.
Until tomorrow.	Hasta mañana.	Úster munyúnner.
Until then.	Hasta luego.	Úster lwéggoh.
Till next time.	Hasta la vista.	Úster lah víster.
Good morning, old man.	Buenos días, amigo mío.	Bwénnoss déarss, um-mēēgoh méo.
Good afternoon, sir.	Buenas tardes, señor.	Bwénnoss tárrdess, se-nyórr.
Good evening, madam.	Buenas tardes, señora, señorita.	Bwénnoss tárrdess, se-nyórrah, senyorrēē-ter.
How are you?	¿Cómo está usted?	Cómmoh estár oostéh?
Very well, thanks. And you?	Muy bien, gracias. ¿Y usted?	Mooy byen, grútheus. E oostéh?
I don't speak French, Spanish, English, etc.	No hablo francés, español, inglés, etc.	Noh úbbloh frunthéss, espanyóll, ingléss, etc.
I speak French, Spanish, English, etc.	Hablo francés, español, inglés, etc.	Ubbloh frunthés, es-punyól, ingléss, ctsét-terah.
Excuse me. I'm in a hurry.	Perdóneme, que tengo prisa.	Pairdónnehmeh, keh téngoh prēēser.
Visits	De visita	Deh visseeter
Mr. ...?	¿El señor?	El senyórr?
Is M... at home?	El señor..., ¿está en casa?	El senyórr ... estár en cússer?
Yes, come in please.	Sí, señor, pase usted.	See, senyórr. Pússer oostéh.

Whom shall I announce?	¿De parte de quién?	Deh párteh deh kee.én?
What name, please?	¿A quién he de anunciar?	Ah kee.én eh deh unnōōntheárr?
Are you Mr...?	¿Es el señor...?	Ess el senyórr ...
Come in.	¡Adelante!	Úddelúnteh!
What a susprise!	¡Qué sorpresa!	Keh sorprésser!
I am so gald to see you.	¡Cuánto celebro ver a usted!	Kwúntoh théllebroh váir ah oustéh!
Thank you for your visit.	Le agradezco la visita.	Leh úggredéthcoh lah visséēter.
We are always very pleased to see you.	Siempre tenemos un gran placer en verle a usted.	Syémpreh tennáimoss oon grun plutháir en váirleh ah oostéh.
Come along please.	Pase usted adelante.	Pússeh oosttéh úddellúnteh.
Sit down.	Siéntese usted.	Syéntusséh oostéh.
Take a seat.	Tome usted asiento.	Tómmeh oostéh ussyéntoh.
Give Mr... a chair.	Dé usted una silla al señor...	Déh oostéh ooner síllyer úll senyórr...
Won't you sit down a moment?	¿No quiere sentarse un momento?	Noh kyerreh sentarrseh oon mommentoh?
We don't see you very often.	Le vemos a usted muy poco.	Leh vémmos ah oostéh mooy pāwcoh.
I came yesterday and had not the pleasure of seeing you.	Vine ayer y no tuve el gusto de verle.	Vēēneh uhyáirr e noh tōōveh el gōōstoh deh váirleh.
So they said. I had just gone out.	Ya me lo dijeron. Acababa de salir.	Yah meh loh dihháirrron. Úckerbárber deh sulléērr.
You will lunch with us today.	Hoy comerá usted con nosotros.	Oy commenráh con nossótross.
Thank you very much.	Muchas gracias.	Hōōtchuss grútheuss.
Many thanks, but I am expected.	Se lo agradezco mucho, pero hoy me esperan.	Seh loh úggreddéthcoh mōōtchoh, péhroh roy meh esspáirrun.
But are you already going?	Pero, ¿ya se va usted?	Péhroh yah seh van oostéh?
Stay a litle longer.	Espere un poco más.	Esspérreh oon pāwcoh múss.

But you have only just come.	¡Pero si acaba de llegar!	Péhroh see uckárber deh lyeggárr.
I am in a hurry.	Tengo prisa.	Téngoh prēēser.
It's late.	Es tarde.	Ess tárrdeh.
You are always in a hurry.	Siempre va usted de prisa.	Syémpreh vah oostéh deh prēēser.
I'm very busy.	Estoy muy ocupado.	Esstóy mooy óccoopárdoh.
I have a lot to do.	Tengo mucho que hacer.	Téngoh mōōtchoh keh utháir.
I'll come again tomorrow.	Volveré mañana.	Volverráh munyúnner.
I'll come back another day.	Volveré otro día.	Volverréh āwtroh déar.
Keep well.	Usted siga bien.	Oostéh sēēger byén.
Goodbye.	Que usted lo pase bien.	Keh oostéh loh pússeh byén.
Let us see more of you.	No sea usted tan caro de ver.	Noh sáyer oostéh tun cáhroh deh váir.
Until next time.	Hasta la vista.	Ússter lah víster.
May I introduce my wife?	Permítame que le presente mi mujer.	Perrmēētameh keh presénteh me mooháir.
I am pleased to meet you.	Tengo mucho gusto en conocerla, señora.	Téngoh mōōtchoh gōōstoh en cónnotháirrlah, senyérrer.
My parents and my sister.	Les presento mis padres y mi hermana.	Less presséntoh meess púddress e me airmúnner.
Delighted to meet you.	Encantado de conocerles.	Encantárdoh deh connotháirless.
But please sit down.	Pero, siéntense ustedes, por favor.	Pehroh syentenseh oostéddess, porr fuvvórr.
I see you have kept your promise.	Veo que ha cumplido su palabra.	Váyoh keh ah cumplēēdoh soo pullárbrah.
I said I would come and see you.	Ya le dije que vendríamos a visitarles.	Yah le dēēheh keh vendréamoss ah vissitárrless.
We are very grateful for this visit.	Les agradecemos mucho esta visita.	Less uggrédethémmoss mōōtcho éster visseeter.

Come along, children, and speak to these ladies and gentlemen.	Niños, venid un momento. Saludad a los señores...	Neenyoss, vennēēd oon momméntoh. Sullōō-dud úlloss senyór-ress.
What pretty children!	¡Qué niño tan hermoso, y qué niña tan guapita!	Keh nēēnyoh tun air-māwsoh, e keh nēē-nyer tun gwuppēē-ter!
Yes, but they're very naughty.	Sí, pero son muy malos.	See, péhroh son mooy márloss.
All healthy children are naughty.	Todos los niños sanos son traviesos.	Tāwdoss los nēēnyoss son truvyéssoss.
They are both your sister's children?	¿Los dos son de su hermana?	Loss doss estún deh soo airmunner?
Yes.	Efectivamente.	Effectēēverménteh.
I'm sorry my wife is away.	Lamento que mi esposo esté ausente.	Lumméntoh keh mee esspóssoh estéh ow-sénteh.
She left on Monday and has not yet returned.	Salió el lunes y aún no ha regresado.	Sulleóh el lōōness e ah.ōōn noh ah rég-gressárdoh.
Please give her our kind regards.	Tenga la bondad de saludarle en nuestro nombre.	Ténger lah bondúd deh súlloodárleh en nwéstroh nómbreh.
With great pleasure.	Lo haré con mucho gusto.	Loh urráy con mōōs-toh.
Have you no children?	¿Ustedes no tienen hijos?	Oostéhdess noh tyén-nen ēēhoss?
Yes, two, both married. The elder son has a lovely boy.	Sí, dos casados ya, y uno de ellos, el mayor, con una niña preciosa.	See, doss cussárdoss yah, e oonoh deh éllyoss, el mahyórr, con ooner nēēnyer prétheóser.
So you are already grandparents?	Así, ¿son ustedes ya abuelos?	Ussēē, son oostéddess yah ubbwélloss.
Congratulationns. May it be for many years to come.	Enhorabuena, y que lo sean durante muchos años.	En.óra.bwénner, e keh loh súyun doorúnteh mōōtchoss únnyoss.
Thank you.	Muchas gracias.	Mōōtchuss grútheus.
I hope we shall see each other often.	Esperamos que nos veamos más frecuentemente.	Esperrármoss keh noss váyermoss mús fre-kwéntaménteh.

It's your turn to visit us now.

Ahora les toca a ustedes venir a visitarnos.

Uh.orá less tócker ah oostéddess vonéērr ah víssitárrnos.

When our brother is back we shall be glad to come one day.

Cuando regrese mi hermano nos permitiremos ir un día.

Kwúndoh reggrésseh me áirrmúnnoh noss páirmíttirráimoss éarr oon déar.

When you like, but please let us know the day before, so that we shall not be out.

A su comodidad, con tal de que nos avisen el día antes para no movernos de casa.

Ah soo commóddidúd, con tull keh noss uvvíssen el dear úntess prrcr noh movváirrnoss deh cússer.

We will.

Así lo haremos.

Ussēē loh urráimoss.

Until then. Kind regards to...

Hasta pronto. Recuerdos a...

Ússer próntoh. Rekwáirdoss ah ...

Thanks. The same to you...

Muchas gracias, igualmente. Adiós.

Mōōtchuss grútheus, iggwullmenteh. Úddy.óss.

Visiting the museums, monuments, and other places of interest

Visita a museos, monumentos, lugares típicos, etcétera

Vísseeter ah moosáyoss, mónooméntoss, loogárress típpicoss, etc.

What museums, monuments, noteworthy buildings, parks, are there in the town?

¿Qué museos, monumentos, edificios notables, parques, hay en la ciudad?

Keh Moosáyoss, mónnooméntoss, éddyfetheos nottúbless, párrkess i en lah théoodúd?

There are several well worth visiting.

Hay varios dignos de ser visitados.

I vúrreoss dígnoss deh sairr vísitárdoss.

The most important is... of great artistic value.

El más importante es... de un gran valor artístico.

El múss importúnteh es ... deh oon grun vullórr arrtísticoh.

The... museum, St... Church, the Town Hall, the Cathedral, the... building, the... monument, are specially interesting for tourists.

Tiene un especial interés turístico el museo..., la iglesia de..., el Ayuntamiento, la catedral, el edificio de..., el monumento de...

Tyénneh oon esspéthiúl interréss toorísticoh el moosáyoh ..., lah iggléssiah deh ..., el ah.yōōntermyéntoh, lah cútteddrúll, el éddyfēētheo deh, el monnooméntoh de ...

Is the Museum far?	¿Está muy lejos el museo de...?	Estár mooy léhhoss el moosáyoh deh...?
What can I take to get to...?	¿Qué medio de locomoción hay para ir a...?	Keh méddioh deh loccomótheón i púrrar éarr ah...
What typical spots are there in the town, please?	¿Haría el favor de decirme qué lugares típicos hay en la ciudad?	Urréar el fuvvórr deh dethēērrmeh keh loogárress típicós i en la thēēudúd?
There are several. I would recommend you to visit the... district.	Existen varios. Le recomiendo visite el barrio...	Exísten vúrreoss. Leh récommyéndoh vissēēteh el búrreo ...
I should like to visit some park, garden, zoo, etc.	Desearía visitar algún parque, jardín, parque zoológico, etc.	Déssayarréar vissitárr ulgōōn párrkeh, harrdēēn, párrkeh zóohlóggihho, etc.
I think you would like the... Park, the largest in the town.	Creo le gustará ver el parque de... el más grande de la ciudad.	Créoh leh goosterréar váirr el párrkeh deh ..., el múss grúndeh deh lah théudud.
It's a lovely park, arranged in very good taste.	Es un parque precioso, acondicionado con mucho gusto.	Ess oon párrkeh prétheóssoh, úckondithionárdoh con mōōtchoh gōōstoh.
I should like to visit the Fine Arts Museum.	Desearía visitar el museo de Bellas Artes.	Déssayarréar vissitárr el moossáyoh deh béllyooss árrtess
A gallery of old masters.	Un museo de Arte Antiguo.	Oon moosáyoh deh Árrteh Untíggwoh.
A gallery of modern art.	Un museo de Arte Moderno.	Oon moosáyoh deh árrteh modáirnoh.
A Contemporary Art Gallery.	Un museo de Arte Contemporáneo.	Oon moosáyoh deh árrteh contémporránneoh.
Of decorative art.	De Artes Decorativas.	Deh árrtes décoratēēvas.
Of natural sciences.	De Ciencias Naturales	Deh thee.éntheus nútturrúlless.
Of archeology.	De Arqueología.	Deh árrkióllohéer.
Naval.	Naval.	Nuvvúll.
Aviation.	De Aviación.	Deh úvvyótheón.
The monument to...	El monumento de...	El mónooméntoh deh...

Can you me on what days and at what time it is open?	¿Podría indicarme los días y horas de visita?	Poddréar indicármeh loss déarss e óruss deh viséēter?
A guide, please.	Un guía, por favor.	Oon gēēar, porr fuvvórr.
In what style is this building, this church?	¿Qué estilo tiene este edificio, esta iglesia?	Keh estēēloh tyénneh éssteh éddyfēētheo, ésster iggléssiah?
It's Arabic, Gothic, Romance, Renaissance.	Es de estilo árabe, gótico, románico, Renacimiento.	Ess deh estēēloh úrrerbeh, gótticoh, romúnnicoh, rennúthimyéntoh.

IN THE SHOPS

The stores

EN LOS ALMACENES

Los almacenes

EN LOSS

ÚLLMERTHÉNNESS

Loss úllmerteénness

Ground floor.	Planta baja.	Plúntah búhher.
First, second, third floor.	Primer, segundo, tercer piso.	Primáirr, segōōndoh, tairrtháirr pēēsoh.
The lift.	El ascensor.	El ústhensórr.
The stairs.	Las escaleras.	Luss ésculláirerss.
The departments.	Las secciones.	Luss séctheeóness.
The head of the department.	El encargado de sección.	El éncarrgárdoh deller secktheón.
The assistant.	El dependiente, la dependienta.	El deppendyénteh, lan deppendyénter.
The boy.	El botones.	El ottónness.
The counter.	El mostrador.	El móstruddórr.
The shop windows.	Las vitrinas.	Luss vittrēēners.
The chairs.	Las sillas.	Luss sílyuss.
The cash desk.	La caja.	Lah cúhher.
The cashier.	La cajera.	Lah cuhháirer.

Clothing

(men's)

Prendas de vestir

(para el hombre)

Prénduss deh vesteerr

(púrrer el ombreh)

Overcoat.	Abrigo.	Ubbrēēgoh.
Jacket.	Americana.	Umméricúnner.
Stick.	Bastón.	Bustón.
Smoking jacket.	Batín.	Buttēēn.

Beret.	Boina.	Bóyner.
Boots.	Botas.	Bóttuss.
Muffler.	Bufanda.	Booffúnder.
Socks.	Calcetines.	Cúlthettēēness.
Pants.	Calzoncillos.	Cúlthonthíllyoss.
Shirt.	Camisa.	Cummēēser.
Vest.	Camiseta.	Cúmmissétter.
Belt.	Cinturón.	Thíntoorón.
Tie.	Corbata.	Corrbútter.
Collars.	Cuellos.	Kwéllyoss.
Waistcoat.	Chaleco.	Tchulléckoh.
Jacket.	Chaqué.	Tchuskéh.
Evening dress coat.	Frac.	Fruc.
Trench coat.	Gabardina.	Gúbbarrdēēner.
Binoculars.	Gemelos.	Hemmélloss.
Cap.	Gorra.	Górrer.
Gloves.	Guantes.	Gwúntess.
Rain coat.	Impermeable.	Impáirrmeárbleh.
Jersey.	Jersey.	Jáirrseh.
Sock suspenders.	Ligas.	Lēēguss.
Trousers.	Pantalón.	Púntullón.
Sports trousers.	Pantalón de deporte.	Puntullón deh deppórrteh.
Golf breeches.	Pantalón de golf.	Puntullón deh golf.
Riding breeches.	Pantalón de montar.	Puntullón de montarr.
Skiing trausers.	Pantalón de esquís.	Puntullón deh eskíss (eskēēss).
Pocket handkerchiefs.	Pañuelos de bolsillo.	Punyooélyoss deh bolsíllyoh.
Neckerchief.	Pañuelo para el cuello.	Punyooélyoh p;rrer el kwélyoh.
Umbrella.	Paraguas.	Purrúgwuss.
Pyjama.	Pijama.	Pihhúmmer.
Cuffs.	Puños.	Pōōnyoss.
Smoking jacket.	Smoking.	Smócking.
Felt hat.	Sombrero de fieltro.	Sombráirroh deh fyéltroh.
Bowler hat.	Sombrero de copa.	Sombráirrroh deh cópper.
Braces.	Tirantes.	Tirrúntess.
Slippers.	Zapatillas.	Thúppertilyoss.
Black, brown, two-colour shoes.	Zapatos negros, marrón, combinados.	Thuppártoss néggross, murrón, combinárdoss.

(women's)	(para la mujer)	(púrrer lah moohháirr)
Fan.	Abanico.	Úbbunníckoh.
Overcoat.	Abrigo.	Ubbrēēgoh.
Dressing gown.	Bata.	Butter.
Blouse.	Blusa.	Blōōsser.
Bag.	Bolso.	Bólsoh.
Drawers. Nickers.	Bragas.	Brúgguss.
Night gown.	Camisón.	Cúmmissón.
Evening cloak.	Capa de noche.	Cúpper deh nótcheh.
Pocket book.	Cartera.	Carrtáirrer.
Belt.	Cinturón.	Thintoorón.
Combinations.	Combinación.	Combinutheón.
Corset.	Corsé.	Corrséh.
Fur collar.	Cuello de piel.	Kwélyoh deh pyél.
Shawl.	Chal.	Tchull.
Jacket.	Chaquetón.	Tchúckttón.
Sash.	Faja.	Fúhher.
Skirt.	Falda.	Fúllder.
Open skirt.	Falda abierta.	Fúllder ubyáirrter.
Narrow waisted skirt.	Falda ceñida.	Fúllder thenyēēder.
Pleated skirt.	Falda plisada.	Fúllder plissárder.
Rain coat.	Gabardina.	Gúbberdēēner.
Gloves.	Guantes.	Gwúntess.
Jersey.	Jersey.	Jáirrseh.
Garters.	Ligas.	Leeguss.
Mantilla.	Mantilla.	Muntílyer.
Cotton stockings.	Medias de algodón.	Méddiuss deh úlgoddón.
Linen stockings.	Medias de hilo.	Méddiuss deh ēēloh.
Nylon stockings.	Medias de nylón.	Méddiuss deh nillón.
Silk stockings.	Medias de seda.	Méddiuss deh sédder.
Purse.	Monedero.	Mónneddáirroh.
Coton handkerchiefs.	Pañuelos de algodón.	Punnyuélloss deh úlgoddón.
Batiste handkerchiefs.	Pañuelos batista.	Punyuélloss deh buttíster.
Linen handkerchiefs.	Pañuelos de hilo.	Punyuélloss deh ēēloh.
Nylon handkerchiefs.	Pañuelos de nylón.	Punyuélloss deh nillón.
Umbrella.	Paraguas.	Purrúgwuss.
Ornamental comb.	Peineta.	Paynétter.
Pyjamas.	Pijama.	Pihhúmmer.
Suspenders.	Portaligas.	Pórrterlēēgers.

Cardigan.	Rebeca.	Rebécca.
Dressing gown.	Salto de cama.	Súlltoh deh cúmmer.
Artificial silk.	Seda artificial.	Sédder arrtifíthíull.
Natural silk.	Seda natural.	Sédder nútterrúll.
Hat.	Sombrero.	Sombráirroh.
Brassieres.	Sostenes.	Sosténnes.
Tailor made costume.	Traje sastre.	Thúhheh sstreh.
Night dress.	Traje de noche.	Trúhheh deh nótcheh.
Suede schoes.	Zapatos de ante.	Thuppúttoss deh únteh.
Patent leather shoes.	Zapatos de charol.	Thuppúttoss deh churróll.
Black, brown, two-coloured shoes.	Zapatos marrón, negro, combinados.	Thuppúttoss murrón, néggroh, cómbinárdoss.

Jewellery | ## Joyas | ## Hóyyuss

Tie pin.	Alfiler de corbata.	Úllfilláirr deh corrbútter.
Bracelet.	Brazalete.	Brútherlétter.
Diamonds.	Brillantes.	Brillúntess.
Collar. Necklace.	Collar.	Collyárr.
Diamonds.	Diamantes.	Dearmúnntess.
Emerald.	Esmeralda.	Éssmerrúllder.
Cuff links.	Gemelos.	Hemmélloss.
Safety pin.	Imperdible.	Impairdēēbleh.
Gold.	Oro.	óroh.
Ear rings.	Pendientes.	Pendyéntess.
Pearls.	Perlas.	Páirrluss.
Silver.	Plata.	Plútter.
Platinum.	Platino.	Pluttēēnoh.
Wrist wath.	Pulsera.	Poolsáirrer.
Clock.	Reloj.	Rellóhh.
Ruby.	Rubí.	Roobēē.
Solitaire (diamond).	Solitario.	Sollitárrioh.
Ring.	Sortija.	Sorrtíhher.

The dressing table | ## Tocador | ## Tóccuddórr

Tanning oil.	Aceite bronceador.	Utháiteh bróntheadórr.
Cleansing oil.	Aceite de limpieza.	Utháiteh deh límpyéhther.
Scent.	Colonia.	Collónnia.

Compact.	Colorete compacto.	Collerrétth compúctoh.
Colouring cream.	Colorete crema.	Collerrétteh cráimer.
Rimmel cosmetic.	Cosmético Rimmel.	Cossmétticoh rímmel.
Shaving cream.	Crema para afeitar.	Crémmer púrrer uffaitárr.
Antisun cream.	Crema antisolar.	Crémmer úntehsollárr.
Cleansing cream.	Crema limpiadora.	Crémmer limpy.uddórrer.
Massage cream.	Crema para masaje.	Crémmer púrrer mussúhheh.
Feeding cream.	Crema nutritiva.	Crémmer nōōtruttēēver.
Vanishing cream.	Crema volátil.	Crémmer vollúttil.
Razor blades.	Hojas de afeitar.	Óhhuhs deh uffaitárr
Shaving soap.	Jabón para afeitar.	Hubbón púrrer uffaitárr.
Scented soap.	Jabón perfumado.	Hubbón páirfoomárdoh.
Eyebrow pencil.	Lápiz para las cejas	Lúppith púrrer luss théckers.
Lipstick.	Lápiz para los labios.	Lúppith púrrer loss lúbbeoss.
Beauty milk.	Leche de belleza.	Letcheh deh bellyéhther.
Lotion.	Loción.	Lotheón.
Make up compact.	Maquillaje compacto.	Muhhilyúhheh compúctoh.
Make up cream.	Maquillaje crema.	Muhhilyúhheh crémner.
Make up powder.	Maquillaje en polvo.	Muhhilyúhheh en pólvoh.
Lip outliner.	Perfilador para los labios.	Pairfílladórr púrrer loss lúbbeoss.
Scent.	Perfume.	Pairfōōmeh.
Face powders.	Polvos faciales.	Pólvoss fúthiúlles.
Pulveriser. Spray.	Pulverizador.	Pōōlvurríthadórr.
Regenerator.	Regenerador.	Rehhénneradórr.
Bay rum.	Ron quina.	Ron keener.
Instantaneous colourer.	Tintura instantánea.	Tintōōrer ínstuntúnnear.
Gradual colouring.	Tintura progresiva.	Tintōōrer prógressēēver.
Face tonic.	Tónico facial.	Tónicoh fútheúl.
Astringent tonic.	Tónico astringente.	Tónicoh ústrinhénteh.

Hygiene articles	Artículos para higiene	Artícooloss púrrer ihhyénner
Hair brush.	Cepillo cabello.	Theppílyoh cubbéllyoh.
Tooth brush.	Cepillo para dientes.	Theppílyoh púrrer dyéntess.
Hair removing wax.	Depilatorio en cera.	Depillatérioh en tháirer.
Hair removing cream.	Depilatorio en crema.	Depiúatórioh en crémmer.
Hair removing powder.	Depilatorio en polvo.	Depillatório en pólvoh.
Liquid hair remover.	Depilatorio líquido.	Depillatório líkkiddon.
Deodorant cream.	Desodorante en crema.	Dessōōderrúnteh en crémmer.
Deodorant liquid.	Desodorante líquido.	Dessōōderrunth líkkiddoh.
Tooth elixer.	Elixir dentífrico.	Elixeer dentíffricoh.
Deodorant pencil.	Lápiz desudorante.	Lúppith dessōōderrúnteh.
Fine comb.	Lendrera.	Lendráirer.
Tooth paste.	Pasta dentrífica.	Pússter dentífriker.
Comb.	Peine.	Páyneh.
Hair removing tweezers.	Pinzas depiladoras.	Pínthuss depillatóriuss.
Talcum powder.	Polvos de talco.	Pólvoss deh túlcoh.

Articles for manucure	Artículos manicura	Artícooloss múnnikoorer
Nail clippers.	Alicates para las uñas.	Ullicártess púrrer luss ōōnyuss.
Skin clippers.	Alicates para las pieles.	Ullicártess púrrer luss pyélles.
Skin reducers.	Bajapieles.	Búhherpyélless.
Nail brush.	Cepillo para las uñas.	Theppílyoh púrrer luss ōōyuss.
Enamel dissolver.	Disolvente quita esmalte.	Dissolvénteh kitter esmúlteh.
Enamel.	Esmalte.	Esmúlteh.
Emery file.	Lima esmeril.	Lēēmer esmerríll.
Metal file.	Lima metal.	Lēēmer méttúll.
Nail polisher.	Pulidor de uñas.	Poollidórr deh ōōyuss.

Shin scissors.	Tijeras para las pieles.	Tihháiruss púrrer luss pyélless.
Nail scissors.	Tijeras para las uñas.	Tihháiruss púrrer luss õõnyuss.

Haberdashery	Camisería y otras secciones	Cummissairréar e awtross séctheóness
The shirt department, please?	¿La sección de camisería, por favor?	Lah sectheón deh cummissarréar, porr fuvvórr?
I want two white shirts and two coloured ones.	Deseo dos camisas blancas y otras dos de color.	Dessáyoh doss cummāēsuss blúncuss e āwtruss doss deh collórr.
I will show you what we have.	Le enseñaré el surtido que tenemos.	Leh ensényurréh el soortēēdoh keh tennémmoss.
I don't like this sort. I want finer ones.	Esta clase no me gusta. Las quiero más finas.	Éster clússeh noh meh gōōster.
Do you want them in linen or nylon?	¿Las quiere de hilo, de nylón...?	Luss kyáirreh deh ēēloh, deh nillón?
This cloth is very fine. Is it linen?	Esta tela es muy fina. ¿Es de hilo?	Éster téller es mooy fēēner. Ess deh ēēloh?
No, it's poplin. Is this my size?	No, de popelina. ¿Me irá bien esta medida?	Noh, deh poppellēēner. Meh ēērrahh byen éster muddēēder?
The collar is a little tight.	El cuello me va un poco justo.	El kwéllyoh meh vah oon pāwcoh hōōstoh.
We'll try a larger size.	Probaremos una talla mayor.	Proburráimos ooner túllyer myórr.
The collar should be a little large, as it shrinks in the washing.	Conviene que el cuello sea un poco ancho, porque al lavarse se encoge.	Convyénneh keh el kwéllyoh sáyer oon pāwcoh úntchoh, pórrkeh ull luvvárrseh seh encóhheh.
This material does not shrink. It has been previously damped.	Este género no se encoge. Ha sido mojado previamente.	Ésteh hénneroh noh seh encóhheh, ah sēēdoh mohhárdoh prévvierménthe.
I'll take these four.	Me quedo estas cuatro.	Meh kéddoh éstuss kwúttroh.

I want a rather typical shirt, as a souvenir.	Quisiera una camisa algo típica, como recuerdo.	Kissváirer ooner cummēēser úlgoh tipicoh, commoh reckwáirdoh.
Give me half a dozen vests, too, please.	Póngame también media docena de camisetas.	Póngermeh tumbyén méddier dothénner deh cúmmisséttuss.
Do you want them with or without sleeves?	¿Las quiere con mangas o sin mangas?	Luss kyáireh con múngess oh sin múnguss?
For summer or for winter?	¿De verano o de invierno?	Deh verrárnoh oh deh inváirnoh?
Please show me the ties.	Hágame el favor de enseñarme las corbatas.	Árgermeh el fuvvórr deh ensenyármeh luss corbútters.
We have a vey large choice.	Tenemos un surtido muy extenso.	Tennémoss oon soortēēdoh mooy exténsoh.
I should like to see those that are being worn this spring.	Quiero ver los modelos que se llevan esta primavera.	Kyáiroh váirr loss modélloss keh seh lyévvun éster prēēmerváirer.
Do you want natural silk, artificial silk, uncrasable, ...?	¿Cómo las quiere, de seda natural, seda artificial, inarrugables...?	Cómmoh luss kyáireh, deh sédder nútterrúll, sédder árrtifitheúll, ínurroogárbless ...?
I think they're rather loud.	Las encuentro un poco chillonas.	Luss enkwéntroh oon pāwcoh chillyónness.
These are quieter and finer.	Estas otras son más serias y muy finas.	Éstuss āwtruss son muss sáirious e mooy fēēnuss.
Give me these three.	Déme estas tres.	Démmeh éstuss tress.
Do you want anything else?	¿Desea algo más?	Dessáyer úlgoh muss?
Yes, some handkerchiefs.	Sí, pañuelos de bolsillo.	See, púnnyoo.élloss deh bolsíllyoh.
White or coloured?	¿Blancos o de color?	Blúncoss oh deh collórr?
Half a dozen of each, but fine ones.	Media docena de cada clase, pero que sean finos.	Méddear dothénner deh cárder clússeh, péhroh keh sayún fēēnoss.

Do you want linen ones?	¿Los quiere de hilo?	Loss kyárireh deh ēēloh?
No, nylon.	No, de nylón.	Nóh, deh neelón.
I should like to see some raincoats and umbrellas.	Quisiera ver las gabardinas y paraguas.	Kissáirer váirr luss gúbberdēēnerss e purrúgwuss.
Please come to the other department. This young man will go with you.	Haga el favor de pasar a la sección correspondiente. Este joven le acompañará.	Úgger el fuvvórr deh pussárr ah lah sectheón córrespondyénteh. Ésteh hóvven leh uccompúnnggerréar.
How much it this umbrella?	¿Cuánto vale este paraguas?	Kwúntoh várleh éstch purrúgwuss?
I want a cheaper one.	Lo deseo más barato.	Loh dessáyoh múss burrártoh?
And this one?	¿Y este otro?	E ésteh āwtroh?
Where are the gloves?	¿Para comprar unos guantes?	Púrrer comprárr ōōnoss gwúntess.
Come with me, please.	Haga el favor de acompañarme.	Úgger el fuvvórr deh uccompúnnyárrmeh.
Do you want leather, coton, wool or suede?	¿Los quiere de piel, de lana, de algodón, de ante...?	Loss kyáireh deh pyéll deh lúnner, deh úlgoddón, deh únteh, ...?
Light brown leather	De piel y color marrón claro.	Deh pyél e collórr murrón clároh.
I'll take these.	Me quedo con éstos.	Meh kéddoh con éstoss.
Now I want to buy a jersey.	Ahora quisiera comprar un jersey.	Un.óra keesáirer comprárr oon jáirseh.
Please go to the first floor.	Haga el favor de ir al prim piso.	Úgger el fuvvórr deh éarr ull primmáirr peēsoh.
Do you want it open, closed, with sleeves or without, coarse or fine knited?	¿Lo quiere abierto, cerrado, con mangas, sin mangas, de punto grueso, de punto delgado?	Loh kyáireh ubbyáirrtoh, con múnguss, sin múnguss, deh pōōntoh grooéssoh, deh pōōntoh delgárdoh?
I will show you what we have.	Le enseñaré el surtido de que disponemos.	Leh ensényarréh el sorrtēēdoh deh keh dispongármoss.

I want a dark gray one.	Lo deseo de un gris obscuro.	Loh dessáyoh deh oon grēēce obscōōroh.
I like this one.	Éste me gusta.	Ésteh meh gōōster.
How much is that all together?	¿Cuánto importa todo?	Kwúntoh impórrter tāwdoh?
Where do I pay?	¿Dónde debo pagar?	Dóndeh dóbboh puggárr?
At the cash desk. I'll go with you.	En la caja. Ya le acompañaré.	En lah cúhher. Yeh leh uccompúnyerreh.
Could you have them sent to the... Hotel?	¿Podrían llevármelo al Hotel...?	Podréun lyevvárr mehloh úll awtél ...?
When shall I get them?	¿Cuándo lo recibiré?	Kwúndoh loh rethíbberréh?
This afternoon.	Esta misma tarde.	Éster mísmer tárrdeh.

At the watchmaker's　　Relojería　　Rellóh.urréar

Wrist watch.	Reloj de pulsera.	Relóh deh pulsáirer.
Pocket watch.	Reloj de bolsillo.	Relóh deh bolsíllyoh.
Clock.	Reloj de pared.	Relóh deh purréd.
Tower clock.	Reloj de torre.	
Sundial.	Reloj de sol.	Relóh deh sol.
Sand glass.	Reloj de arena.	Relóh deh urrénner.
Pendulum clock.	Reloj de péndola.	Relóh deh péndooler.
Cuckoo clock.	Reloj de cuclillo.	Relóh deh cooklíllyoh.
Alarm clock.	Despertador.	Dess páirterdórr.
The hands.	Las agujas, saetillas, manecillas.	Luss uggōōhuss, súhettillyuss, múnnithillyus.
The minute hands.	Las minuteras.	Luss minootáirerss.
The dial.	Esfera.	Esfáirer.
Automatic.	Automático.	Owtommútticoh.
Antimagnetic.	Antimagnético.	Únteh mugnétticoh.
Stop watch.	Cronógrafo.	Cronnógruffoh.
Shronometer.	Cronómetro.	Cronnómmetroh.
Rubies.	Rubíes.	Roobéuss.
Chain.	Cadena.	Cuddénner.
Strap.	Correa.	Corráyer.
Unbreakable glass.	Cristal irrompible.	Cristúll irrompēēbleh.
Please show me some wrist watches.	Hágame el favor de enseñarme relojes de pulsera.	Úggermeh el fuvvórr deh ensenyárrmeh relóhhess deh poolsáirer.

Ladies' or gentlemen's?	¿Para señora o caballero?	Púrrer senyórrer oh cúbbelyáiroh?
Gentlemen's.	Para caballero.	Púrrer cúbbelyáirer.
Do you want a gold one or a stainless steel one?	¿Lo quiere de oro o de acero inoxidable?	Loh kyáireh deh óroh oh deh utháiroh inoxidárbleh.
Steel, but a good make.	De acero, pero que sea de buena marca.	Deh utháiroh, péhroh keh sáyer deh bwénner máárcer.
Well, all these are guaranteed.	Vea, señor, todos estos son garantizados.	Váyer, senyórr. tāwdoss éstoss son gúrruntithardoss.
What's the price of this one?	¿Qué vale éste?	Keh várleh ésteh?
And this one?	¿Y ése otro?	E ésseh āwtroh?
I think it's rather dear.	Lo encuentro algo caro.	Loh enkwéntroh úlgoh cárroh.
We have cheaper ones.	Los hay más baratos.	Loss i muss burrártoss.
Will it take long to mend this watch?	¿Tardarían muchos días en arreglarme este reloj?	Tárrdurréun mōōtchos déarss en úrreglárrmeh ésteh relóh?
I gave it a rather hard knock and it has stopped.	Le he dado un golpe algo fuerte y se ha parado.	Le eh dárdoh oon gólpeh úllgoh fyáirrteh e seh ar purrárdoh.
May I see it a moment?	¿Me permite examinarlo un momento?	Meh leh pairmítteh exúmminárr oon momméntoh?
The spring is broken.	Tiene la cuerda rota.	Tyénneh lah kwáirder róttah.
It will be ready in three days.	Estará reparado dentro de tres días.	Esturráh reppurrárdoh déntroh deh tres déarss.
I can't leave it. I'm starting on a journey the day after tomorrow.	Me es imposible dejarlo. Salgo de viaje pasado mañana.	Meh es possēēbleh dehárrlo. Súlgoh deh ve.úhheh pussárder munnyúnner.
In the morning or in the afternoon?	¿Por la mañana o por la tarde?	Porr lah munnyúnner oh porr lah tárrdeh?
In the afternoon.	Por la tarde.	Porr lah tárdeh.

In that case I will try to have it ready before you go.	Siendo así haré un esfuerzo para tenerlo listo antes de su marcha.	Syéndoh ussēē u rréh esfwáirrthoh púrrer tennáirloh lístoh úntes deh soo márrtcher.
Can you come and get it the day after tomorrow in the morning?	Puede usted pasarlo a recoger pasado mañana por la mañana.	Pwéddeh oostéh pussárrloh ah reccoháir munyúnner por lah munyúnner.
Could you send it to... Hotel? I will warn the porter.	¿Podría enviármelo al Hotel...? El conserje tendrá instrucciones.	Podrear enveárrmelloh ull awtél ... El consáirheh tendráh instrúctheóness.
With pleasure.	Con mucho gusto.	Cin mōōtchoh gōōstoh.
How much will it cost?	¿Cuánto importará la reparación?	Kwúntoh impórrturrár lah réppurrútheón?
Please change the strap.	Cámbieme la correa de paso.	Cúmbbearmeh lah corráyer deh pússoh.
Which of these do you like?	¿Cuál de éstas le gusta?	Kwúll deh éstuss leh gōōster?
How much is that?	¿Qué vale ésta?	Keh várleh éster?
Put it on for me, please.	Póngamela.	Póngermehlóh.
I have the voucher. Thanks.	Tenga el resguardo. Gracias.	Ténger el regwárrdoh. Grútheus.

The tailor's — Sastrería — Sússtrarréar

I want a spring suit.	Desearía un traje de entretiempo.	Déssairéar oon trúhheh deh éntrethyémpoh.
To measure?	¿A medida?	Ah meddēēder?
Ready made.	De confección.	Deh conféctheón.
Light or dark?	¿Claro u obscuro?	Clároh oo os.cōōrroh?
Navy blue, gray, brown	Azul marino, gris, marrón.	Uthōōl murrēēnoh, greece, murrón.
Come this way, please. I'll show you our models.	Haga el favor de venir. Le enseñaré los modelos que tenemos.	úgger el fuvvórr deh venéarr. Leh ensényurréh loss modélloss keh tennémmoss.
What's the fashion this year?	¿Cuál es la moda de este año?	Kwull ess lah māwder de ésteh únyoh?

The jacket is worn long.	Se lleva la americana larga.	Seh lyévver lah ummérricúnner lárrgoh.
Choose the one you like best.	Elija usted el que más le guste.	Elléëheh oostéh el keh múss leh góöster.
This is the one I like best.	Éste es el que más me gusta.	Esteh ess él keh muss me geöster.
Let's try it on.	Lo probaremos.	Loh próbburráimoss.
It's too small.	Me viene pequeño.	Meh vyénneh peckénnyoh.
I think this measure will fit you.	Esta otra medida me parece que le sentará bien.	Ester áwtrer meddëëder meh purrétheh keh leh séntirráh byen.
Yes, that's better. but there's a wrinkle on the shoulder.	Sí, éste me viene mejor. pero hace una arruga en el hombro.	See, ésteh me vyénneh mehhórr, péhroh útthhey ooner urrööger en el ómbroh.
That's nothing. We'll soon put that right and send it to you today.	No tiene importancia. Lo arreglaremos en seguida y se lo mandaremos hoy mismo.	Noh tyénneh imporrtúntheer. Loh urrégglarrémmos en seggëëder e seh loh múnduerrémmos oy mísmoh.
Coat.	Americana.	Ummérricúnner.
Waistcoat.	Chaleco.	Tchulléccoh.
Trowsers.	Pantalón	Púnterlón.
I don't care much for the lining.	El forro no acaba de gustarme.	El fórroh noh uccárber deh goostármeh.
How much is it?	¿Cuánto vale?	Kwntoh várley?
What else would you like?	¿Qué más desea usted?	Keh múss dessáyer oostéh?
I want to have a suit made.	Deseo hacerme un traje.	Dessáyoh utháirmeh oon trúhheh.
Have you decided on the colour.	¿Ha pensado ya en un color determinado?	Ah pensárdoh yah en oon collórr dettérrminnárdoh?
Yes, brown. or perhaps gray	Sí, marrón. o tal vez gris	See. murrón oh tull veth greece.
We have a large assortment of these colours.	De estos colores hay un gran surtido.	Deh éstoss collóres i oon grun soorrtëëdoh.

Plain, striped or check?	¿Liso, de rayas, de cuadros...?	Lēēsoh, deh rýuss, deh kwúddross.
Summer, spring or winter?	¿De verano, de entretiempo, de invierno?	Deh verrárnoh, deh éntreh.tyémpoh, deh invyáirrnoh.
I will show you the samples of our sorts, colours and patterns.	Le enseñaré los diversos muestrarios de clases, colores y dibujos.	Leh ensényurréh loss divváirsoss mwúestruss deh clússess, collórress e dibbōōhoss.
This striped one is most fashionable this year.	Éste de rayas será la moda de este año.	Ésteh deh rýus serráh lah māwder deh ésteh únnyoh.
Have you the same pattern in gray?	¿Tienen este mismo dibujo en gris?	Tyénnen ésteh mísmoh dibbúhhoh en greeces?
Yes, sir. I will show you the cloth. You will like it. better.	Sí, señor. Le enseñaré la pieza y le gustará más.	See, senyórr, leh ensénnyurréh lah pyether e leh goostrrah múss.
What sort of material is it?	¿Qué clase de género es?	Keh clússeh deh hénnerroh ess?
Worsted, sir.	Estambre, señor.	Estúmbreh, senyórr.
What will a suit of this quality cost?	¿Qué cuesta un traje de esta calidad?	Keh kwéster oon trúhheh deh éster sullidúd?
With or without waistcoat?	¿Completo o sin chaleco?	Compléttoh oh sin tchulléccoh?
I will take your measure now.	Ahora tomaré las medidas.	Uhóra tommurréh luss meddēēders.
Will you go to the trying on room?	¿Tiene la bondad de pasar al probador?	Tyénneh lah bondúd deh pussárr úll próbberdórr?
Do you want a single or double breasted coat?	¿Cómo lo quiere, abierto o cruzado?	Cómmoh loh kyáirreh, ubbyáirtoh oh croothárdoh?
Have you got a model?	¿Tiene algún figurín?	Tyénneh ulgōōn figgurrēēn?
I should like to have it made at once.	Me interesaría que me lo hicieran en seguida.	Meh ínterréssurréar keh meh loh itháirrun en segēēder.

We'll try it on tomorrow, and then the day after, and you will have it the next day.	Mañana haremos la primera prueba. Pasado mañana la segunda y al siguiente se lo entregaremos.	Munyúnner urráimuss lah primáirrer prwébber. Pusssárder munyúnner lah seggöönder e ull siggyénteh seh loh entrégurráimuss.
Do I pay in advance or when it is ready.	¿Se paga por adelantado o a su entrega?	Seh púgger porr úddelúnnteh oh ah soo entráiger?
Have you any good cloth for an an overcoat?	¿Tienen buenos paños para abrigos?	Tyénnen biénnoss púnnyoss púrrer ubbréégoss?
We have the very best quality, sir.	Los tenemos de calidad inmejorable, señor.	Loss tennáimoss deh cullidúd inméhhorrúbbleh, senyórr.
Will you have a look at this cloth?	Tenga la bondad de examinar estas piezas.	Ténger lah bondúd deh exuminárr éstuss pyéthuss.
What's the price of an overcoat made to measure.	¿Qué vale un abrigo a medida?	Keh várleh oon ubbréégoh ah medééder?
Of this cloth, which is the best quality,...	De esta calidad, que es la mejor...	Deh éster cullídud, keh ess lah mehhórr ..
Have you got anything of a slightly inferior quality, but good?	¿No tiene una clase inferior a ésta, pero buena?	Noh tyénneh ooner clússeh inferriórr ah ésteh, péhroh byénnoh?
Yes sir. I can recommend this cloth.	Sí, señor. Le recomiendo esta otra calidad.	See, senyórr. Leh réccommyéndoh éster áwtroh cullidúd.
What is the price?	¿Cuánto vale?	Kwúntoh várleh?
I will have this colour.	Me quedo con este color.	Meh kéddoh con ésteh collórr.
We'll take the measure.	Tomaremos medidas.	Tommurráimoss meddééduss.
I like it fairly full.	Me gusta un poco ancho.	Meh gööster con pāwcoh úntchoh.
Double or single breasted?	Abierto, cerrado.	Ubyáirrtoh, therrárdoh.
With or withour belt.	Con cinturón, sin cinturón.	Con thintoorón, sin thinturrón.
Broad lapel.	Solapa ancha.	Sollúpper úntcher.

| When will it be ready? | ¿Cuándo estará? | Kwúndoh esturrár? |
| You can have it the day after tomorrow. | Pasado mañana se lo entregaremos. | Pussárdoh munyúnner seh loh entréggurrémmoss. |

## The shoe shop	## Zapatería	## Thúpper.turréar
I want a pair of shoes.	Deseo un par de zapatos.	Dessáyoh oon parr deh thuppártoss.
What kind do you want?	¿Cómo los quiere?	Cómmoh loss kyáireh?
Brown, black, two coloured.	De color marrón, negros, combinados.	Deh collórr murrón, néggross, combinutheón.
Double sole.	De suela doble.	Deh swéller dóbbleh.
Leather, suede.	De piel, de ante.	Deh pyél, deh únteh.
Rubber heels.	Con tacón de goma.	Con tuckón deh gómmer.
With leather, crepe, rubber soles.	Con piso de suela, de crepé, de goma.	Con pēēsoh deh swéller, deh créppeh, deh gómmer.
What is your size?	¿Qué número calza?	Keh nōōmmairoh cúllther?
I don't know. I'll try them on.	No sé. Vamos a probar.	Noh seh. Vármoss ah próbarr.
Do those fit you?	¿Le va bien este par?	Leh vah byén ésteh parr?
They're a little tight.	Me aprietan un poco.	Meh uppryéttun oon pāwcoh.
They are a little too large.	Me son un poco grandes.	Meh son oon pāwcoh grúndess.
My feet are very tender.	Tengo los pies muy delicados.	Téngoh loss pyéss mooy déllicárdoss.
We'll try a larger size.	Buscaremos un número mayor.	Booscurráimoss oon nōōmairroh mahyór.
Will you please show me the pair that is in the window? No...	Haga el favor de enseñarme el modelo que está en el escaparate con el número...	úgger el fuvvórr deh ensenyárrmeh el moddélloh keh estar en el escúpperrárteh con el nōōmairroh...
How much are they?	¿Cuánto es?	Kwúntoh ess?
Can you send them to this address?	Podría enviármelos a esta dirección?	Podréar enviárrmehloss ah éster dirréctheón?

AT THE BANK	EN EL BANCO	EN EL BÚNCOH
The door.	La puerta.	Lah pwáirrter.
The porter.	El portero.	El porrtáiroh.
The messenger.	El ordenanza.	El ordenúnther.
The boy.	El botones.	El bottóness.
The list of rates of exchange.	El tablero de cotizaciones de moneda.	El tubláirroh deh cóttithúthiónes deh monnédder.
The windows.	Las ventanillas.	Luss véntunnílyuss.
The money changing window.	La ventanilla de cambio de moneda.	Lah véntuunilyer deh cúmbioh deh monnédder.
The foreign transfer window.	La ventanilla de transferencia del exterior.	Lah véntunníllyer deh trúnsferrénthear del extáirriór.
The clerk.	El empleado.	El emplayúddoh.
The cashier.	El cajero.	El cuhháirroh.
The bank notes.	Los billetes.	Loss billyéttess.
Small change.	La moneda fraccionaria.	Lah monnédder frúcthioária.
Tourist cheques.	Cheque de turismo.	Chéckeh deh toorísmoh.
Travellers cheques.	Cheque de viaje.	Chéckeh deh ve.úhheh.
To pay.	Pagar.	Puggárr.
To cash.	Cobrar.	Cobbrárr.
Messenger, where's the exchange window?	Oiga, ordenanza, ¿para cambiar moneda?	Óyger, ordinnúnther. purrer cumbiarr munnéder?
No... The fourth window.	La ventanilla número..., la cuarta ventanilla.	Lah véntunníllyer nōōmeroh ... lah kwárter véntunníllyer.
Will you please change this traveller's cheque?	Haga el favor de cambiarme este cheque de viaje.	Úgger el fuvvórr deh cumbiárrmeh esteh chéckeh deh ve.úhheh.
Wait a moment, please.	Tenga la bondad de esperar un poco.	Ténger lah bondúd deh esperrárr ɔon pāwcoh.
Shall I have to wait long?	¿Habré de esperar mucho?	Ubbráy deh esperrárr mōōtchoh?
I will tell you at once.	Le avisaré en seguida.	Leh uvvisserráy en seggēēder.

What is the rate?	¿A cuántos está el cambio?	Ah kwúntoss estár el cúmbioh.
I want to change part of this traveller's cheque. Can you give me the difference in my own currency?	Deseo cambiar parte de este cheque de viaje. ¿Puede darme la diferencia en moneda de mi país?	Dessáyoh cumbiárr párrteh deh ésteh chéckeh deh ve.úhheh. Pwéddeh dárrmeh lah differénthiah en munnédeer deh me py.íss?
I'm sorry, it can't be done. You can only get the currency of your country at the Government Bank.	Lo siento, no es posible, las divisas de su país se entregan diariamente al Banco del Gobierno.	Loh syentoh, noh ess posseebleh, luss divveesuss deh soo py.íss seh entráygun de.íraménteh ull búncoh del goobyáirnoh.
Can you change these notes into local currency?	¿Puede cambiarme estos billetes en moneda del país?	Pwéddeh cumbiárrmeh éstoss billyéttess en monnéddus del py.íss?
What are they? Thousands.	¿De cuánto son? De mil cada uno.	Deh kwúntoh son? Deh meel cúdder ōōnoh/or: — deh meel cárther ōōnoh.
Could you tell me whether you have received a transfer form... for...?	¿Podrá indicarme si se ha recibido una transferencia de... a nombre de...?	Podráh indicárrmeh see seh ah réthibēē doh ooner transferrrénthia deh ... ah nombreh deh ...?
For what amount? For 3.000... from the Bank of...	¿Por qué importe? Por 3.000... y del Banco de...	Porr kéh impórrteh? Porr tress meel ... e del buncoh deh ...
No, sir. It's not arrived yet.	No, señor, todavía no ha llegado.	Noh, senyórr. Toddervēēr noh ah lyéggárdoh.
Yes, sir. Will you please show me your identity papers.	Sí, señor. ¿Hará el favor de acreditarme su personalidad?	See, senyórr. Úrrer el fuvvórr deh uccrédditámeh soo páirsonnállidúd?
Here is my passport and my identity card.	Aquí tiene mi pasaporte, mi carnet de identidad.	Ukke tyenneh me pússerpórrteh, me carrnét de iddéntidúd.

What rate have you given me?	¿Qué cambio me ha cotizado.	Keh cúmbeo me ah cottithárdoh?
You have given me a very low rate.	Me cotiza usted un cambio muy bajo.	Me cottither oostéh oon cúmbeo mooy búhhoh.
It's the official rate, today's rate.	Es el cambio oficial, es el cambio de hoy.	Es el cúmbeo ofithéul, es el cúmbeo deh oy.
Please give me large, small notes.	Haga el favor de entregarme billetes grandes, pequeños.	Úgger el fuvvórr deh entreggárme bilyéttess grúndess, peckénnyoss.
Do you send money by post, by telegraph to...?	¿Remiten ustedes fondos a... por correo, por telégrafo?	Remmitten oostéddess fóndoss ah ... porr corráyoh, por tellégruffoh?

IN THE BAR

EN EL BAR

EN EL BARR

The counter, the bar.	El mostrador, la barra.	El móstruddórr, lah búrrer.
The stool.	El taburete.	El túbboorétteh.
The waiter.	El camarero.	El cúmmerráirroh.
The aperative.	El aperitivo.	El uppérrratēēvoh.
The snacks.	Las tapas.	Luss túppuss.
The refreshment.	El refresco.	El refréscoh.
The liqueurs.	Los licores.	Los lickórress.
The tray.	La bandeja.	Lah bundéhher.
The bottle of water.	La botella de agua.	Lah bottélyer deh úgwer.
The glass.	El vaso.	El vússoh.
The wine glass. The liqueur glass.	La copa, la copita.	Lah cópper, lah coppēēter.
The cup.	La taza.	Lah túther.
The tea spoon.	La cucharilla.	Lah cōōtcherríllyer.
The sugar.	El azúcar.	El uthūūcker.
The express coffee pot.	La cafetera exprés.	Lah cúffettáirer expréss.
The jug, the pint, the half pint of beer.	La jarra, el doble, la caña de cerveza.	Lah húrrer, el dóbbléh lan cúnyer den tháirrvéther.
The straws, the tooth picks.	Los palillos, los mondadientes.	Loss pullilyoss, loss mónderdyéntess.
The ice.	El helado.	El ellérdoh.
The telephone.	El teléfono.	El telléfonoh.

The lavatory.	El lavabo.	El luvvárboh.
The cocktail shaker.	La cóctelera.	Lah cóctelláirer.
I'm thirsty. Lets go to the bar.	Tengo sed, entremos en el bar.	Téngoh seth, entrárrmoss en el barr.
Waiter, get me a drink.	Camarero, póngame un refresco.	Cummerráirroh, póngerme oon refréscoh.
I want a glass of beer.	Yo quiero una caña de cerveza.	Yoh kyáiroh onner cunnyer deh thairrvéther.
It's hot inside. Let's sil outside.	Dentro hace calor, sentémonos afuera.	Déntroh útheh cullórr, sentáimonnoss ufwáirer.
What will you have?	**¿Qué tomará usted?**	Keh tommeráh oostéh?
I'll have an express coffee.	Yo tomaré un café exprés.	Yoh tommeréh oon cúffeh expréss.
I'd rather have an orangade, an horchata, very fresh, natural.	Yo prefiero una naranjada, una horchata, bien fresca, natural.	Yoh preffáirroh ooner núrrunhárder, ooner orrtchútter, byén frésker, nutterrúll.
Waiter, a vermouth and soda.	¡Camarero!, un vermut con soda.	Cummerráiroh! Oon vairrmōōt con sáwder.
What snacks would you like?	¿Qué desea de tapas?	Keh dessáyer deh túpperss?
Give me some mussels, potato chips, shrimps, olives, anchovy, salted almonds, tunny, etc.	Póngame almejas, patatas fritas, gambas, aceitunas, anchoas, ensaladilla, atún, etc.	Póngermeh ullméhhuss, puttútterss frēētuss, gúmbuss, úthaytōonerss, untchóuss, ensúllur.diller, uttōōn, etc.
Give me a glass of anis	Póngame una copita de anís.	Póngermeh ooner cuppēēter deh unníss.
Pickme up.	Estomacal.	Estómmercúll.
Cognac.	Coñac.	Connyúch.
Gin.	Ginebra.	Hinnébbrer.
Rum.	Ron.	Ron.
A half and half, a cocktail.	Un combinado, un cóctel.	Oon combinárdoh, oon cóctell..
Ice.	Hielo.	Yélloh.
A cup of chocolate.	Una taza de chocolate.	Ooner túther deh choccolárth.
A lemonade.	Una limonada.	Ooner limmonárder.

Orange juice with water, with soda.	Zumo de naranja con agua, con soda.	Thōōmoh deh nurrúnher con úggwer, con sáwder.
Fruit juice.	Zumo de fruta.	Thōōmoh deh frōōter.
Give me tea for one, tea with milk, a complete tea.	Sírvame un té solo, té con leche, té completo.	Sēērrvummeh oon teh sáwloh, teh con létchet, teh comōléttoh.
And what would you like, sir?	¿Y usted, señor, qué desea?	E costéh, senyórr, keh dessáyer?
An orange drink.	Un refresco de naranja.	Oon refréscoh deh nurrúnher.
Do you want coffee and milk?	¿Quiere usted café con leche?	Kyérreh oostéh cúffeh con létcheh?
Yes, very hot, please.	Sí, que esté bien caliente.	See, keh estéh byén cullvénteh.
No, black coffee.	No, café solo.	Noh, cúffeh sáwloh.
No, just coffee.	No, solo.	Noh, sáwloh.
How do you like this coffee?	¿Qué le parece este café?	Keh leh purrétheh ésteh cúffeh?
Its quite good.	Es muy aceptable.	Es mooy utheptárbleh.
Its pure mocca.	Es moka puro.	Ess mócker pōōroh.
This cup is dirty.	Este vaso está sucio.	Ésteh vússoh estár sōotheoh.
Give me a little more sugar.	Déme un poco más de azúcar.	Démmeh oon páwcoh múss deh uthōōcker.
Give me a botle of water.	Déme una botella de agua.	Démmeh ooner bottéllyer deh úgwer.
Could you give me a newspaper, please?	¿Tendrá usted la bondad de darme un periódico?	Tendrár oostéh lah bondúd deh dárrmeh oon perrióddicoh.
Any news?	¿Hay algo nuevo?	I úlgoh nwévvoh?
Nothing special today.	Hoy no trae nada interesante.	Oy noh trúhyeh nárder interessúnteh.
Where is the telephone and the lavatory?	¿Dónde está la cabina del teléfono, el lavabo?	Dóndeh estár láh cubbēēner del telléffonnoh, el luvvárboh?
Waiter, my bill please.	Camarero, ¿cuánto le debo?	Cummerráiroh, kwúntoh leh débboh?
Here you are. Keep the change.	Tenga usted, y quédese el resto.	Ténger oostéh, e kédderseh con el réstoh.
Thank you, sir.	Muchas gracias.	Mōōtchuss grútheus.
Please bring me the list of ices.	¿Hace el favor de traer la lista de helados?	Úttheh el fuvvórr deh trah.áirr lah líster deh ellárdoss?

Yes, sir. Here it is.	Sí, señor, tenga usted.	See, senyórr, ténger oostéh.
Bring me a vanilla, chocolate, strawberry, cream, ice.	Traiga un helado de vainilla, de chocolate, de fresa, de nata.	Trýger oon ellárdoh deh vunnéēlyer, deh chocolárteh, deh frésser, deh nútter.
And for me an iced lemonade.	Y a mí, un granizado de limón.	E ah me, oon grunnithárdoh deh limmón.

AT THE DRESSMAKER'S

EN LA CASA DE MODAS

EN LAH CUSSER DEH MAWDERSS

I want to buy a ready made dress.	Quisiera comprar un vestido confeccionado.	Kissáirer comprárr oon vestēēdoh confestionnárdoh.
Of what material, Madame?	¿De qué tejido lo desea?	Deh keh tehhēēdoh loh dessáir ?
Cotton.	Algodón.	Ulgoddón.
Natural silk.	Seda natural.	Sédder núttoorúll.
Wool.	Lana.	Lúnner.
Worsted.	Estambre.	Estúmbreh.
Linen.	Hilo.	Éeloh.
Velvet.	Terciopelo.	Táirthiopélloh.
Nylon.	Nylón.	Nilón.
Knitted.	De punto.	Deh pōōnth.
What colour?	¿De qué color?	Deh keh collórr?
I like this light gray one.	Éste de gris claro me gusta.	Ester deh greece clárros meh gōōter.
How much is it?	¿Cuánto vale?	Kwuth várleh?
I'll try it on.	Me lo probaré.	Meh loh probburréh.
Will you come with me, please?	¿Quiere hacer el favor de acompañarme?	Kyáirreh utháir el fuvvór deh uccómpunyárrmeh?
It's rather long for me, and a bit wide in the hips.	Me está un poco largo y ancho de caderas.	Meh estár oon páwcoh lárrgoh e úntchoh deh cuddáirers.
It makes a crease here.	Me hace una arruga aquí.	Meh útheh ooner urróoger uckēe.
We will put that right, sir, and you will have it tomorrow.	Se lo arreglaremos y mañana se lo entregaremos.	Seh loh urréglurráimoss e munyúnner seh loh entréggurráimoss.

I want an overcoat, too.	Deseo también un abrigo.	Dessáyoh tumbyen oon ubrēēgoh.
Woolen?	¿De lana?	Deh lúnner?
No, cheviot.	No, de cheviot.	No, deh chevviót.
Flannel.	Franela.	Frunnéller.
Tweed.	«Tweed».	Tweed.
Sports.	Sport.	Sporrt.
Half season.	Entretiempo.	Éntretyémpoh.
Winter.	Invierno.	Invayáirrnoh.
Dress.	De vestir.	Deh vestēer.
I want a morning suit, dress.	Desearía un conjunto de mañana.	Dessairréar oon conhōōntoh deh munyúnner.
What kind do you prefer?	¿Cuál es su preferencia?	Kwulless soo préfferrénthea?
White blouse, black pleated skirt and a jacket with a red pattern.	Blusa blanca, falda negra plisada y chaquetón a base de encarnado.	Blōōser blúnker, fullder néggrer, plissárder e tchuckettón ah bússeh deh encarnárdoh
Must the blouse be silk.	¿La blusa ha de ser de seda?	Lah blōōsser ah deh sáyer deh sédder?
No, nylon.	No, de nylón.	Noh, deh nillón.
I will show you what we sell ready made.	Le enseñaré las que vendemos de confección.	Leh ensényurréh luss keh vendémmoss deh conféctheón.
Do you want a flannel skirt?	¿La falda ha de ser de franela?	Lah fúllder ah deh sáir deh frunnéller?
No, a woolen one.	No, de lana.	Noh, deh lúnner.
This jacket is what is being worn this year.	Este chaquetón es la moda que se lleva este año.	Ésteh tchúckettón (chuck in on) ess lah māwder keh seh lyévver ésteh únyoh.
It's plain. I should like one with a patern.	Es liso; me gustaría con algún dibujo.	Ess lēesoh deh kwúddross.
A check?	¿A base de cuadros?	Ar básseh deh kwódross?
Show me the patterns you have.	Enséñenme los dibujos que tienen.	Ensényermeh loss dibbúhhoss keh tyénnen.
I like this one.	Éste me gusta.	Ésteh meh gōoster.
Please come to the trying on room.	Haga el favor de pasar al probador.	Úgger el fuvvórr deh pussárr ull próbbuddorr.

It fits me well.	Me viene bien.	Meh vyénneh byén.
How much is that altogether?	¿Cuánto sube todo?	Kwúntoh sōōbeh tāāwdoh?
Come to the cash desk, please.	Haga el favor de pasar a la caja.	Úgger el fuvvórr deh pussárr ah lah cúhher.
Can you tell me when there will be a dress show?	¿Podrían indicarme cuándo harán exhibición de modelos?	Podréan indicárrmeh kwúndoh úrrun exhibitheón deh moddélloss?
If you have no samples, could you show me some models?	Si no pasan ustedes colección ¿podrían enseñarme modelos?	See noh pússun oosteddes collectheón, podréan enseyárrmeh modélloss?
I should like a tailor made dress.	Desearía un traje sastre.	Dessayurréar oon trúhheh deh sústreh.
I will show you our exclusive models for this season.	Le enseñaré los géneros que tenemos en exclusiva para esta temporada.	Leh ensényurréh loss hénnerross keh tennémoss en excloosēever púrrer éstah temporrúdder.
I like this stuff and the dress, too.	Esta ropa me gusta y el modelo también.	Ester rawper meh gooster e el modelloh tumbhén.
This is one of the latest models from Paris.	Este modelo es de los últimos que han venido de París.	Ésteh modéllo ess deh loss ōōltimos keh un venēēdoh deh purrēēs.
It has exotic lines.	Tiene una línea exótica.	Tyénneh ooner línnea exótica.
This material makes the whole dress very elegant.	Con este otro género resulta de un conjunto muy elegante.	Con ésteh āwtroh hénnerroh ressōōlter deh oon conhōōntoy mooy elegúnteh.
What will a tailor made cost in this cloth?	¿Cuánto cuesta un traje sastre con esta tela?	Kwúntoh kwéster oon trúhheh sústreh con éstah téller?
Will you show me that evening dress?	Haga el favor de enseñarme aquel vestido de noche.	Úgger el fuvvórr deh ensenyárrmeh uckéll vestēēdoh deh nótcheh.
What is its price?	¿Qué precio tiene?	Keh préthio tyénneh?

In what other cloth could you make this model?	¿Ese otro modelo, en qué otra tela se puede confeccionar?	Ésseh äwtroh modélloh, en keh äwtroh téllah seh pwéddeh conféctheonárr?
In cloth or in gauze,	En tela o gasa.	En téller oh gússer.
Velvet.	Terciopelo.	Táirtheopélloh.
Silk.	Seda.	Sédder.
Brocade.	Brocado.	Broccárdoh.
Nylon.	Nylón.	Nillón.
Have you any other model?	¿Tiene algún otro modelo?	Tynneh úlgōōn äwtroh modélloh?
I will show you another one that comes very cheap.	Le enseñaré otro que resulta más económico.	Leh ensenyurréh awtroh keh resōōlter múss éconómmicoh.
It's the fashion in Paris, Turin, England, America.	Es moda de París, Turín, Inglaterra, americana.	Ess máwder deh purrees, toorín, inglatérreur, ummerricúnner.
I find it rather extreme.	Lo encuentro algo extremado.	Loh enkwéntroh úlgoh extremmárder.
What cloth is this?	¿Qué género es éste?	Keh hénnerroh ess ésteh?
Organdine.	Organdí.	Orrgundéē.
Organza.	Organza.	Orgúnther.
Nylon.	Nylón.	Nillón.
Guipure.	Guipur.	Gippōōr.
Can you show me some sketches?	¿Puede enseñarme algún croquis o dibujo?	Pwéddeh ensenyárrmeh úlgōōn crockiss oh dibbúhhoh?
I should like a black velvet dress.	Desearía un vestido en terciopelo negro.	Déssayerréar oon vestēēdoh en táirtheopélloh néggroh.
I like this one in black guipure.	Éste de guipur blanco me gusta.	Esteh deh gippōōr blúnckoh meh gōōster.
This looks very atractive.	Éste lo encuentro muy atractivo.	Ésteh loh enkwéntroh mooy úttruttēēvoh.
This model would suit you very well in glacé or in fay.	Este modelo le quedaría muy bien en glasé o faya.	Ésteh modélloh leh keddurréar mooy byén en glusséh oh fáryer (fire).
It's a print.	En una tela estampada.	Ess ooner téller estumpárder.

With blond lace.	Con encaje de blonda.	Con encúhheh deh blonder.
Is the belt in the same material?	¿El cinturón es de la misma tela?	El thíntoorón ess deh lah míssmer téller?
I like the skirt rather long and narrow waisted.	Me gusta la falda un poco larga y ceñida.	Meh gōōster lah fulder oon pāwcoh lárrger e thennēēder.
I will have this model.	Me haré este modelo.	Meh urréh ésteh moddélloh.
Please come to the trying on room to be measured.	Haga el favor de pasar al probador para tomarle medidas.	Úgger el fuvvórr deh pússarr ull próbberdórr púrrer tommárrleh meddēēderss.
The dress maker will come now.	Ahora vendrá el modisto.	Uh.óra vendrár el moddístoh.
When can I come for the first fitting?	¿Cuándo he de venir a hacerme la primera prueba.	Kwúndoh eh deh vennēērr ah utháirrmeh lah primáirrer prwébber?
I am in a great hurry. I am starting on a journey on Monday.	Me corre muchísima prisa. El lunes salgo de viaje.	Meh córreh mootchíssimoh prēēser. El lōōness súlgoh deh ve.úhheh.
Then we will try the three fittings at once.	Entonces le haremos las tres pruebas en seguida.	Entónthess leh urrémmoss luss tress prwébbuss en seggēēder.
The first fitting tomorrow, the second the day after tomorrow, and the third the next day.	La primera prueba mañana, la segunda pasado mañana y la tercera al siguiente.	Lah primáirer prwébber munyúnner, lah segōōder pussárdoh munyúnner e lah tairrtháirer úll sigyénteh.
So when could you let me have the dress?	¿Así cuándo podrán entregarme el vestido?	Ussēē, kwúndoh porún entregárrmeh el vestēēdoh?
In five days' time.	Dentro de cinco días.	Déntroh deh thínkoh déuss.
Could you send it to the hotel for me?	¿Podrán enviármelo al Hotel...?	Podrún enviármellóh ull awtél?
Here is my name and the number of my room.	He aquí mi nombre y habitación en que me hospedo.	Eh uckēē me nómbren e úbbitútheón en keh meh ospéddoh.

Can you show me some models of tailor made costumes?	¿Pueden enseñarme modelos de traje sastre?	Pwédden ensenyárr-meh modélloss deh trúhheh sústreh?
Fancy.	Chaqueta sastre.	Tchuckétter sústreh
Tailor made jacket.	De fantasía.	Deh funtússier.
Printed silk.	Seda estampada.	Sédder estumpárder.
The hat department?	¿La sección de sombreros?	Lah sectheón deh sombráirross?
Will you come with me, please?	Tenga la bondad de acompañarme.	Ténger lah bondúd deh uccómpunyárr-meh.
What kind do you want?	¿Cómo lo desea?	Cómmoh loh dessáir?
Do you fancy any of these models?	¿Le gusta alguno de estos modelos?	Leh göoster ulgöönoh deh éstoss modéllos?
Do you want a small one?	¿Lo desea pequeño?	Loh dessáyoh peckén-yoh?
Not a large one with a brim.	No, grande, de alas.	Noh, grúndeh, deh úlluss.
Straw.	De paja.	Deh púhher.
Felt.	De fieltro.	Deh fyéltroh.
How much is this one?	¿Qué vale éste?	Keh vúlleh ésteh?

THE POST AND TELEGRAPH OFFICE	EN CORREOS Y TELÉGRAFOS	EN CORRÁYOSS E TELLÉGRUFFOSS
The revolving doors.	Las puertas giratorias.	Las pwáirtus hirratór-riuss.
The hall.	El vestíbulo.	El vestíbbooloh.
The letter boxes.	Los buzones.	Loss boothónness.
The commissionaire.	El ordenanza.	El ordennúnther.
The post office clerk.	El oficial de Correos.	El offitheúll deh corráyoss.
The postman.	El cartero.	El carrtáiroh.
The telegraph boy.	El repartidor de telégrafos.	El repártiddórr deh tellégruffoss.
The letter.	La carta.	Lah cárrter.
The envelope.	El sobre.	El sóbbreh.
The postage stamps.	Los sellos para franqueo.	Loss séllyoss púrrer frunkáyoh.

English	Español	Pronunciación
The ordinary, urgent, registered, air mail letter.	La carta ordinaria, urgente, certificada, por avión.	Lah cárrter ordinárriah, oorhénteh, tháirtifficárder, porr uvvión.
Declared value.	Valores declarados.	Vullórress declarrárdoss.
The post card.	La tarjeta postal.	Lah tarrhétter postúll.
Business papers.	Papeles de negocio.	Puppélless deh negótheoss.
Printed matter.	Impresos.	Impréssoss.
The parcel.	El paquete postal.	El puckétteh postúll.
The postal, telegraphic order.	El giro postal, telegráfico.	El héroh postúll, tellegrúfficoh.
Sealing wax.	El lacre.	El lúcreh.
The poste restante.	La lista de Correos, de Telégrafos.	Lah líster de corráyoss, deh tellégrufoss?
Ordinary, urgent letter, telegram.	El telegrama ordinario, urgente, telegrama-carta.	El tellegrúmmer orrdinárrioh, oorhénteh. tellégrummer - cárrter.
Which is the way to the Post Office, please?	¿Para ir a Correos, por favor?	Púrrer éarr ah corráyoss, porr fuvvórr?
Is it very far?	¿Está muy lejos?	Estár mooy léhhoss?
Thank you.	Muchas gracias.	Mōōtchuss grútheuss.
What's the postage to..?	¿Cuánto es el franqueo de una carta para...?	Kwúntoh ess el frunkáyoh deh ooner cárrter púrrer ...?
By ordinary post or by air mail?	¿Por correo ordinario o por avión?	Porr corráyoh orrdinárrioh oh porr uvvión?
And a post card?	¿Y una tarjeta postal?	E ooner tarrhétter posstúll?
And an urgent letter?	¿Y una carta urgente?	E oiner cárrter oorrhénteh?
It's an urgent registered letter.	Es una carta urgente certificada.	E ooner cárrter oorrhénteh tháirtificárder.
Where do they sell postage stamps?	¿Dónde venden los sellos para el franqueo?	Dóndeh vénden loss séllyoss púrrer el frunkáyoh?

At window number... They are sold at all post offices and, in Spain, at the tobacco shops.	En la ventanilla número... También los venden en las estafetas, y, en España, en los estancos.	En lah véntunníllyer nōōmeroh... Tumbyén vénden en luss ésstuffétters, e, en Espúnnyer, en loss estúncoss.
This is a registered letter. Must it be sealed with wax?	Esta carta va certificada. ¿Ha de ir lacrada?	Éster cárrter vah tháirtificárder? Ah deh éar lucrárder?
It s not necessary.	No es necesario.	Noh ess néthessárrioh
This is an ordinary letter.	Esta carta va por correo ordinario.	Éster cárrter vah porr corráyoh ordinárrioh.
You need not have come here. You could post it in any pillar box.	No hacía falta que hubiera venido. Podía echarla en cualquier buzón de alcance.	Noh uthéar fúlter keh oobyérrer venēēdoh. Poddéer etchárrlah en kwullkáirr boothón de ulcúntheh.
What identity papers do I need to get a parcel out?	¿Qué documentos de identidad necesito para retirar un paquete postal?	Keh dóckooméntoss deh iddéntidud néthessēētoh púrrer retirrárr oon puckétteh postúll?
To send a money order?	¿Para imponer un giro?	Púrrer imponnáirr oon hēēroh?
Postal or telegraphic?	¿Postal o telegráfico?	Postúll oh telligrúfficoh?
You must fill in this form and hand it in at window No...	Ha de llenar este impreso y dirigirse a la ventanilla número...	Ah deh lyennárr ésteh impréssoh e dirrihéérrseh ah lah ventunnillyerr nōōmairroh...
We cannot accept money orders for abroad.	No se admiten giros para el extranjero.	Noh seh udmēēten hēēross púrrer el extrunháiroh.
I should like to ask if there are any letters for me.	Quisiera preguntar si hay alguna carta para mí.	Kissáirrer pregoontárr see i ulgōōner cárrter púrrer me.
You must ask at the poste restante.	Ha de dirigirse a la Lista de Correos.	Ah deh dirrihéérrseh ah lah líster deh corráyoss.
Where is it?	¿Dónde está?	Dóndeh estár?
At the bottom, at that window.	Al fondo, en aquella ventanilla.	Ull fóndoh, en uckéllyer ventunnílyer.

Is there any letter for...?	¿Hay alguna carta para...?	I ulgōōner cárrterpúrrer...?
Have you anything to identify you?	¿Tiene usted algún documento de identidad.	Tyénneh oostéh ulgōōn dóckooméntoh deh iddéntidúd?
I have my passport.	Tengo el pasaporte.	Téngoh me pússerpórrteh.
That's more than sufficient.	Es más que suficiente.	Es muss keh sooffithiénteh.
Where's the letter box?	¿Dónde está el buzón?	Dóndeh estar el boothón?
Have you got your letters yet?	¿Han recogido ya las cartas?	Un reccohhēēdoh yah luss cárrtuss?
Is the office open on Bank Holidays?	¿Hay servicio los días festivos?	I sairrvēētheo loss déarss festēēvoss?
Only in the morning.	Solamente por la mañana.	Sollerménte porr lah munyúnner.
There's only one delivery on holidays.	Los carteros sólo hacen un reparto los días de fiesta.	Loss carrtáirross sāwloh úthen oon reppárrtho loss déus deh fyéster.
Please register this letter and give me the receipt.	Haga el favor de certificarme esta carta y tráigame el recibo.	Úgger el fuvvórr deh tháirrtifficárrmeh éster cárrter e trýgermey el rethēēboh.
I want to send a telegram to Madrid.	Deseo enviar un telegrama a Madrid.	Dessáyoh enviárr oon tellégrummer ah Muddrid.
All right. Fill in a form and bring it to the window.	Muy bien. Tome usted un impreso, llénelo y preséntelo en la ventanilla.	Mooy byen. Tómmeh oostéh oon impréssoh, lyénnellóh e presséntellóh en lah ventunníllyer.
Must I write it in French, English, Spanish?	¿He de redactarlo en francés, inglés, español...?	Ah deh reductárrloh en frunthéss, ingléss, espunyolw?
As you like.	Como usted quiera.	Cómmoh oostéh kyáirrer.
How much is it a word?	¿Cuánto cobran por palabra?	Kwúntoh cóbrun porr pullárbrer?
It depends on whether it is urgent or ordinary, and the country it's for.	Depende de si lo quiere urgente u ordinario y el país de destino.	Dépendeh deh see loh kyáirreh oorhénteh oh orrdinárrio e el pahíss deh destēēnoh

It's urgent and reply paid.	Lo deseo urgente y con contestación pagada.	Loh dessáyoh oorhénteh e con cóntestutheón puggárdah.
How much is this telegram?	¿Cuánto vale este telegrama?	Kwúntoh várleh ésteh tellégrummer?
Where is the poste restante for telegrams?	¿Dónde está la Lista de Telégrafos?	Dóndeh estár lah líster deh tellégruffoss?
At the side window.	En la ventanilla de al lado.	En lah ventunníllyer deh ull lárdoh.

ENTERTAINMENTS	LOS ESPECTÁCULOS	LOSS ESPECTÚCCOOLOSS
At the theatre, at the cinema	En el teatro, en el cine	En el tayártroh, en el sínneh
The booking office.	La taquilla.	Lah tukkíllver.
The porter.	El portero.	El porrtáirroh.
The hall.	El vestíbulo.	El vestíbboolloh.
The bar.	El bar.	El barr.
The auditorium.	La sala.	Lah súller.
The lavatory.	El lavabo.	El luvvárboh.
The cloak room.	El guardarropa.	El gwárrder.rãpuss.
The attendant.	El acomodador.	El uccómmodderdórr.
The aisle.	El pasillo.	El pussílloh.
The stage.	El escenario.	El esthénnárrio.
The foot lights.	Las candilejas.	Luss cúndilléhhuss.
The curtain.	El telón.	El tellón.
The scenery.	Las decoraciones.	Luss déccorrutheónes.
The prompt box.	Los bastidores.	Loss bustidórress.
The wings.	La concha del apuntador.	Lah cóntcher del uppõõnterdórr.
The stalls.	Los palcos.	Loss púlcoss
The orchestra stalls.	Los palcos proscenios.	Loss púllcoss prosthénneóss.
The conductor.	El director de orquesta.	El diréctorr deh orrkéster.
The musicians.	Los músicos.	Loss mõõsicoss.
The orchestra.	La orquesta.	Lah orrkéster.
Seats on the ground floor.	Las butacas de platea.	Luss bootúckuss.

The dress circle seats.	Las butacas del primer piso.	Luss bootúckers del primáirr pēēsoh.
The gallery.	El anfiteatro.	El únfitayártroh.
The pit, the gods.	General, el paraíso.	Hénnrerrúll, el púrrer.ēēsoh.
The tickets.	Las localidades, las entradas, los billetes.	Luss locúllidárdes, luss entrárduss, loss bilyéttess.
The prompter.	El apuntador.	El uppōōntadórr.
The actor.	El actor.	El ucktórr.
The actress.	La actriz.	Lah ucktrēēth.
The chorus.	El coro.	El cāwroh.
The dancer.	La bailarina.	Lah býlerrēēner.
The tenor.	El tenor.	El tennórr.
The baritone.	El barítono.	El burríttonnoh.
The comedian.	El cómico.	El cómmicoh.
The soprano.	La tiple.	Lah típleh.
A comedy.	Una comedia.	Ooner commáydia.
A melodrama.	Un melodrama.	Oon méllohdrármer.
A comedietta.	Un juguete.	Oon hoogétty.
An opera.	Una ópera.	Ooner ópperrer.
An operetta.	Una opereta.	Ooner opperrétter.
A musical comedy.	Una zarzuela.	Ooner thárrthoo.éller.
An act.	Un acto.	Oon úcktoh.
An interval.	Un entreacto.	Oon éntreh.úcktoh.
Half time.	La media parte.	Lan méddier párrteh.
Applause.	Aplausos.	Upplówsuss.
Whistling.	Silbidos.	Silbēēdoss.
The sound cinema.	El cine sonoro.	¡El thínneh sonnórroh.
The screen.	La pantalla.	Lah puntúllyer.
The panoramic screen. (large)	La pantalla panorámica (grande).	Lah puntúllyer púnnerrúmmica (grundeh).
The three dimensional screen.	La pantalla tridimensional.	Lah puntúllyer trēēdimménseonúll.
The cinascope.	Cinemascope.	Sínnema.scóppeh.
News reel.	Noticiario.	Nótithiárrioh.
Documentary.	Documental.	Dóckoomentúll .
Technicolour film.	Película en tecnicolor.	Pelliccoler en técknicolórr.
Stereoscopic film.	Película en relieve.	Pellíccooler en rel yévveh.

I should like go to the theatre this evening.	Me gustaría ir al teatro esta noche.	Meh goostaéar érrar úll tayártroh éster nótcheh.
Could you tell me where there in something good?	¿Podría usted decirme dónde hacen buen programa?	Poddréar oostéh dethéarrmeh dódeh úthen byén prográmmer?
Let's look at the list of theatres in the newspaper.	Veamos la cartelera, los anuncios del periódico.	Váyermoss lah cártellairer, loss unnóöntheoss del perriódicoh.
They have a complete list in the office.	En la conserjería del hotel disponen de una cartelera completa.	En lah conséhherréar del awtél dispónnen deh ooner cárrtelláirrer complétter.
There's a grand programme at the cinema.	En el cine... hacen un programa estupendo.	En el thinneh... úthen oon progrummer ésstoopéndoh.
Can you tell me whether children are admitted?	¿Puede decirme si es apto para menores?	Pwéddeh dethéarme see ess úptoh púrrer mennórress?
They are reviving an old film.	Hacen una película de estreno, de reestreno.	úthen ooner pellícooler deh esstrénnoh, deh réh.estrénnoh.
I prefer a continuous perfomance, and a film with some local colour.	Prefiero un cine que hagan sesión continua y alguna película de ambiente del país.	Prefyáirroh oon thínne keh úggun sesseón contínnooer e ulgóöner pellícooler deh umbyénteh del pah.íss.
When does the program start, please?	¿Hace el favor de indicarme a qué hora empieza la sesión?	Utheh el fuvvórr deh indicárrmeh ah keh óra empyéther lah sesséón?
How long does the film last?	¿Cuánto dura la película, el programa?	Kwúntoh dóörer lah pellícooler, el progrúmmer?
There's a good show at the theatre.	En el teatro... hacen una buena función.	En el teh.úttroh... úthen ooner bwénner foontheón.
There's a three act comedy.	Hacen una comedia en tres actos.	úthen ooner comméddia en tress úctoss.
Go and see the opera...	Vaya usted a ver la ópera.	Vah yer ah váirr lah óppera.

The famous... are acting.	Trabajan los famosos artistas...	Trubbúhhan loss fummóssoss arrtístuss...
Is it far from here?	¿Está lejos de aquí?	Estár léhhoss deh uckee?
Two tickets for this evening, please.	Haga el favor de dos localidades para la función de esta noche.	Úgger el fuvvórr deh doss locúllidárdess púrrer lah foontheón deh éster nótcheh.
What seats do you want?	¿Qué localidades desea?	Keh locúllidárress desáyer
Stalls, gallery, dress circle.	De platea, anfiteatro, delantera del primer piso...	Deh pluttáyer, únfitayúttroh, delluntáirer del primáirr pēeseh.
In row twenty. Will that do?	¿Le va bien la fila veinte?	Leh vah byén lah fēēler vénteh.
It's too far. I should like something nearer. From the fifth to the tenth row.	Demasiado lejos. Me interesaría que fuera más cerca. De la cinco a la diez.	Demmússiárdoh léhhoss. Meh interréssarrear keh fwáirer muss tsáirra. Deh lah thinkoh úlluss de.uth.
Against the centre gangway.	Tocando al pasillo central.	Torkúndoh úll pussíllyoh thentrúl.
I'll take these. How much are they?	Me quedo éstas. ¿Cuánto es?	Meh kéddoh éstuss. Kwúntoh ess?
I should like to go to the cloak room.	Quisiera ir al guardarropa.	Kissáirrer éarr ull gwarrdarrópper
It's in the entrance, on the right.	Lo encontrará a la derecha del vestíbulo.	Loh encóntrarráh ah lah derrétcher del vestíbbooloh.
A program, please.	Portero, ¿haría el favor de un programa?	Porrtáiroh, urréar el fuvvórr deh oon progrúmmer?
At what time does it begin?	¿A qué hora empiezan?	Ah keh óra empyéthyetum?
Does it last very long?	¿Dura mucho la función?	Dōōrer mōōtchoh lah foontheón?
An attendant is coming now.	Ahora vendrá un acomodador.	Un.or vendráh oon uccómoduddórr.
How many intervals are there?	¿Cuántos entreactos hay?	Kwúntoss éntreh.úcktoss i?
How long are the intervals?	¿Cuánto dura cada entreacto?	Kwútoh minōōrer cárther éntre.úcktoh?

Fifteen minutes, sir.	Quince minutos, señor.	Kíntheh minōōtoss, senyórr.
Who is the author?	¿Quién es el autor?	Kyén ess el owtórr?
Where's the bar, the lavatory?	¿Dónde está el bar, el lavabo?	Dóndeh estár el barr, el luvvárboh.
There are a lot of people.	Hay muchísima gente.	I mootchíssimer hénteh.
At what time does it finish?	¿A qué hora termina?	Ah ken óra tairrmēēner?
The curtain is going up	Va a levantarse el telón.	Vah ah levvuntárrseh el tellón.
Boy, get me a taxi.	Botones, búsqueme un taxi.	Bottónness, bōōskermeh oon túcksi.
Thank you.	Muchas gracias.	Mootchuss grútheus.

At the bull fight | En los toros | En loss tawrross

The arena, the bull ring.	La plaza de toros.	Lah plúther deh tāwross.
The parade.	El ruedo.	El rooéddoh.
The barrier.	La barrera.	Lah burráirrer.
The counter barrier.	La contrabarrera.	Lah cóntraburráirer.
The row of seats.	El tendido.	El tendēēdoh.
The gradins or rows.	Las gradas.	Luss grárduss.
The grand stand.	La andanada.	Lah úndernárder.
The box.	El palco.	El púlcoh.
The gangway.	El callejón.	El cúllyeh.hón.
The band, the fanfare.	La banda de música, la charanga.	Lah búnder deh mōōsicker, lah churrúnger.
The safety door.	El burladero.	El bōōrrluddáirroh.
The pen for the bulls.	El toril, el chiquero.	El torríll, el tchickáiroh.
The president's chair.	La presidencia.	Lah presidénthea.
The assistants.	La cuadrilla.	La kwuddrílyer.
The bull fighters.	Los toreros.	Loss torráirross.
The matador.	El matador.	El mutterdórr.
The dart placers.	El banderillero.	Ek búndairrillyáiroh.
The men.	El peón.	El payón.
The swordsman.	El mozo de estoque.	El māwthoh deh estockeh.
The mounted pricker.	El picador.	El pikerdórr.
The «monosabio».	El monosabio.	El mónnoh.sárbeo.

The horse.	El caballo.	El cubbúllyoh .
The bull.	El toro.	El tāwroh.
The cloak.	El capote de paseo.	El cuppótteh deh pussáyoh.
The working cloak.	El capote de faena.	El cuppótteh deh fahyénner.
The red flag.	La muleta.	Lah moollétter.
The sword.	El estoque, la espada.	El estóckeh, lah espárder.
The killing sword.	El estoque de descabello.	El estóckeh deh désscubbúllyoh.
The finish.	La puntilla.	Lah poontíllyer.
The darts.	Las banderillas.	Luss búndairrílyuss.
The goad.	La puya, la pica.	Lah pōōyah, lah pēēker.
The badge.	La divisa.	Lah divēēser.
Applause.	Aplausos.	Upplówsuss.
Whistling. («The bird»)	Pitos.	Pēētoss.
Give me two good places.	Déme dos entradas buenas.	Démmeh doss entrárduss bwénnuss.
Do you want barrier, counterbarrier, chairs, the stand, sun or shade?	¿Las quiere de contrabarrera, de tendido, de andanada, de sol, de sombra?	Luss kyáirreh deh cóntraburráirrer, deh tendēēdoh, deh úndunnárder, deh sol, deh sómbrer.
At what time does the fight begin?	¿A qué hora empieza la corrida?	Ah keh óra empyether lah corrēēder?
The bull fighter and his staff will soon come out.	Pronto saldrá la cuadrilla.	Próntoh suldrár lah kwuddríllyer.
What is the «cuadrilla»?	¿Qué es la cuadrilla?	Keh ess lah kwuddríllyer?
It's all the fighters with their staffs of dart placers and men.	Es el conjunto de matadores con sus correspondientes compañías de banderilleros y peones.	Ess el conhōōtoh deh mutterdórress con soos córrespondyéntess compunnéars deh bunderríllyes e payónes.
Who is that horseman in front of the «cuadrilla»?	¿Quién es ese caballista que va al frente de la cuadrilla?	Kyén ess ésteh cubbullyíster keh vah ull frénteh deh lah kwuddríllyer?
The orderly.	El alguacil.	El úlgwuh.thíl.

What's his job?	¿Qué misión tiene?	Keh misseón tyénneh?
To receive the keys of the bull pens from the president, so that the fight may begin.	Recibir del presidente las llaves del toril para que empiece la lidia.	Rethibéērr del préssidénteh luss lyárvess del torríll púrrer keh empyétheh lah líddear.
And those others on horseback?	¿Y esos otros caballistas?	E éssos āwtross cubbullyístuss?
They are the «picadores».	Son los picadores.	Son loss píckerdórress.
Those at the side, in red blouses, are called «monosabios».	Los que van al lado con la blusa encarnada, se les llama monosabios.	Loss keh vun al lardoh con lah blooosser encarrnader, seh less lyármer mónnosárbeoss.
And what do they do?	¿Y qué hacen?	El keh úthen?
They are the grooms for the picador's horse.	Son los mozos que se cuidan del caballo del picador.	Son loss móthoos keh seh kwēēdun del cubbúllyoh del píckerdórr.
When will the bull come out?	¿Cuándo saldrá el toro?	Kwundoh suldráh el tāwroh?
At once. When the fanfare sounds.	En seguida. Cuando suene el clarín.	En seggēēder. Kwúndoh swénneh el clurrēēn.
What's that ribbon on the bull's back?	¿Qué es esa cinta que lleva el toro en el lomo?	Keh ess ésser thínter keh lyévver el tāwroh en el lómmoh?
The badge, to show what ranch he comes from.	La divisa, para distinguir a qué ganadería pertenece.	Lah divvēēser, púrrer distingēērrleh ah keh gúnnerderría pairtennétheh.
Only the matadores and the swordsmen are left in the ring.	En la plaza han quedado sólo los matadores o espadas y los peones.	En lah plúther un keddárdoh sólloh loss mútterdórress oh espúdders e loss peóhness.
Is that the matador?	¿Ése es el matador?	Ésseh es el mutterdórr?
No, it's one of the assistants. He his making his first tentative moves.	No, uno de los peones. Está dando los primeros lances de tanteo.	Noh, oonoh deh loss payónness. Estár dúndoh loss primmáirros lúnthess deh tuntéoh.

What does that mean?	¿Qué quiere decir eso?	Keh kyáirreh dethēērr éssoh?
It's an invitation to the bull to charge, and the matador studies its way of charging.	Es la invitación que se hace al toro para que éste embista y el matador vea la forma que tiene de embestir.	Es slah invitútheón keh seh útheh ull tāwroh púrrer keh ésteh embíster e el mútterdórr váyer lah fórrmer keh tyénneh deh embistēērr.
That is, he studies the the bull's technique, doesn't he?	O sea, que hace un estudio de cómo arremete el toro. ¿Verdad?	Oh sáyer, keh úthheh oon estōōdioh deh cómmoh urremmétthe el tāwrroh. Váirrdud?
That's right, and so he knows what tactics to use.	Eso es, y así sabe cómo debe torearlo.	Éssoh ess, e ussēē sárbeh cómmoh débbentorreárrloh.
Is this the matador coming out now?	¿Ése que sale ahora es el matador?	Éssteh keh sárleh uh.óra es el mútterdórr?
Yes, now he will work with the cape, or he will make his moves.	Sí, ahora toreará con el capote, o dará sus lances.	See, uh.óra tórrairráh con el cuppótteh, oh durráh soos lúnthess.
Art there many kinds of moves?	¿Hay muchas clases de lances?	I mōōtchuss clússess deh lúnthess?
Yes, the best known are the veronicas, the faroles, frontal and rear, the chicuelinas, the raboleras, and the half veronicas.	Sí, los más oídos son: Las verónicas, los faroles, de frente por detrás, las chicuelinas, las raboleras y las medias verónicas.	See, loss muss oh.ēēdoss son: Luss verónicuss, loss furrólless, deh frénteh porr dettrúss, luss chíckwellēēnes, luss rubbolláiruss e luss méddier verónicuss.
What's the music for now?	¿Por qué suena ahora la música?	Por kéh swénner uh.óra lah mōōsicker?
Because of the endless, enthusiastic applause for the bull fighter's work.	Porque el público aplaude ininterrumpidamente, entusiasmado por el trabajo del torero.	Pórkeh el pōōblicoh upplawdeh in.interrompeeder.menteh, entōōsiúsmárdoh porr el trubáhhoh del torrérroh.

And what's the fanfare for now?	¿Y ahora por qué toca el clarín?	E uh.óra porrhéh tócker el clurréén?
For the picadors to come out.	Para que salgan los picadores.	Púrrer keh súlgun loss pickerdórress.
Now he is manoeuvering the bull «de varas».	Ahora está poniendo el matador al toro en suerte de varas.	Uh.óra estár ponyéndoh el mutterdórr ull tāwroh en swáirteh deh vúrruss.
What does that mean?	¿Qué significa eso?	Keh signiffééker éssoh?
That he is bringing the bull in front of the horse, so that the picador may goad him.	Que está poniendo al toro frente al caballo, para que el picador pueda clavarle la puya.	Keh estár pnnyéndoh ull tāwroh frénteh ull cubbúllyoh, púrrer keh el pickerdórr pwéddeh cluvvárrleh lah pōōyer.
And why do they torment the bull with the goad?	¿Y por qué castigan al toro con la puya?	E por kéh custéégun ull towroh con lah pooyer?
To weaken him before placing the darts and working with the red flag.	Para restarle fuerza, antes de ponerle las banderillas y de hacer la faena de muleta.	Púrrer restárrleh fwáirther úntess deh ponnáirrleh luss búnderrílyus e deh utháir lah fah.yénner deh moolétter.
They generally prick him with the goad three times.	Generalmente le clavan tres veces la puya.	Hennerulménteh lehclárvun tree véthess lah pōōyer.
Why are the people shouting now?	¿Por qué grita ahora el público?	Por kéh grééter ah.óra el pōōblicoh?
Because they don't want the bull to be goaded any more.	Porque no quiere que le claven más veces la puya al toro.	Pórrkeh noh kyáireh keh clárven muss véthess lah pōōyer ull tāwroh.
The matador is now going to do the «quite», i. e. to draw the bull from the horse.	Ahora va el matador a efectuar el quite, o sea que va a separar el toro del caballo.	Ah.óra vah el mutterdórr ah efféctooárr el kēēteh, oh sáyer keh vah ah sepperrárr el tāwroh del cubbúllyoh.
He has made a magnificent «quite».	Ha hecho un quite magnífico.	Ah étchoh oon kēēteh muhnifficoh.
What are those toreros doing there?	¿Qué hacen allí aquellos toreros?	Keh úthen uckéé ukkéllyoss torráirross?

They are the matador's men, who are there for the «quite». What does that mean?	Son los peones del matador, que están al quite. ¿Qué quiere decir eso?	Son loss peh.ónness del mutterdórr, keh están úll kēēteh. Keh kyáirreh dethēērr éssoh?
That they are ready to go, if necessary, to the help of the toreador.	Que están preparados para ir, si es necesario, en ayuda del que está toreando.	Keh estún prépurrárdoss púrrer éarr, see ess nethessárrioh, en ah.yōōder del keh estar tórrayúndoh.
To save him from possible danger from the bull's onslaught?	¿Para librarle de un posible peligro por la acometida del toro?	Púrrer librárrleh deh oon posseēbleh pelligroh porr lah uccómmettēēdoh del tāwroh.
That's right, I see you are beginning to understand.	Eso es. Veo que lo va entendiendo.	Éssoh ess. Váyoh keh loh vah éntendyéndoh.
There goes the fanfare again.	Ahora vuelve a sonar el clarín.	Uh.éra vwélveh ah sonnárr el clurrēēn.
Its the signal to change the kind of darts.	Es la señal para cambiar la suerte en banderillas.	Ess el sennyúll púrrer cumbeárr lah swáirrteh en bunderrllyers.
How many darts will they place?	¿Cuántas banderillas le pondrán?	Kwúnteuss bunderríllyuss le pondrún?
It's generally three pairs, and four if the public demands it insistantly.	Acostumbra a ser tres pares, y cuatro si el público lo pide con insistencia.	Uccostōōmbrer ah sáir tres párress, e kwúttroh see el pōōblicoh loh pēēdeh con insisténthea.
Why are they placing explosive darts now?	¿Por qué ponen ahora banderillas explosivas?	Porr kéh pónnen ah. .óra bunderríllyuss explosēēvuss?
They're called fire dart. They are used when they think the bull is not fierce enough.	Se llaman banderillas de fuego. Las ponen cuando consideran que el toro no es fiero.	Seh lyármun bunderríllyuss deh fwéggoh. Luss pónnen kwúndoh considdáirrun keh el tāwroh noh es es fyáiroh.
That is, to make it attack more?	¿O sea para que embista más?	Oh sáyer keh embíssteh muss.
That's it.	Así es.	Ussēē ess.

Now the fanfare is souding for the toreador to make the passes with the red flag and kill the bull.	Ahora toca el clarín para que se haga la faena de muleta y para que se mate al toro.	Ah.óra tócca el clurrēēn púrrer keh seh úgger lah fah.yénner deh moollétter e púrrer keh seh mútteh ul tāwroh.
What's the matador doing now?	¿Qué está haciendo ahora el matador?	Keh estár uthyéndoh ah.óra el mutterdórr?
He's taking his sword and the red flag from his attendant.	Está recibiendo del mozo el estoque y la muleta.	Estár rethibyéndoh del mótoh el estóckch e lah moolétter.
Is he saluting now?	¿Ahora está saludando?	Ah.óra estárr sulloodúndoh?
He is offering the bull.	Está brindando el toro.	Estár bridúndoh el tāwroh.
What is «saluting the bull»?	¿Qué significa brindar el toro?	Keh signifēēker brindárr el tāwroh?
He is offering the sacrifice of the bull to someone.	Que ofrece el sacrificio del toro a alguna persona.	Keh offrétheh el sucrifēē̊hio del tāwroh ah ulgōōner pairsónner.
He has saluted and has thrown his cap into the middle of the crowd.	Ha saludado y ha tirado la montera en el centro del ruedo.	Ah sulloodárdoh e ah tirrárdoh lah montáirer en el théntroh del rwéddoh.
That means he has dedicated the bull to the public.	Eso significa que ha brindado el toro al público.	Éssoh signifēēker keh ah brindárdoh el torroh ul pōōblico.
He has thrown his cap to the president's box.	Ha tirado la montera a la presidencia.	Ah tirrárdoh lah montáirer a lah pressidénthia.
Because he offers the bull to the president.	Porque le ofrece el toro al presidente.	Porrkeh leh ofrétheh el tāwroh ul pressidénteh?
Now he is making passes.	Ahora está haciendo los pases de muleta.	Ah.óra estár uthyényoh loss pússess deh moollétter.
What are the most usual?	¿Cuáles son los más corrientes?	Kwúlless son loss muss corryéntess?
The natural passes, which are used to	Los pases naturales, que se acostumbran	Loss pússes nuttoorúlless, keh seh uccós-

give **the** finishing stroke **in** the breast, the round passes, the stationary ones, upwards, standing or kneeling, afarolados, change behind the back, manoletinas, molinetes, frontal and side.	a rematar de pecho, los pases en redondo, estatuarios, por alto, de pie o rodillas, afarolados, de cambios por la espalda, manoletinas, molinetes, de la firma, de costadillo.	tōōmbrun ah remmuttárr deh pétchoh, loss pússes en reddóndoh, estúttōōárioss, porr últoh, deh pyéh oh roddíllyuss, uffúrrollárdoss, deh cúmbioss porr lah espúlda, múnolltēēnerss, móllinéttess, deh lah féarremr, deh cóstuddíllyoh.
Now he's getting the bull in position for the kill.	Ahora está poniendo el toro en suerte de matar.	Ah.óra estár ponnyéndoh el tórroh en swáirteh deh muttárr.
That is, he is getting him in the right position to kill him.	O sea, que lo está poniendo bien para matarlo. ¿Verdad?	Oh sáyer, keh loh estár ponnyéndoh byén púrrer muttárrloh, váirdud?
He has already pierced him with his sword, but he has not killed him.	Ya le ha clavado el estoque pero no lo ha matado.	Yah leh ah cluvvárdoh el estóckeh, péhroh noh loh ah muttárdoh.
It was a good thrust. Now he will finish him off with the killing sword.	Ha sido una buena estocada. Ahora lo rematarán con la puntilla o con el estoque de descabello.	Ah sēēdoh ooner bwenner estockárda. Ah.óra loh remmútterrún con lah poontíllyer oh con el estóckeh deh déscubellyoh.
I see they are going to do the «descabello».	Veo que van a hacer el descabello.	Váyoh keh vun ah utháirr el déscubbéllyoh.
What is the «descabello»?	¿Qué significa el descabello?	Keh signiffēēker el déscubbéllyoh?
That they will kill him at once by stabbing his nape of the neck with the point of the sword.	Que lo matarán instantáneamente hiriéndole en la cerviz con la punta del estoque.	Keh loh mutterrún instuntúnneamént eh irriéndoleh en el thairvēēth con lah pōōnter del estóckeh.

No, there's a cycling tournament.	No, hay una velada de ciclismo.	Noh, i ooner vellá deh thicklísmoh.
Are there no swimming competitions?	¿No hay competiciones de natación?	Noh i compettítheo deh nuttútheón?
Yes, this evening there's a very interesting swimming meeting at...	Sí, esta noche hay un encuentro de natación muy interesante en la piscina de...	See, éster nótch oon enkwéntroh nuttútheón mooy terressúnteh en pisthēēner deh
There's also a water polo match.	También hay un encuentro de water polo.	Tumbyén i oon kwéntroh deh w pāwloh.
The high diving is very spectacular.	Los saltos desde el trampolín resultan muy espectaculares.	Loss súltoss desde trumpollēēn res tun mooy espec koolárress.
I prefer to see a rugby match.	Yo prefiero asistir a los encuentros de rugby.	Yoh prefáirroh u tēē ah loss enfi tross deh rōōgb
That game has scarcely any importance here.	Aquí casi no tiene importancia este deporte.	Uckēē cússy noh ti neh importtún ésteh deppórrtel
I also like international athletic tournaments.	Los encuentros internacionales de atletismo también me gustan.	Loss enkwéntross ternútheonúlless útlettíssmoh tu byén meh gōōstu
I was an athlete in my youth.	Yo fui atleta en mi juventud.	Yoh fwee utléttet me hōōventōōd.
I ran in flat races, obstacle races, relay races, springboard jumping.	Yo hacía carreras de fondo, obstáculos, relevos, saltos con trampolín.	Yoh úthéa curráirt deh fóndoh, obs kooloss, rellévy súltoss con trúm lēēn.
My brother goes in for 200 meter hurdle races and weight throwing.	Mi hermano corre los 200 metros vallas y practica el lanzamiento de peso.	Me airrmúnnoh có loss doss thyér métross vúllyus pructēēker el l thummyéntoh péssoss.
This is a good country for skiing.	Este país reúne condiciones para el esquí.	Ésteh pý.iss reh.ōō conditheónes pú el eskēē.

The bull has already fallen dead.	Ya ha caído el toro muerto.	Yah ah ky.íddoh el tónroh mwáirrtoh.
The people are applauding a lot. Why are they waving their handkerchiefs so much?	El público aplaude mucho. ¿Por qué agitan tanto los pañuelos?	El pōōblico upplōwdeh mōōtcho. Porrkéh uh.híttun túntoh loss púnnyooélloss?
They are asking for the ear, as a reward for the matador's good work.	Porque piden la oreja, como premio a la buena actuación del matador.	Pórrkeh pēēdun lah orréhher cómmoh prénmmio ah la bwénner úctooutheón del mútterdórr.
What prizes do they give?	¿Qué premios se conceden?	Keh prémmioss seh conthédden?
The prizes, from the lowest upwards are:	El orden de premios, de menor a mayor importancia, es:	El órrden deh prémmioss deh mennórr ah my.yórr importúnthea, ess:
The ear.	La oreja.	Lah oréhher.
The two ears.	Las dos orejas.	Luss doss oréhhus.
The two ears and the tail.	Las dos orejas y el rabo.	Luss doss oréhhus e el rárboh.
Both ears, the tail and the foot.	Las dos orejas, el rabo y la pata.	Luss doss urréhhuss, el rárboh e lah pútter.
The president decides what prize shall be given him.	El presidente es quien decide sobre el premio que se le otorga.	El pressidénteh ess kyén dethēēdeh sobreh el prémmio keh seh leh uttórrger.
Why is the bullfighter running now?	¿Por qué corre ahora el torero?	Porrkéh córreh ah.óra el torrérroh?
He's running round the ring to thank the people for their applause.	Está dando la vuelta al ruedo para corresponder a los aplausos.	Estár dúndoh lah vwélter ull rwéddoh púrrer correspondáirr ah los upplōwsoss.
He salutes from the half-way, the third and the middle of the ring.	Saluda desde los medios, tercio, desde el centro de la plaza.	Sullōōder désdeh loss méddios, táirtheo, désdeh el théntroh déller plúther.
And what are those horses doing?	¿Y aquellos caballos qué hacen?	E uckélyos cubbúllyos, kah úthen?

English	Spanish	Phonetic
They are the mules that drag the dead bull out.	Son las mulillas. Es el arrastre que se lleva el toro muerto.	Son loss moolíllyuss. Es el urrústreh keh seh lyévver el tórroh mwáirtoh.
It's been a good bull fight.	Ha sido una buena corrida.	Ah séedoh ooner bwénner corréeder.

SPORTS — LOS DEPORTES — LOSS DEPPORRTESS

English	Spanish	Phonetic
Chess.	El ajedrez.	El úhhedréth.
Mountaineering.	El alpinismo.	El ulpinísmoh.
Athletics	El atletismo.	El utlettísmoh.
Motoring.	El automovilismo.	El ōwtohmóvvillísmoh
Basket ball.	El baloncesto.	El bullónthestoh.
Hand ball.	El balonmano.	El búllonmúnnoh.
Volley ball.	El balonvolea.	El bullón volláyoh.
Billiards.	El billar.	El billyárr.
Boxing.	El boxeo.	El boxáyoh.
Cycling.	El ciclismo.	El thicklísmoh.
Skying.	El esquí.	El esskēē.
Football.	El fútbol.	El fútbol.
Gymnastics.	La gimnasia.	Lah himnússia.
Golf.	El golf.	El golf.
Riding.	La hípica.	La íppica.
Hockey on roller skates.	El hockey sobre patines.	El hockey sóbbreh put tēēness.
Grass hockey,	Fl hockey sobre hierba.	El hockey sóbbre yáirber.
Ice hockey.	El hockey sobre hielo.	El hockey sóbbreh yélloh.
Wrestling, free.	La lucha libre.	Lah lōōtcher lēēbreh.
Motoring.	El motorismo.	El mottorrísmoh.
Swimming.	La natación.	Lah nuttúthéon.
Skating.	El patinaje.	El púttinnáhheh.
Baseball.	La pelota base.	Lah pellótter bússeh.
Fishing.	La pesca.	Lah pésker.
Rowing.	El remo.	El rémmoh.
Rugby.	El rugby.	El rōōgby.
Tennis.	El tenis.	El tennis.
Ping Pong.	El tenis de mesa.	El tennis deh mésser.
The referee.	El árbitro.	El árrbitroh.
The massagist.	El masajista.	El músserhíster.
The trainer	El entrenador.	El entrénnerdórr.

English	Spanish	Phonetic
The stadium.	El estadio.	El estárdio.
The cycle track.	El velódromo.	El vellódromoh.
The tracks.	Las pistas.	Luss písters.
Is there any football, basket ball, hand-ball, rugby, hockey, base ball, etc. match, today?	¿Hay hoy algún partido de fútbol, baloncesto, balonmano, rugby, hockey, de pelota base, etc.?	I oy ulgōōn partēēdoh de fōōtbol, bullónthéstoh, bullónmárnoh, roogby, hockey, deh pellótter bússeh, etc.?
Yes, sir. There are two first class teams playing.	Sí, señor, juegan dos equipos de primera categoría.	See, senyórr. Hwéggun doss ekíposs deh primáirer cúttehgorría.
At what time does the match begin?	¿A qué hora empieza el encuentro?	Ah keh ora empyether el enkwentroh?
Where is the field, the ground?	¿Dónde está el campo de juego?	Dóndeh estár el cúmpoh deh hwéggoh?
They get very excited about football at home. Do they here?	El fútbol es un juego que apasiona las masas en mi país. ¿Aquí también?	El footbol es oon hwéggoh keh uppússeoner luss mússers en me pahís. Uckēē tumbyén?
Rather. It's the king of sports.	Ya lo creo, es el deporte rey.	Yah loh cráyoh, es el deppórrteh ray.
There are professional and amateur footballers.	Hay fútbol profesional y de aficionados.	I foobol profféssion núll e deh uffítheo nárdoss.
What's the most popular sport after football, cycling, boxing...?	¿Cuál es el deporte que arrastra más afición después del fútbol, el ciclismo, el boxeo...?	Kwull es el deppórrteh urrústrer mus uffítheón despwés del foobol, el thicklismoh, el boxáyó...?
There are several, such as basketball, and hockey on roller skates.	Hay varios, entre ellos el baloncesto y el hockey sobre patines.	I vúrrioss, éntreh e lyoss el búllonthé toh e el hockey só breh puttēēness.
They are both sports requiring agility and speed.	Ambos son dos deportes que requieren mucha agilidad y rapidez.	Úmboss son doss de pórrtes keh rekyá ren mōōtcher uhh lidúd e rúppidéth.
s there much boxing, wrestling?	¿Se celebra hoy boxeo, lucha libre?	Seh thellébra oy b áyo, lōōtcher l breh?

Don't you believe it. They are keener on mountaineering.	No lo crea. Hay más afición al alpinismo.	Noh loh cráyer. I muss uffítheón ull úlpin-níssmoh.
Are there no tennis matches?	¿No hay encuentros de tenis?	Noh i enkwéntross deh tenníss?
It's a fine sport.	Es un bello deporte.	Ess oon bélyoh depórr-teh.
I know there are some motor cycle races tomorrow, motor races. Can you tell me where they are held?	Sé que hay mañana carreras de motos, de automóviles. ¿Podría decirme dónde se celebran?	Seh keh i munyúnner curráirrus deh mót-toss, deh owtohmov-víúlless. Podéar dech-ēērrmeh dóndeh seh thellébrun?
I advise you to go to the horse races to morrow.	Le recomiendo que asista mañana al concurso de hípica.	Leh recomyéndoh keh ussíster munyúnner ull concoöorrsoh deh íppica.
The best army and civilian riders are in it.	Correrán los mejores jinetes militares y civiles.	Correrrún loss mehórr-ress hinnéttess milli-tárress e thívvilless.
I can't. I have to time a cycle race.	Me es imposible. Tengo que cronometrar una carrera de bicicletas.	Meh ess impossēēbleh. Téngoh keh crónno-mettrárr ooner cur-ráirrer deh bíthiclét-tuss.
Where? At the... track.	¿Dónde? En el velódromo de...	Dóndeh? En el vellóddromoh deh ...

AT THE TOBACCONIST'S	EN EL ESTANCO	EN EL ESTÚNCOH
The packet of cigaret-tes.	El paquete de cigarri-llos.	El puckétteh deh thig-gerríllyoss.
The box of cigars.	La caja de puros.	Lah cúhher deh pōōr-ross.
The packet of tobac-co.	El paquete de picadura.	El puckétteh deh pic-kerdōörer.
The packet of cigaret-te papers.	El librito de papel de fumar.	El librēētoh de puppél deh foomárr.
The ash tray.	El cenicero.	El thénnitháiroh.
The lighter.	El encendedor, el me-chero.	El enthéndidórr, el metcháiroh.

The matches.	Las cerillas, los fósforos.	Luss therrílyuss, loss fósforross.
The cigarette holder.	La boquilla.	Lah bockíllyer.
The pouch.	La petaca.	Lah pettácker.
The pipe.	La pipa.	Lah pēēper.
The cigarette case.	La pitillera.	Lah pittillyáirer.
The cigar.	El cigarro puro.	El thiggúrroh pōōrroh,
Give me a packet of cigarettes, light, dark, please.	Déme un paquete de cigarrillos de tabaco rubio, negro.	Démmeh oon puckétteh deh tubbúckoh rōōbeo, néggroh.
And a box of matches.	Déme también una caja de cerillas, fósforos.	Démmeh tubyén ooner cúhher deh therríllyerss, fosférross.
A cigar, please.	¿Un cigarro puro, por favor?	Oon thiggúrroh pōōrroh, porr fuvvórr.
What sort do you want?	¿De qué marca lo desea?	Deh keh márrcah loh dessáyer.
I don't mind, provided it's a good one.	Me es igual, pero que sea bueno.	Meh ess iggwul, péhroh keh sáyer byénnoh.
D'you want a Havana or a native?	Lo deseo habano, del país.	Loh dessáyoh ubbárnoh, del py.íss.
A large, a small one.	Que sea grande, pequeño.	Keh sáyer grúndeh, peckénnyoh.
Please sell me a box of Havana cigars.	Haga el favor de venderme una caja de cigarros habanos.	Úgger el fuvvórr deh vendáirrmeh ooner cuhher deh thiggúrross.
A packet of tobacco.	Un paquete de picadura.	Oon puckétteh deh píckerdōōrer.
A packet of cigarette papers.	Un librillo de papel de fumar.	Oon libbríllyoh deh puppél deh foomárr.
Can you show me some pipes?	¿Me puede enseñar un surtido de pipas?	Meh pwéddeh ensenyárr oon soortēēdoh deh pēēpers?
I want a pipe cleaner. Have you any cigarette holders?	Quisiera una escobilla para limpiar la pipa.	Kyssyárrer oon escobbíllyoh púrrer limpyárr lah pēēper.
	¿Tiene boquillas?	Tyénneh bockíllyuss?
For cigars or or cigarettes?	¿Para cigarros o para cigarrillos?	Púrrer thiggúrross oh púrrer thiggurríllyuss?

I want a pouch, a cigarette case.	Desearía una petaca, una pitillera.	Dessáyerréar ooner pettúcker, ooner pettillyáirer.
Have you flints for lighters?	¿Tiene piedras **para** mecheros?	Tyénneh pyédruus púrárr metcháiros.
Show me some lighters, **souvenir ash** trays.	Enséñeme **los** encendedores, **los** ceniceros de recuerdo.	Ensényummeh loss enthéndedórress, loss thénnitháirross deh rekwáirrdoh.

AT THE FLORIST'S
EN LA FLORISTERÍA
EN LAH FLÓRRISTERRÉAR

The lily (arum).	La azucena.	Lah uthoothénner.
The cactus.	Los cactos.	Loss cúctooss.
The camelias.	Las camelias.	Luss cumméllyuss.
The bluebells.	Las campanillas.	Luss cumpunníllyuss.
The pinks.	Los claveles.	Loss cluvvélless.
The carnations.	Las clavellinas.	Luss cluvvellēénerss.
The chrisanthemums.	Los crisantemos.	Luss kríssúntaymoss.
The dahlias.	Las dalias.	Luss dúlleass.
The gardenias.	Las gardenias.	Luss garrdénnyuss.
The geraniums.	Los geranios.	Loss herrárneoss.
The hortensias.	Las hortensias.	Luss orténsiuss.
The hyacinths.	Los jacintos.	Loss huthíntoss.
The jasmin.	El jazmín.	El huthmēē.
The lilac.	Las lilas.	Luss lílluss.
The lilies.	Los lirios.	Loss lírrioss.
The magnolias.	Las magnolias.	Luss mugnóllyuss.
The margarites.	Las margaritas.	Luss márrgurrēétuss.
The mimosa.	La mimosa.	Lah mimmósser.
The daffodil.	Los narcisos.	Loss narthíssoss.
The tuberose.	Los nardos.	Loss nárrdoss.
The orchids.	Las orquídeas.	Luss órrkiddáyerss.
The pansies.	Los pensamientos.	Loss pénsummyéntoss.
The peonies.	Las peonías.	Loss payonnéuss.
The roses.	Las rosas.	Lass róssuss.
The tulips.	Los tulipanes.	Loss toolippúnness.
The violets.	Las violetas.	Luss véoléttuss.
The florist.	La florista.	Lah florríster.
The flower-pots.	Las macetas.	Luss muthéttuss.
Good afternoon.	Buenas tardes.	Byénnuss tárrdess.

I should like to order a bouquet.	Desearía encargar un ramo.	Dessáyurréa encarrgarr oon rúmmoh.
What flowers do you prefer?	¿Qué flores prefiere?	Keh flórress prefyerreh?
They are to give to a lady on her name's day.	Son para regalar a una señora por su santo.	Son púrrer reggullárr ah ooner senyórra porr soo súntoh.
Do you want roses, or magnolias, camelias, dahlias...?	¿Lo quiere de rosas, o bien de magnolias, camelias, dalias...?	Loh kyáirreh deh róssuss, o byén deh mugnélleus, cummé- leuss, dúlleuss.
Make it of roses.	Hágalo de rosas.	Úggerloh deh róssuss.
Make it of the most suitable flowers.	Hágalo con una selección de las flores más indicadas.	Úggerloh con ooner selléctheóh deh luss flórress muss indi- cárduss.
Will you take it with you, sir?	¿Se lo lleva usted, señor?	Seh loh lyévver oos- téh senyórr?
Are we to send it somewhere?	¿Se han de llevar a algún sitio?	Seh un deh lyevvárr ah úlgoon sēétioh.
Yes, here is my card. Send it to the address on the envelope.	Sí, tenga mi tarjeta y hágalo llevar a la dirección del sobre.	See, ténger me tarrhétter e úggerloh lyévvarr uller dirréc- theón del sóbbrch.
Send it before midday tomorrow.	Mándelo mañana por la mañana, antes de las doce.	Múndehloh munyún- ner porr lah mun- yúnner, úntess deh loss dótheh.
How much is it?	¿Cuánto vale?	Kwúntoh vúlleh?
I want a centre of gardenias.	Desearía un centro de gardenias.	Déssayerréa oon thén- troh deh garrdén- neuss.
A bunch of white, red, varigated pinks.	Un ramo de claveles blancos, rojos, de varios colores.	Oon rúmmoh deh cluv- vélless, blúncoss, róhhoss, deh vúrrios rollórress.
A bouquet for a bride	Un ramo para novia.	Oon rúmmoh púrrer nóvvia.
What flowers are most suitable?	¿Qué flores son las más indicadas?	Keh flórress son luss muss indicárduss?
They are generally gardenias, orange blossom and lilies.	Acostumbran a ser de gardenias, flores de azahar y lirios.	Uccotōōmbrun ah sáy- err deh garrdén- niuss, flórress deh utherhárr e lírrioss.

I prefer a bouquet of gardenias, arranged with tulle.	Lo prefiero de gardenias, en forma de ramillete y adornado con tul.	Loh prefyáirroh deh garrdénniuss, en fórrmer deh rúmmilyétteh e udorrnárdo con tool.
Is it to be sent somewhere?	¿Se ha de llevar a alguna dirección?	Seh ah deh lyevvárr ah ulgōōner dirréctheón?
No, I'll call for it tomorrow.	No, pasaré mañana yo mismo a buscarlo.	Noh, pusseréh munyúnner ah booscárrloh.
When can I come?	¿A qué hora puedo venir?	Ah keh orá pwéddoh venneerr?
Put me up a bunch of violets, of pansies.	Hágame un ramillete de violetas, de pensamientos.	Úggermeh oon rummilyétteh deh veoléttuss, deh pensummyéntoss.
What are these flowers called?	¿Cómo se llaman estas flores?	Cómmoh seh lyúmmun éstuss flórress?
I should like a pot of white lilies.	Desearía esa maceta de azucenas.	Déssayerréar esser muthétter deh uthoothénnuss.

PHOTOGRAPHY

LA FOTOGRAFIA

LAH FAWTOHGRUFFÉAR

The camera.	El aparato fotográfico.	El upperrártoh fottogrúfficoh.
The lense.	Objetivo.	Obhettēēvoh.
The diaphragm.	Diafragma.	Dearfrúgmer.
The diaphragm scale.	Graduación del diafragma.	Grúddoo.utheón del dearfrúgmer.
The winder.	Botón para bobinar.	Bottón púrrer bobbinnárr.
The realease.	Disparador.	Dispúrrer.dórr.
The counter.	Contador.	Cónterdórr.
Tre view finder.	Visor.	Vissórr.
The film-winder.	Botón de rebobinar.	Bottón deh rebóbbinárr.
The distance scale.	Escala de distancias.	Escúller deh distúntheuss.
The tripod.	El trípode.	El tríppodeh.
The case.	La funda.	Lah foonder.
The range finder.	El telémetro.	El tellémettroh.

The automatic release.	El disparador automático.	El dispúrrerdórr owtomútticoh.
The sunshade.	El parasol.	El púrrersól.
The exposure meter.	El exposímetro.	El expossímmetroh.
The photograph. The photo.	La fotografía.	Lah fóttohgrufféar.
The enlargement.	La ampliación.	Lah úmpliútheón.
Film, reel.	Película, carrete.	Pellícooler, currétteh.
Films: infra-red, panchromatic, panchromatic, supersensitive to red, orthochromatic.	Películas: infrarroja, pancromática, pancromática supersensible al rojo, ortocromática.	Pellícoolers: ínfrahóhher, púncrommútticker, púncrommutticker sōōper.senséēbleh ull róhhoh. órrtocrummútticker.
Filters: light blue, orange, light yellow, medium and dark, ultraviolet.	Filtros: azul claro; anaranjado; amarillo claro, medio y obscuro; rojo claro y obscuro; verde claro, medio y obscuro; ultravioleta.	Fíltross: uthōōl clárroh; unnúrrunhárdoh; ummerrílyoh clárroh, méddioh e oscōōrroh; róhhoh clárroh e oscōōroh; váirrdch clárroh, méddio e oscōōroh; ōōltrah véolétter.
Is there a shop for protographic material near here?	¿Hay cerca de aquí una tienda de material fotográfico?	I tháirca deh ukkēē ooner tyénder deh mutterréul fótogrúffickoh?
Yes, sir. In the second street on the left.	Sí, señor, en la segunda travesía a la izquierda.	See, senyórr, en lah segōōnder trúvvairrséar ah lah ithkáirrder.
Please give me three reels of film.	Haga el favor de darme tres rollos (carretes) de película.	Úgger el fuvvórr deh dárrmeh tres rólyoss (curréttess) deh pellíckooler.
What size?	¿Tamaño?	Tummúnyoh?
Thirty-five milimeters, panchromatic.	De treinta y cinco milímetros, y pancromática.	Deh trénter e thínkoh millímmetross, e puncrommútticker.
Orthocromatic film.	De película ortocromática.	Deh pellícooler órrtocrommútticker.
Colour film.	Película en colores.	Pellíckooler en collórress.

Do you want any particular make?	¿Desea alguna marca determinada?	Dessáyer ulgŏŏner márrker dettáirminárder?
Have you...?	¿Tienen de la marca...?	Tyénnen deh lah márrker ...?
No, we have just sold the last.	No, precisamente se nos acaban de terminar.	Noh, pretheēsaménte seh noss uccárbun deh táirminnárr.
Well give me some other good make.	Pues déme de otra marca que sea buena.	Pwess démmeh deh áwtrer márrker keh sáyer wénner.
This make is as good as the one you wanted.	Esta otra marca es tan buena como la que deseaba.	Ester āwtrer márrker ess tun bwénner commoh lah keh dessayárber.
Yes, I know it, too.	Sí, también la conozco.	See tumbyén lah connóthcoh.
How much will that be?	¿Cuánto le debo?	Kwúntoh lah débboh?
Please develop this reel and make a copy of each photo.	Haga el favor de revelar este rollo y sacar una copia de cada fotografía.	Ugger el fuvvorr deh revvellarr esteh rolyoh e suckarr der cóppier deh fóttogr... munyoh
It's a colour film.	Es un film en color.	Ess o... sáyer luss
What size do you want the prints?	¿A qué tamaño han de ser las copias?	A'... porr nwev-...doh esturrár?
Six by nine.	A seis por n...	...oh poddréar utháirr-...meloh muss rúppi-
When will they be ready?	¿Cuá...	...oh? ...ra ...sa- Meh ...interrésserréar ...púrrer munyúnner,
Couldn't you make sooner?	...serlo ma-... última hora ...arde. Tenga ...guardo.	pórrkeh suléēmoss de véyúhheh. Pússeh ah réccohháirr-loh ah ŏŏltimer óra deh lah tárrdeh.
I should... th...		Ténger el resgwárr-doh.

Could you send them to... Hotel? I will leave word with the porter.	Podrían enviarlo al Hotel...? Dejaré instrucciones al conserje.	Podréun enveárrloh ull awtél...? Déhherréh instrooctheónes ull consáirrheh.
Can you tell me the price of this camera?	¿Me puede decir el precio de este aparato fotográfico?	Meh pwéddeh dethéarr el prétheo deh ésteh upperrártoh fotogrúffikoh?
And of the tripod?	¿Y el del trípode?	E el del tríppoddeh?
Does it take rolls of twenty-six photos?	¿Admite rollos de treinta y seis fotografías?	Udmítteh rólyoss deh trénter e sáyiss fótogrufféars?
Yes, sir. And it automatically changes after each photo?	Sí, señor, y además es automático el cambio de cada fotografía.	See, senyórr, e uddemúss ess owtomútticoh el cúmbeoh deh cúdder fóttogrufféar.
Has it a telemeter?	¿No lleva telémetro?	Noh lyévver tellémmettroh?
And give me an automatic release.	Déme también un disparador automático.	Démmeh tumbyén oon dispúrrerdórr owtomútticoh.
A... uch is all that?	¿Cuánto es todo?	Kwúntoh ess tóddoh?
...e no instruc- ...and the use of ...m, speed Have yo...	¿No tiene instrucciones para el uso del diafragma, velocidad y enfoque?	Noh tyénneh instrōōctheóness púrrer el ōōsoh del déarfrúgmer, velóthidúd e enfócken?
Is a red fil... for bringi... clouds and... out mist?	¿Tienen ustedes filtros?	Tyénneh oostédess fíltross?
I would rather a... an orange one.	...a destacar las nu...bess e ellímmin... eliminar la ne... el fíltroh róhhoh vah byén?	Púrrer destuckárr luss nōōbess e ellímminnárr lah nebblēēner, el fíltroh róhhoh vah byén?
Red is for trans... forming the bright sunshine into moon- light effects.	...r el	Les uckonséhhos mehhórr el unnúrrumhárdoh.
		...róhhorh ess púrrer ...sforrmárr loss ...ndórres del ...féctoss deh

AT THE FRUIT SHOP	EN LA FRUTERÍA	EN LAH FROOTERRÉAR
The avocado.	Los aguacates.	Loss úggwercúttess.
The apricots.	Los albaricoques.	Loss ulberricóckess.
The cashew.	Los anacardos.	Loss únnercárrdoss.
The cherries.	Las cerezas.	Luss therréthuss.
The cider.	La cidra.	Lah theédrer.
The plums.	Las ciruelas.	Luss thirro.élluss.
The coconut.	Los cocos.	Loss cóccoss.
The dates.	Los dátiles.	Loss dúttilless.
The raspberries.	Las frambuesas.	Loss frumbwéssers.
The strawberries.	Las fresas.	Luss fréssus.
The pomgranates.	Las granadas.	Luss grunnárduss.
The currants.	Las grosellas.	Luss grosséllyuss.
The guava.	Las guayabas.	Luss gwy.úbbuss.
The figs.	Los higos.	Loss eégoss.
The prickly pears.	Los higos chumbos.	Loss eégoss chöömboss.
The lemons.	Los limones.	Loss limmónness.
The tangerines.	Las mandarinas.	Luss mundarrééerss.
The apples.	Las manzanas.	Luss munthúnnuss.
The peaches.	Los melocotones.	Loss méllocottónness.
The melon.	El melón.	El mellón.
The quince.	El membrillo.	El membríllyoh.
The oranges.	Las naranjas.	Luss nurrúnhuss.
The medlars.	Los nísperos.	Loss nísperross.
The pawpaws.	Las papayas.	Luss puppýuss (puppíe.uss).
The pears.	Las peras.	Luss páyeruss.
The pine apples.	Las piñas de **América** o ananás.	Luss péényuss deh ummérica oh unnunnúss.
The bananas.	Los **plátanos** o bananas.	Los plúttunnoss oh bunnúnnuss.
The water melons.	La sandía.	Lah sundéar.
The grape.	La uva.	Lah oover.
The muscatel grape.	La uva moscatel.	Lah oover móscatel.
The sapota plum.	Los zapotes.	Loss thuppóttess.
The brambleberry.	La zarzamora.	Lah thárrzummórrer.
The almonds.	Las almendras.	Luss alméndruss.
The wallnuts.	Las nueces.	Luss nwéthess.
The Barcelona nuts.	Las avellanas.	Luss uvvelyúnners.
The chestnuts.	Las castañas.	Luss custúnyuss.

The monkey nuts.	Los cacahuetes o maníes.	Loss cúccerwéttes oh munnéus.
Have you any dates?	¿Tiene dátiles?	Tyénneh dúttilless?
Yes, some very sweet ones.	Sí, por cierto muy dulces.	See, porr tháirtoh mooy dōōlthess.
How much are they?	¿A cómo los vende?	Ah cómmoh loss véndeh?
... a kilo.	A... el kilo.	Ah... ell kēēloh.
Give me two kilos.	Póngame dos kilos.	Póngermeh doss kēēloss.
And give me a kilo of grapes as well.	Déme también un kilo de uva.	Démmeh tumbyén oon kēēloh deh ōōver.
Black or white?	¿La quiere blanca o negra?	Lah kyáirreh blúnker oh néggrah?
No, muscatel.	No, moscatel.	Noh, mocatél.
I have some lovely pears.	Tengo unas peras preciosas.	Téngoh ōōnuss péhruss prétheóssuss.
Give me three kilos of apples and two of oranges.	Póngame tres kilos de manzanas y dos de naranjas.	Póngermeh tress kēēloss deh munthúnnuss e doss deh nuhrúnherss.
Have you any good class melons?	¿Tiene melones de buena clase?	Tyénneh mellónness deh bwénner clússeh
These are ripe and very sweet.	Éstos salen muy dulces y están maduros.	Éstoss súllen mooy dōōthless e estún muddōōruss.
I want some lemons, but very juicy ones.	Desearía limones, pero que tengan mucho zumo.	Dessairréar limmónness, péhroh keh téngun mōōtchoh thōōmoh.
Give me some bananas, but not too ripe.	Déme plátanos, pero que no sean demasiado maduros.	Démmeh plúttunnoss, péhroh keh noh sayun demmússeardoh muddōōross.
I want firm ones, to take with me on a journey.	Que sean algo fuertes, pues son para llevarlos de viaje.	Keh sáyun úlgoh fwáirrtess, pwes son púrrer lyevvárrloss deh vee.úhheh.
These medlars are very sour?	¿Estos nísperos son muy ácidos?	Éstoss nísperros son mooy úthiddoss?
The water melon looks refreshing.	La sandía apetece como refrescante.	Lah sundéar uppettéththeh cómmoh refrescúnteh.

What is this fruit called?	¿Cómo se llama esta fruta?	Cómmoh seh lyúmmer éster frõõter?
They are tangerines. A kind of small orange easy to peel.	Son mandarinas. Una especie de naranjas pequeñas de cáscara fácil de separar.	Son múndurrēēnerss. Ooner espéthear deh nurrúnherss peckénnyuss deh cúscurrer fúthill deh sepperrarr.
Have you no peaches?	¿No tienen melocotones?	Noh tyénneh méllocottónness?
They are not yet in season.	No es todavía el tiempo.	Noh ess toddervéear el tyémpoh.
Give me two pineapples.	Déme dos piñas americanas.	Démmeh doss pēēnyers umméricúnners.
Can you send them home for me?	¿Puede enviármelo todo a casa?	Pwéddeh enveárrmehloh tóddoh ah cússer?
Your address, please?	¿Su dirección, por favor?	Soo dirréctheón porr fuvvórr?
My name is... No..., ...Street.	Mi nombre es... calle... número...	Me nómbreh ess... cúllyeh... nõõmeroh...
I will pay now.	Se lo pago ahora.	Seh loh púggoh ahora.
I will pay at home.	Se lo abonaré en casa.	Seh loh ubbónnerréh en cússer.

PRESENTS AND SOUVENIRS

OBJETOS REGALO RECUERDOS DEL PAÍS

OBHÉTTOSS REGÁRLOH REKWÁIRDOSS DEL PAH.ISS

I want to buy a basket, but something original.	Deseo comprar un cesto que sea original.	Dessáyoh comprárr oon théstoh keh sáyer orígginnull.
These are typical of the country, hand made or peasant work.	Éstos que le muestro son típicos del país y de fabricación manual, o sea de artesanía.	Éstoss keh leh mwestroh son típicoss del pah.iss e deh fúbriccutheón múnnooúll, oh sáyer deh árrtisunnéar.

Have you none with the name of this town on them?	¿No tiene alguno con el nombre de esta ciudad?	Noh tyénneh ulgōōnoh con el nómbre deh éster théudúd?
We will put it on at once.	En un momento se lo ponemos.	En oon moméntoh seh loh ponnémmoss.
Meanwhile. I'll look for something I like as a souvenir.	Entre tanto miraré si encuentro algo que me guste para llevármelo como recuerdo.	Éntreh túntoh mirrurréh see enkwéntroh úlgoh keh meh goosteh púrrer lyevvárrmehlóh cómmoh reckwáirdoh.
How much is this smoker's set?	¿Qué precio tiene este juego de fumador?	Keh prétheo tyénneh ésteh hwéggoh deh foomerdórr?
And this ashtray, cigarette holder, pocket book, purse, handkerchief?	¿Y este cenicero, pitillera, cartera, billetero, bolso, pañuelo...?	E ésteh thennitháiron, pittilyáiroh, carrtáirer, bilyettáiroh, bólsoh, punyooélloh?
This set is of hand carved wood.	Este juego es de madera labrada a mano.	Ésteh hwéggoh ess deh muddáirrer lubbrárdoh ah múnnoh.
This ashtray has a carving of Mount... at the seaside resort...	Este cenicero tiene grabada una vista del monte..., de la playa de...	Ésteh thennitháirroh tyénneh grubbáardoh ooner víster del mónteh..., deh lah plý.er deh...
This pocket book is embossed leather.	Esta cartera es de cuero repujado.	Éster carrtáirer ess deh kwáirroh reppoojárdoh.
I'll take it, but I want my initials put on it.	Me quedo con ella, pero deseo que pongan mis iniciales.	Meh kéddoh con éllyer, péhroh keh póngún meess inithiúlless.
In which department can I find a musical instrument typical of this place?	¿En qué sección podré encontrar un instrumento musical típico de aquí?	En keh sectheón poddréh encontrár oon ínstrooméntoh moosicúll típpicoh deh uckēē?
That's not what I want. I want a model in miniature.	No es esto lo que deseo, sino alguna reproducción en miniatura.	Noh ess éstoh loh keh dessáyoh, seenoh ulgōōner repprodooctheón en míniatōōrer.

This musical box, perhaps. Besides being filigrane, it plays a sardana, folk music.	Tal vez esta cajita de música. Aparte de ser un trabajo de filigrana toca una sardana, música folklórica...	Tull veth éster cuh-hēēter deh mōōsica. Uppárrteh deh sáyer oon trubbúhhoh deh fílligrúnner, tócker ooner sarrdúnner, mōōsica folklórrica.
I'll take it. It'll be a nice souvenir. Whenever I hear this music I shall remember this lovely country.	Me quedo con ella. Será un buen recuerdo, cada vez que oiga esta música me acordaré de este hermoso país.	Meh kéddoh con élyer. Serráh oon byén reckwáirdoh, cúdder veth keh óyger éster mōōsicker meh uc-córrderréh deh ésteh airmóssoh pah.íss.
I must buy light things, not to exceed the weight allowed in the plane.	Me conviene comprar cosas de poco peso, para no exceder del que autorizan en el avión.	Meh convyénneh comprárr cóssus dch póc-coh péssoh, púrrer noh extheddáirr del keh owtorrēēthun en el uvveón.

AT THE HAIRDRESSER'S

EN LA PELUQUERÍA

PÉLLOOKERRÊAR

The hairdresser, the barber.	El peluquero, el barbero.	El pellookáiroh.
The apprentice.	El aprendiz.	El upprendēēth.
The armchair.	El sillón.	El sillyón.
The hatstand.	La percha.	Lah páirtcher.
The wrapper.	El peinador.	El páynerdórr.
The comb.	El peine.	El páineh.
The thick comb.	La lendrera, el peine espeso.	Lah lendráirrer, el páineh espéssoh.
The scissors.	Las tijeras.	Luss tihháirrerss.
The brush.	El cepillo.	El theppílyo.
The razor.	La navaja.	Lah nuvvúhher.
The shaving brush.	La brocha.	Lah brótcher.
The soap.	El jabón.	El hubbón.
The dryer.	El secador.	El seckerdórr.
The hair-cutting machine.	La maquinilla de cortar el pelo.	Lah múckiuníllyer deh corrtárr el pélloh.

Boattles of scent, lotion, shampoo.	Los frascos de colonia, loción, masaje.	Loss frúscoss deh collónnear. l o t h e ó n, mussúhheh.
The sprayer, vaporizer.	El pulverizador, vaporizador.	El pōōlverrithuddórr, vúpporrēēthuddórr.
The towel.	La toalla.	Lah twúlyer.
I want a shave.	Deseo afeitarme.	Dessáyoh uffaitárrmeh.
Am I hurting you?	¿Le hago daño?	Lah árgoh dúnnyoh?
No, the razor goes very well.	No, esta navaja va muy bien.	Noh, éster nuvvúhher va mooy byén.
Yes, a bit.	Sí, un poco.	See, oon póccoh.
Excuse me, I will change the razor.	Perdone, cambiaré la navaja.	Pairrdónneh, cumbearréh lah nuvvúhher.
Don't shave against the grain.	No me afeite a contrapelo.	Noh meh uffáiteh ah contrapélloh.
Will you go over it again, please.	Vuélvame a pasar otra vez la navaja.	Vwélvermeh ah pussárr ottrer veth lah nuvvúhher.
Put some powder on, to dry it.	Póngame polvos para secarme.	Póngermeh p ó l v o s s púrrer seckárrmeh.
Give me a massage, please.	Hágame masaje.	Úggermeh mussúhheh.
Hair cut, please.	Córteme el pelo.	Córrtermeh el pélloh.
Trim my hair, please.	Arrégleme el pelo.	Urréglummeh el pélloh.
Leave it in the same style.	Déjemelo en la misma forma.	Déhhermellóh en lah mísmer fórrmer.
I want it rather short.	Lo deseo un poco corto.	Loh dessáyoh oon pólco córrtoh.
Just trim the back of the neck and the sides.	Arrégleme sólo el cuello y las pulseras.	Urréglarmeh sólloh el kwéllyoh e luss poolsáirerss.
Please bring me a paper.	Haga el favor de traerme una revista.	Úgger el fuvvór deh trah.áirrmeh ooner revvíster.
Do you want the moustache trimming?	¿Le arreglo también el bigote?	Leh urréglo tumbyén el biggótteh?
Yes, trim it a bit.	Sí, perfílelo.	See, pairfēēlehlóh.
How does that look, sir?	¿Hace el favor de mirar?	Útheh el fuvvórr deh mirrár?
All right.	Perfectamente.	Pairrféctaménteh.
Shall I **wash** your head?	¿Desea lavarse la cabeza?	Dessáyer luvvárrseh lah cubbéther?

Not necessary.	No es necesario.	Noh ess nethessárreo
Comb it as it was before.	Péineme tal como estaba antes.	Páinermeh tull cómmoh estúbber úntess.
Do you want a lotion?	¿Desea una loción?	Dessáyer o o n e r lotheón?
Yes, give me a friction with quina, eau de cologne.	Sí, déme una fricción de quina, de colonia.	See, démmeh ooner fríctheón de kēēner, deh collónnear.
Don't put any brilliantine, fixer.	No me ponga brillantina, fijador.	Noh meh pónger bríllyuntēēner, fíhherdórr.
Do you take a tip?	¿Cuánto es el servicio?	Kwúntoh ess el sairvitheo?
I want manucuring.	Deseo me hagan la manicura	Dessáyoh meh úggun lah múnnicōōrer.
I want a permanent wave.	Deseo la permanente.	Dessáyoh lah páirmunnénteh.

THE PAPER STAND	EL QUIOSCO DE PERIÓDICOS	EL KIÓSSCO DEH PERRIÓDDICOSS
The newsman.	El quiosquero.	El kioskáiroh.
The newspapers.	Los periódicos, los diarios.	L o s s perrióddicoss, los diúrrios.
The magazines.	Las revistas.	Luss revvístuss.
Children's weeklies.	Los semanarios infantiles.	Loss semenúlless infuntēēless.
Sporting papers.	Los periódicos deportivos.	Loss perriódicoss depporrtēēvoss.
Picture postcards.	Tarjetas postales ilustradas.	Tarrhéttuss postúlless illusstrárduss.
Collections of photos.	Colecciones de fotografías.	Collecheóness deh fóttogrúffeárs.
Give me a morning, evening paper.	Déme un periódico de la mañana, de la tarde.	Démmeh oon perriódicoh deh lah munyúnner, déller tárrdeh.
Have you any English, French, Spanish, German, Portuguese papers?	¿Tiene diarios ingleses, franceses, españoles, alemanes, portugueses...?	Tyénneh diúrrioss inglésses, frunthéssess, espunyólless, u l l e múnness, pórrtoogéssess ...?
And American magazines?	¿Y revistas americanas?	E revvístuss ummerricúnnus?

I want a childrens, a sporting paper.	Deseo una revista infantil, deportiva...	Dessáyoh ooner revvíster infuntēēl, depporrtēēver.
Have you any plans of the town, road maps of the country?	¿Tiene guías de la ciudad, de carreteras del país?	Tyénneh gēēuss deh lah théoodúd, deh currettáirrers del pah.íss?
I want some postcards with views of the town.	Desearía tarjetas postales ilustradas de la ciudad.	Déssayurréar tarrhéttuss postúlless illoostrárduss deh lah théoodúd.
Give me these photos of the town.	Déme esas fotografías de vistas de la ciudad.	Démmeh éssus fóttogrufféarss deh vístuss deh lah théoodúd.
How much is that?	¿Cuánto es?	Kwúntoh ess?

AT THE RESTAURANT

EN EL RESTAURANTE

EN EL RESTORRÚNTEH

The table

La mesa

Lah messer

The table cloth.	El mantel.	El muntéll.
The serviette.	La servilleta.	Lah sairvilyétter.
The plate.	El plato.	El plúttoh.
The glass.	El vaso.	El vússoh.
The wine glass.	La copa.	Lah cópper.
The liqueur glass.	La copita.	Lah coppēēter.
The spoon.	La cuchara.	Lah cootchúrrer.
The desert spoon.	La cucharilla.	Lah cootcherrílyer.
The fork.	El tenedor.	El ténnedórr.
The knife.	El cuchillo.	El cootchílyoh.
The wine.	El vino.	El vēēnoh.
Champagne.	El champán.	El shumpúnyer.
Water.	El agua.	El úgwer.
Mineral water.	El agua mineral.	El úgwer minerúll.
Oil.	El aceite.	El utháiteh.
Vinagar.	El vinagre.	El vinúggreh.
Beer.	La cerveza.	Lah trairvéther.
Milk.	La leche.	Lah létcheh.
Bread.	El pan.	El pun.
Mustard.	La mostaza.	Lah mostúther.
The saltceller.	El salero.	El sulláirroh.
Pepper.	La pimienta.	Lah pimmyénter.

The chair.	La silla.	Lah síllyer.
Cold, hot, warm.	Frío, caliente, tiblo.	Fréo, culyénteh, tíbbea.
Toothpicks.	Los mondadientes.	Loss mónderdyéntess.
The menu, the card.	El menú o la minuta.	El mennōō, oh lah menōōter.

The dinner | ## La comida | ## Lah comeeder

Waiter, we should like a table near the window.	Camarero, desearíamos una mesa junto a la ventana.	Cummerráirroh, déssairéarmoss o o n e r mésser hōōntoh úller ventúnner.
Where can we sit?	¿Dónde podemos sentarnos?	Dóndeh poddémmoss sentárrnoss?
How many are you?	¿Cuántos son ustedes?	Kwúntoss son oostéddess?
Can't we have that table?	¿No podemos ocupar aquella mesa?	Noh poddémmos occoopárr uckéllyan mésser?
I'm sorry. It's reserved.	Lo siento. Está reservada.	Loh syéntoh. Estár ressairrvárdah.
Waiter, give me the dinner, please.	Camarero, sírvame el cubierto.	Cummerráirroh, sēērrvummeh el coobyáirrtoh.
Waiter, give me the menu, please.	Camarero, déme la carta.	Cummerráirroh, démmeh lah cárrter.
Bring us some hors d'oeuvres.	Tráiganos entremeses variados.	Trygernoss éntremessess vurreárdoss.
Ham, sausage, butter, tunny, olives.	Jamón, salchichón, mantequilla, atún, aceitunas...	Hummón, sulsitchon, muntikíllyer, uttōōn, uthehtōōnuss.
Do you want our special salad?	¿Desean los señores ensaladilla, especialidad de la casa?	Dessányun loss senyórress ensúlluddíllyer, espéthiúllidúd, d e h lah cússer?
Then some sole normande.	A continuación sírvanos lenguado a la normanda.	Ah contínooútheón sēērvunnoss l e n - gwárdoh ah lah norrmúnder.
Right, sir.	Perfectamente, señor.	Pairfécterménteh, senyórr.

Do want some Valencian rice? | Las señoras desean arroz a la valenciana. | Luss senyórruss dessáyun urróth úller vulléntheunner.

We will make you a paella that you will like. | Les prepararemos una paella que les gustará. | Less prepúrrarráymoss ooner py.élyer keh less foosterráh.

What else would you like? | ¿Qué más desean los señores? | Keh muss dessáyun loss senyórress?

Veal cutlets and fried potatoes. | Unas chuletas de ternera con patatas fritas. | Oonuss chooléttus deh tairnáirrer con puttártess frēētuss.

For me, chicken and salad. | A mí pollo asado con unas hojitas de lechuga. | Ah me pólyoh ussárdoh con ōōuuss onhēētuss deh letchōōger.

An for me, some hake Romaine with a little lemon. | Y a mí, merluza a la romana con un poquito de limón. | E ah me, mairrlōōther ah lah rommúnner con oon pockēētoh deh limmón.

Waiter, bring me another plate, a fork and a glass. | Camarero, tráigame otro plato, un tenedor, un vaso. | Cummerráirroh, trygermeh óttroh plúttoh, oon tennedórr, oon vússoh.

What would you like to drink? | ¿Qué desean beber los señores? | Keh dessáyun bebbáirr loss senyórress?

Champagne. | Champán. | Shumpúnyer.

White wine, red wine. | Vino blanco, vino tinto. | Vēēnoh blúncoh, vēēnoh tíntoh.

Have you any favourite brand? | ¿Tienen preferencia por una marca determinada? | Tyénnen preferrénthea porr ooner márrker dettáirminnárder?

No, so long as it's good. Don't forget to bring a bottle of mineral water, too. | No, que sea bueno. No olvide de traer también una botella de agua mineral. | Noh, keh sáyer bwénnoh. Noh olvēēdeh deh try.áirr tumbyén ooner bottéllyer deh úgwer minnerrúll.

Do you want anything else? | ¿Desean algo más los señores? | Dessáyun úlgoh múss loss senyórress?

No, bring the pudding. | No, sírvanos los postres. | Noh, sēērrvunnos loss póstress.

Bring me some Roquefort and strawberries. | Tráigame queso Rocafort y fresas. | Trýgermeh késsoh rocfórt e fréssuss.

For me, some pears and ice.	A mí, peras y un helado.	Ah me, péhruss e oon ellárdoh.
The same for me.	A mí lo mismo.	Ah me loh míssmoh.
I prefer pudding.	Yo prefiero dulces.	Yoh prefyáirroh dōolthess.
Serve coffee afterwards.	Después sírvanos café.	Despwéss sēērrvunnoss cufféh.
Do you want liqueurs?	¿Quieren licores?	Kyáirrun lickórress?
Yes, some digestive, a good brand.	Sí, algún estomacal de buena marca.	See, ulgōōn estómmuccúll deh bwénner márrker.
Waiter, the bill, please.	Camarero, traiga la cuenta.	Cummerráirroh trýger lah kwénter.

List of dishes — Lista de platos — Lister deh pluttoss

Hors d'œuvres — Entremeses — Entremessess

Olives.	Aceitunas.	Uthettōōnerss.
Anchovies.	Anchoas.	Untchóuss.
Pork sausage.	Chorizo.	Tchorrēēthoh.
Ham.	Jamón.	Hummón.
Butter.	Mantequilla.	Muntekílyer.
Mortadella (sausage).	Mortadela.	Mórrtuddéller.
Oysters.	Ostras.	óstruss.
Sausage.	Salchichón.	Sulsitchón.
Sardines.	Sardinas.	Sarrdēēnerss.

Soups — Sopas — Sóppuss

Rice.	Arroz.	Urróth.
Broth, consomé.	Caldo, consomé.	Cúldoh, consomméh.
Broad beans.	Fideos.	Fiddáyoss.
Macaroni.	Macarrones.	Muckerrónness.
Bread.	Pan.	Pun.

Vegetables and greens — Legumbres y verduras — Leggoombress e váirrdooruss

Onions.	Cebollas.	Thebóllyuss.
Cabbage.	Coles.	Cólless.
Cauliflower.	Coliflor.	Colliflórr.

Asparagus.	Espárragos.	Espúrrergoss.
Spinach.	Espinacas.	Espinnúckuss.
Chick peas.	Garbanzos.	Garrbúnthoss.
Broad beans.	Habas.	Úbbuss.
Beans dried, fresh.	Judías secas, tiernas.	Hoodéass séckuss, ty-áirnuss.
Lettuce.	Lechuga.	Letchōōger.
Split peas.	Lentejas.	Lentéhhuss.
Potatoes.	Patatas.	Puttúttuss.
Mushrooms.	Setas.	Séttuss.

Paste / Pastas / Pússtuss

Canalones.	Canalones.	Cúnnalónness.
Vermicelli.	Fideos.	Fiddáyoss.
Macaroni.	Macarrones.	Muckerrónness.
Ravioli.	Raviolis.	Ruvviólless.

Eggs / Huevos / Wévvoss

Hard.	Duros.	Dōōross.
Fried.	Fritos.	Frēētoss.
Boiled.	Pasados por agua.	Pussárdoss porr úgwer.
Omelet.	Tortilla.	Torrtíllyer.

Game and Poultry / Aves y caza / Úvvess e cúther

Woodcock.	Becada.	Beccúdder.
Quail.	Codorniz.	Coddorrnēēth.
Rabbit.	Conejo.	Connéhhoh.
Hare.	Liebre.	Lyébbreh.
Duck.	Pato.	Púttoh.
Turkey.	Pavo.	Púvvoh.
Partridge.	Perdiz.	Pairdēēth.
Pigeon.	Pichón.	Pitchón.
Chicken.	Pollo.	Pólyoh.

Fish and shell fish / Pescados y mariscos / Pescárdos e murríscoss

| Muscles. | Almejas. | Ulméhhuss. |
| Eels. | Anguilas. | Ungēēlerss. |

Tunny.	Atún.	Uttōōn.
Cod.	Bacalao.	Buckerlów.
Gilthead.	Bonito.	Bonnēētoh.
Squids.	Calamares.	Cullermárress.
Shrimps (fried or grilled).	Gambas (fritas o a la plancha).	Gúmbuss (frēētuss oh úller plúntcher).
Lobster.	Langosta.	Lungóster.
Prawns.	Langostinos.	Lungostēēnoss.
Mussels.	Mejillones.	Mehhillyónness.
Hake.	Merluza.	Mairrlōōther.
Jewfish.	Mero.	Máiroh.
Barnicles.	Percebes.	Pairrsébbess.
Small fry.	Pescadilla.	Pescuddílyer.
Squids.	Pulpos.	Pōōlposs.
Salmon.	Salmón.	Sulmón.
Red mullet.	Salmonete.	Sulmonnétteh.
Trout.	Truchas.	Trútchuss.

Meat — Carnes — Cárrness

Beef.	Buey.	Bweh.
Pork.	Cerdo.	Tháirdoh.
Mutton.	Cordero.	Corrdáirroh.
Veal.	Ternera.	Tairrnáirrer.
Cow.	Vaca.	Vúcker.
Pork chops.	Costillas de cerdo.	Costíllyerss deh tháirrdoh.
Fillet of veal.	Filetes de ternera.	Filléttess deh tairrnáirrah.
Veal pie.	Empanada de ternera.	Empunnárder de tairrnáirrah.
Lamb cutlet.	Chuleta de cordero.	Tchoolétter deh corrdáirroh.
Fillet of beef, beaf steak.	Filete de buey, bistec.	Fillétteh deh bweh, bistéc.
Lamb's foot.	Pierna de carnero.	Pyáirrner deh carrnáirroh.
Loin of pork.	Lomo de cerdo.	Lómmoh deh tháirrdoh.
Loin of veal.	Lomo de ternera.	Lómmoh deh tairrnáirrrer.
Roast.	Asado.	Ussárdoh.

Tripe.	Callos.	Cúllyoss.
Sweetbread.	Lechón.	Letchón.
Tongue.	Lengua.	Léngwer.
Kidneys.	Riñones.	Rinyónness.
Brain.	Sesos.	Séssoss.

### Roast dishes	### Asados	### Ussárdoss
Roast cow and mashed potatoes.	Asado de vaca con puré de patatas.	Ussárdoh deh vúcker con poorréh deh puttúttuss.
Beef steak and salad.	Bistec con ensalada.	Bistéc con ensullárder.
Veal cutlet and potatoes.	Chuleta de carnero con patatas.	Tchoolétter deh carrnáirroh con puttúttuss.
Chicken.	Pollo.	Póllyoh.

### Cheeses	### Quesos	### Kèssoss
Camembert.	Camembert.	Cúmmumbáir.
Gruyère.	Gruyére.	Grooyáirr.
Dutch cheese.	Holanda.	Ollúnder.
Roquefort.	Roquefort.	Rosckfórr.
Swiss cheese.	Suizo.	Swēēthon.

### Dessert	### Postres	### Póstress
Sweets, pudding.	Dulces.	Dōōlthess.
Custard.	Flan.	Flun.
Fruit (1).	Fruta (2).	Frōōter.
Ices.	Helados.	Ellárdoss.
Coffee.	El café.	El cufféh.
Tea.	El té.	El teh.
Sugar.	El azúcar.	El uthúcker.
Liqueur.	El licor.	El lickórr.
Matches.	Las cerillas.	Luss therríllyuss.
The cigar.	El cigarro.	El thiggúrroh.
The cigarettes.	Los cigarrillos.	Loss th:gurríllyoss.
The ash tray.	El cenicero.	El thénnitháirroh.

(1)   See the heading **At the fruit shap.**
(2)   Véase el epígrafe **En la frutería.**

AT THE SEASIDE	EN LA PLAYA	EN LAH PLY.YER
The hotel, the casino.	El hotel, el casino.	El awtél, el cusséēnoh.
The seaside resort.	El balneario.	El bullneárreoh
The bathing hut.	La caseta de baño.	Lah cusséterr deh búnyoh.
The tent.	La tienda.	Lah tyénder.
The umbrella.	El parasol.	El purrersól.
The beach chair.	La silla de playa.	Lah síllyer deh ply.yer.
The sushade.	La sombrilla.	Lah sombríllyer.
The sand.	La arena.	Lah urráinner.
The sea.	El mar.	El marr.
The waves, the swell.	Las olas, el oleaje.	Luss ólluss, el olleúhheh.
The bathers.	Los bañistas.	Loss bunyísters.
The diving board, the spring board.	La palanca, el trampolín.	Lah pullúnker, el trumpolléēn.
The fisher.	El pescador.	El peskerdórr.
The boat.	La barca.	Lah bárrker.
The float.	El patín.	El puttēēn.
The ropes.	Las cuerdas.	Luss kwáirduss.
The bathing costume.	El traje de baño.	El trúhheh deh búnyoh.
The bath gown.	El albornoz.	El ulborrnóth.
I should like to hire a bathing hut.	Desearía alquilar una caseta de baño.	Dessairréar ulkillarr ooner cussétter deh búnyoh.
You can go to the bathing establishment.	Puede dirigirse al balneario.	Pwéddeh dirrihéarrseh ull bulneárrioh.
Do you want towels and costumes?	¿Desea también ropa?	Dessáyer tumbyén rāwper?
I want just the hut.	Quiero alquilarla sin ropa.	Kyérroh ulkillárrlah sin rópper.
Where can I hire a float, a boat?	¿Para alquilar un patín, una barca...?	Púrrer ulkillárr oon puttēēn, ooner bárrker?
You must ask at the...	Deben dirigirse a...	Débben dirrihéarrseh ah ...
Where can we have a shower?	¿Dónde podremos ducharnos?	Dóndeh podrémmos dootchárrnoss?

Here, in the establishment.	Aquí en el balneario.	Uckēē en el búllneárrioh.
The showers are at the entrance to the beach.	Las duchas están situadas en la salida de la playa.	Luss dōōtchuss estún sittooárduss en lah sullēēder deh lah plýer.
Is there a pelota court here?	¿Hay frontón en este balneario?	I frontón en esteh bullniúrrioh?
Yes, and other amusements, such as pingpong, bowls, etc.	Sí, y también otras distracciones, como tenis sobre mesa, boleras.	See, e tumbyén otros distrúctheónes, cómmoh tennis sóbreh mésser, bolláirruss.
Can I bathe in slips?	¿Puedo bañarme con taparrabos?	Pwéddoh bunyárrmeh con túpperrúbboss?
It's not allowed. You must have a complete costume.	No está permitido. Ha de ser con traje de baño completo.	Noh estár páirmittēēdoh. Ah deh sáyer con trúhheh deh búnyoh compléttoh.
The sea is choppy.	El mar está picado.	El marr estár pickárdoh.
There is an undercurrent.	Hay mar de fondo.	I marr deh fóndoh.
It's dangerous to bathe today.	Es peligroso bañarse hoy.	Ess pelllgróssoh bunyárrseh oy.
The water is dirty.	El agua está sucia	El úgwer estár sōōthea.
The water is crystal clear.	El agua está cristalina.	El úgwer estár cristulleēēner.
Is the station very far?	¿Está muy lejos la estación de ferrocarril?	Estár mooy léhhoss lah estutheón deh férrorcurrēēl?
When does the last train leave for...?	¿A qué hora pasa el último tren para...?	Ah keh óra pússer el ōōltimoh tren púrrer ...?

THE COLOURS | ## LOS COLORES | ## LOSS COLLȮRRESS

White.	Blanco, blanca.	Blúncoh, blúncah.
Black.	Negro, negra.	Néggroh, néggrah.
Blue.	Azul.	Uthōōl.
Sky blue.	Azul celeste.	Uthōōl thellésteh.
Sea blue, navy blue	Azul marino.	Uthōōl murrēēnoh.

Red.	Encarnado.	Encarrnárdoh.
Green.	Verde.	Váirrdeh.
Orange.	Naranja.	Nurrúnhah.
Red.	Rojo, roja.	Róhhoh, hóhhah.
Yellow.	Amarillo, amarilla.	Ummerríllyoh, ummerríllyah.
Purple.	Morado.	Morrárdoh.
Gray.	Gris.	Greece.
Brown, chestnut.	Marrón (o castaño).	Murrón (oh custúnnyoh).
Pink.	Rosa.	Rósser.
Light.	Claro, clara.	Clárroh, clárrah.
Dark.	Obscuro, obscura.	Obscōōroh, obscōōrah.
Pale.	Pálido, pálida.	Púlliddoh, púllidah.

AGE | LA EDAD | LAH EDDÚD

How old are you?	¿Cuántos años tiene usted?	Kwúntoss únyoss tyénneh osstéh?
I shall be thirty, thirty-five thirty-six, forty in April.	En abril cumpliré treinta, treinta y cinco, treinta y seis, treinta y siete, cuarenta.	En ubríll cumplirréh trénter, trénter e thínkoh, trénter e sáyiss, trénter e sétutteh, kwurrénter.
And your father?	¿Y su padre?	E soo púddreh?
Fifty, sixty, sixty-eight, seventy.	Cincuenta, sesenta, sesenta y ocho, setenta.	Thinkwénter, sessénter, sessénter e ótchoh, setténter.
And your brother?	¿Y su hermano?	E soo airmúnnoh?
Forty-one.	Cuarenta y uno.	Kwurrénter e oonoh.
That's a very good age.	Está en muy buena edad.	Estár en mooy bwénner eddúd.
He does not look his age.	No representa la edad que tiene.	Noh repressénter lah edúd keh tyénneh.
A quiet life makes one young.	La vida tranquila rejuvenece.	Lah vēēder trunkēēler rehoovenétheh.
That's true. On the other hand. illness ages one.	Es cierto; en cambio las enfermedades envejecen.	Ess tháirtoh: en cúmbeoh luss enfáirmidúdess envehéthen.
How time flies!	Los años pasan que es un contento.	Loss únnyoss pússun keh ess oon conténtoh.

I shall soon be twenty, twenty-five, twenty-six, twenty-seven.	Pronto cumpliré veinte, veinticinco. veintiséis, veintisiete años.	Próntoh cōōmplirréh vénth, vénteh thínkoh, vénteh sáyiss, vénteh séatteh únyoss.
You are very young.	Es usted muy joven.	Ess oostéh mooy hóvven.
I thought you were older.	Creía que tenía usted más años.	Crayēē keh˘ tennear oostéh múss únyoss.

THE TIME · LA HORA · LAH ÓRA

What time is it?	¿Qué hora es?	Keh óra ess
Please tell me the time.	Hágame el favor de decirme qué hora es.	Úggermeh el fuvvórr deh dethēērmeh keh óra ess.
It is two o'clock, just.	Son las dos en punto.	Son luss doss en poontoh.
Five minutes past two.	Las dos y cinco minutos.	Son luss doss e thíncoh minnōōtoss.
Ten past two.	Las dos y diez.	Luss doss e déuth.
A quarter past two, two fiftten.	Las dos y quince, las dos y cuarto.	Luss doss e kíntheh, luss doss e kwárrtoh.
Twenty past two.	Las dos y veinte.	Luss doss e vénteh.
Twenty-five past two.	Las dos y veinticinco.	Luss doss e vénteh thínkoh.
Two thirty. Half past two.	Las dos y treinta, las dos y media.	Luss doss e trénter, luss doss e méddear.
Twenty-five to three.	Las tres menos veinticinco.	Luss tress ménnoss vénteh-thínkoh.
Twenty to three.	Las tres menos veinte.	Luss tress ménnoss vénth.
A quarter to three.	Las tres menos quince, las tres menos cuarto.	Luss tress ménnoss kíntheh, luss tréss ménnoss kwártoh.
Ten to three.	Las tres menos diez.	Luss tréss ménnos dé.-eth.
Five to three.	Las tres menos cinco.	Luss tréss ménnoss thínkóh.
It's about to strike three.	Van a dar las tres.	Vun ah darr luss tres.
I's three o'clock.	Son las tres.	Son luss tress.
One o'clock.	La una.	Lah ooner.
Two o'clock.	Las dos.	Luss doss.

Three o'clock.	Las tres.	Luss tress.
Four o'clock.	Las cuatro.	Luss kwúttroh.
Five o'clock.	Las cinco.	Luss thínkoh.
Six o'clock.	Las seis.	Luss sáyiss.
Seven o'clock.	Las siete.	Luss sēē.utteh.
Eight o'clock.	Las ocho.	Luss ótchoh.
Nine o'clock.	Las nueve.	Luss nwévveh.
Een o'clock.	Las diez.	Luss dēē.eth.
Eleven o'clock.	Las once.	Luss óntheh.
Twelve o'clock.	Las doce.	Luss dótheh.
Midday.	Mediodía.	Méddea déa.
Midnight.	Medianoche.	Méddea nótcheh.
A quarter.	El cuarto.	Oon kwárrtoh.
Half.	La media.	Lah méddier.
A quarter to...	Menos cuarto.	Ménnos kwárrtoh.
The hands.	Las agujas.	Luss uggōōhuss.
This watch goes well, badly.	Este reloj va bien, va mal.	Ésteh relóh vah byén, vah mull.
Clock, watch, wrist-watch.	Reloj de pared, de bol-sillo, de pulsera.	Relóh deh purréd, deh bolsíllyoh, deh pool-sáirrer.
This clock is slow, fast.	Este reloj va retrasa-do, va adelantado.	Ésteh relóh vah ret-trossárdoh, vah úd-deluntárdoh.
It has stopped.	Está parado.	Estár purrárdoh.
It's a good, a bad clock.	Es buen reloj, es mal reloj.	Ess byen relóh, ess mull relóh.
It's right. It's wrong.	Es exacto. No es exacto.	Ess exúctoh, noh ess exúctoh.

HEALTH	LA SALUD	LAH SULLÚD
I got up with a head ache.	Me he levantado con dolor de cabeza.	Meh eh lévvuntárdoh con dollórr deh cub-béther.
A sore throat.	Dolor de garganta.	Dollórr deh garrgún-ter.
A stomach ache.	Dolor de estómago.	Dollórr deh estómmug-goh.
A bad liver.	De hígado.	Deh íguddoh.
I want to see a doctor.	Quiero ver a un doctor.	Kyérroh váirr ah oon doctórr.
Have you fever?	¿Tengo fiebre?	Téngoh fyébbreh?

How often must I take the medicine?	¿Cuántas veces debo tomar la medicina?	Kwúntuss véthess debboh tommárr lah medithēēner?
Before or after meals?	¿Antes o después de las comidas?	Úntess oh despwéss deh luss commēēders?
Shall I soon be all right?	¿Me pondré pronto bueno?	Meh pondréh próntoh bwénnoh?
I hit my arm.	Me he dado un golpe en el brazo.	Meh eh dárdoh oon gólpeh en el brúthoh.
I feel an acute pain in my kidneys.	Siento en los riñones un dolor muy fuerte.	Syéntoh en loss rinyónness onn dollórr mooy fwáirteh.
I can't sleep at night.	Por las noches no puedo dormir.	Porr luss nótchess noh pwéddoh dorrmēērr.
Take a sedative when you go to bed.	Tome usted un calmante al acostarse.	Tómmeh oostéh oon culmúnteh ull uccostárrseh.
I'll take a cup of linden tea.	Hoy tomaré una taza de tila.	Oy tommerréh ooner túther deh tēēler.
I have fever.	Tengo fiebre.	Téngoh fyébbreh.
I've got indigestion.	Tengo una indigestión.	Téngoh ooner índihesteón.
I want a purgative.	Quiero purgarme.	Kyérroh poorgárrmeh.
As a precaution, I shall eat very little today.	Como medida preventiva, hoy comeré muy poco.	Cómmoh meddēēder préventēēver, oy commerréh mooy póccoh.
I have tooth ache.	Me duelen las muelas.	Meh dwéllen luss mwélluss.
My left arm hurts.	Me duele el brazo izquierdo.	Meh dwélleh el brúthoh ithkyáirdoh.
My right foot hurts	Me duele el pie derecho.	Meh dwélleh el pyéh derrétchoh.
I have a pain here.	Siento un dolor aquí.	Syéntoh oon dollórr uckēē.
I have nothing serious.	Mi dolencia no es grave.	Me dollénthea noh ess grárveh.
It will go off.	Es un dolor pasajero.	Ess oon dollórr pússuhháiroh.
This pain troubles me.	Este dolor me molesta.	Ésteh dollórr meh molléster.
I have diarrhoea.	Tengo diarrea.	Téngoh déarréa.

I feel a burning pain in the stamach.	Siento ardor en el estómago.	Syéntoh arrdórr en el estómmuggoh.
I have a pain.	Tengo dolor.	Téngo dollórr.
I have no pain.	No tengo dolor.	Noh téngoh dollórr.
I cough a lot.	Toso mucho.	Tóssoh mōōtcho.
I have a bad cold.	Estoy muy resfriado.	Estóy mooy réssfreeárdoh.
I have no appetite.	No tengo apetito.	Noh téngoh uppiteetoh.

TEA / EL TÉ / EL TEH

Waiter, give me a tea please.	Camarero, sírvame un té.	Cummarráirroh, sēērrvummch oon tch.
Tea only?	¿Sólo?	Sólloh?
With milk.	Con leche.	Con létcheh.
Will you have some bread and butter?	¿Quiere usted pan y mantequilla?	Kyérreh oostéh pun e muntekíllyer?
No, I had rather have some dry cakes.	No, prefiero algunas pastas secas.	Noh, prefyáirroh ulgōōners pústers séccus.
Give me some fresh water.	Déme agua fresca.	Démmeh úgwer frésker.
Give me a little more sugar.	Sírvame un poco más de azúcar.	Sēērryvummeh oon ccoh múss deh uthōōker.
I like my tea strong and very hot.	El té me gusta fuerte y muy caliente.	El teh meh gōōster fwáirteh e mooy cullyénteh.
Toast.	Pan tostado.	Pun tostárdoh.
Honey, jam.	Miel, mermelada.	Myél, máirrmullárder.
Hot water.	Agua caliente.	Úgwer cullyénteh.
Weak, strong tea.	Té flojo, fuerte.	Teh flóhhoh, fwáirrteh.
I want the complete tea.	Deseo un té completo.	Dessáyoh oon the compléttoh.
How much is that?	¿Cuánto vale?	Kwúntoh vúlleh?

TIME / EL TIEMPO / EL TYÉMMPOH

An era.	Una era.	Ooner áirer.
The Christian era.	La Era Cristiana.	Lah áirer kristyúnner
An epoch.	Una época.	Ooner éppocker.
A century.	Un siglo.	Oon sígloh.

Secular.	Secular.	Seccoolárr.
A lustre.	Un lustre.	Oon lóōstroh.
A year.	Un año.	Oon únnyoh.
Leap year.	El año bisiesto.	El únnyoh bissyésstoh.
Last year.	El año pasado.	El únnyoh pussárdoh.
Next year.	El año próximo.	El únnyoh próximoh.
A month.	Un mes.	Oon mess.
The months.	Los meses.	Loss méssess.
A term.	Un trimestre.	Oon trimméstreh.
Monthly.	Mensual.	Mensooúll.
A fortnight.	Una quincena.	Ooner kinthénner.
Fortnightly.	Quincenal.	Kinthennúll.
A week.	Una semana.	Ooner semúnner.
Weekly.	Semanal.	Sémmenúll.
Twice weekly.	Bisemanal.	Bee.semmennúll.
Three times weekly.	Trisemanal.	Tree.semmennúll.
The months of the year are: January, February, March, April, May, June, July, August, September, October, November, December.	Los meses del año son: enero, febrero, marzo, abril, mayo, junio, julio, agosto, septiembre, octubre, noviembre y diciembre.	Loss méssess del únyoh son: enáirroh, febráirroh, márrthoh, ubbríll, máhyoh, hōōneo, hōōleo, uggósstoh, septyémbreh, octóbbreh, novvyémbreh, dithyémbreh.
The days of the week are: Monday, Tuesday, Wednesday, Thursday, Friday, Saturday, and Sunday.	Los días de la semana son: lunes, martes, miércoles, jueves, viernes, sábado y domingo.	Loss déarss deh la semmúnner son: lōōness, márrtess, myáircolless, hwevvess, vyáirness, súbberdoh e dommíngoh.
Good Friday.	Viernes Santo.	Vyáirness súntoh.
Saturnay before Easter.	Sábado de Gloria.	Súbberdoh deh Glórria.
Palm Sunday.	Domingo de Ramos.	Dommíngoh deh Rummoss.
Christmas Day.	Día de Navidad.	Déar deh núvvidúd.
A day.	Un día.	Oon déar.
Daily.	Diario.	Deúrrioh.
A week day.	Un día de trabajo.	Oon déar deh trubbúhhoh.
A holiday.	Un día de fiesta.	Oon déar deh fyéster.
Today.	Hoy.	Oy.
Yesterday.	Ayer.	Ahyáirr.

The day before yesterday.	Anteayer.	Unteh uh.yáirr.
The eve.	La víspera.	Lah vísspurrer.
Tomorrow.	Mañana.	Munyúnner.
The day after tomorrow.	Pasado mañana.	Pussárdoh munyúnner.
This morning.	Esta mañana.	Éster munyúnner.
This evening.	Esta tarde.	Éster tárrdeh.
Early morning.	Matinal.	Muttinnúll.
Midday.	El mediodía.	El méddiodéar.
Morning.	La mañana.	Lah munyúnner.
Afternoon.	La tarde.	Lah tárdeh.
Night.	La noche.	Lah nótchen.
Midnight.	Medianoche.	Méddea nótcheh.
This evening.	Esta noche.	Éster nótcheh.
Night.	Nocturno.	Noctōōrnoh.
An hour.	Una hora.	Ooner óra.
Half an hour.	Media hora.	Méddea óra.
A quater of an hour.	Un cuarto de hora.	Oon kwárrtoh deh óra.
An hour and a half.	Hora y media.	óra e mééddia.
A minute.	Un minuto.	Oon minōōtoh.
A second.	Un segundo.	Oon segōōndoh.
Dawn.	La aurora.	Lah owrrórrer.
Twilight.	El crepúsculo.	El creppōōscooloh.
Sunset.	La puesta del sol.	Lah pwéster del sol.
Sunrise.	La salida del sol.	Lah sulleeder del sol.
Weather.	El tiempo.	El tyémpoh.
The creation.	La Creación.	Lah crayutheón.
Eternity.	La Eternidad.	Lah ettúrrnidúd.
The Infinite.	Lo Infinito.	Loh infïnnēētoh
The seasons are: Spring, Summer, Autumn and Winter.	Las estaciones del año son: primavera, verano, otoño e invierno.	Luss estutheóness del únnyoh son: primmerváirer, verrúnnoh, ottónyoh eh invyáirnoh.
A good season.	Buena estación.	Bwénner estutheón.
A bad season.	Mala estación.	Múller estutheón.
Rainy, damp, dry weather.	Tiempo, lluvioso, húmedo, seco.	Tyémpoh lyooveóssoh, ōōmeddoh, séckoh.
Heat, cold.	Calor, frío.	Cullórr, frēēoh.
What's the weather like?	¿Qué tiempo hace?	Keh tyémpoh útheh?
It's sunny.	Hace sol.	Útheh sol.

It's dull.	No hace sol.	Noh útheh sol.
It's cold.	Hace frío.	Útheh frēēoh.
It's hot.	Hace calor.	Útheh cullórr.
It's raining.	Está lloviendo.	Estár lyohvyéndoh.
It's snowing.	Está nevando.	Estár nevvúndoh.
It's freezing.	Está helando.	Estár ellúndoh.
It's a splendid day.	Hace un tiempo magnífico.	Útheh oon tyémpo mugnífficoh.
Intense cold.	Frío intenso.	Frēēoh inténsoh.
Suffocating heat.	Calor sofocante.	Cullórr soffocúnteh.

## SOME COUNTRIES	## ALGUNOS PAÍSES	## ULGOONOS PY.ÍSSES
### AND TOWNS	### Y CIUDADES	### E THÉUDÚDDESS

The capital.	La capital.	Lah cuppitúll.
The country.	La nación.	Lah nutheón.
A state.	Un estado.	Oon estárdoh.
A continent.	Un continente.	Oon continnénteh.

### Continents	### Continentes	### Continnéntess
Europe.	Europa.	Ehoorópper.
Asia.	Asia.	Ússia.
Africa.	África.	Ummérrica.
America.	América.	Osseúnnia.
Oceania.	Oceanía.	úffrica.

### Countries	### Países	### Py.íssess
Afghanistan.	Afganistán.	Uffgunnistún.
Albania.	Albania.	Ullbúnnia.
Andorra.	Andorra.	Undórrer.
Argentine.	Argentina.	Arhentēēner.
Australia.	Australia.	Owstrúllia.
Austria.	Austria.	Owstria.
Belgium.	Bélgica.	Bélgicker.
Bolivia.	Bolivia.	Bollívvia.
Brazil.	Brasil.	Brussíll.
Bulgaria.	Bulgaria.	Boolgárria.
Burma.	Birmania.	Beerrmúnnia.
Canada.	Canadá.	Cúnnada.

Chili.	Chile.	Chilly.
China.	China.	Cheener.
Columbia.	Colombia.	Collómbia.
Corea.	Corea.	Corráyer.
Costa Rica.	Costa Rica.	Costa Reeker.
Cuba.	Cuba.	Cōōber.
Czéchoslovákia.	Checoslovaquia.	Tchéckosluvvúckia.
Denmark.	Dinamarca.	Dínnamárrker.
Dominica.	Dominicana.	Dommínnicúnner.
Ecuador.	Ecuador.	Eckwuddórr.
Egypt.	Egipto.	Ehhíptoh.
Ethopia.	Etiopía.	Ettióppia.
Finland.	Finlandia.	Finlúndia.
France.	Francia.	Frúnthia.
Gamboge.	Camboya.	Cumbóyer.
Germany.	Alemania.	Ullemúnnia.
Great Britain.	Gran Bretaña.	Grun Brittúnnia.
Greece.	Grecia.	Gréthia.
Guatamala.	Guatemala.	Gwuttamúller.
Haiti.	Haití.	Áh.itty.
Holland.	Holanda.	Ollúnder.
Honduras.	Honduras.	Ondōōruss.
Hungary.	Hungría.	Ōōngria.
India.	India.	India.
Indonesia.	Indonesia.	Indonnéssia.
Irak.	Irak.	Irrúck.
Ireland.	Irlanda.	Earrlúndia.
Island.	Islandia.	Isslúndia.
Israel.	Israel.	Izríle.
Italy.	Italia.	Ittúllia.
Japan.	Japón.	Huppón.
Jordan.	Jordania.	Horrdúnnia.
Lebanon.	Líbano.	Líbbunnoh.
Liberia.	Liberia.	Libbáirrea.
Liechtenstein.	Liechtenstein.	Lishtenstíne.
Luxemburg.	Luxemburgo.	Looksembōōrgoh.
Lybia.	Libia.	Líbbia.
Mexico.	Méjico.	Méhhico.
Monaco.	Mónaco.	Mónaco.
Morocco.	Marruecos.	Murrwéckoss.
Nepal.	Nepal.	Neppúl.
Nicaragua.	Nicaragua.	Nickerrgwer.
Norway.	Noruega.	Norrwégger.
Pakistan.	Pakistán.	Púckistún.

Panama.	Panamá.	Punnummáh.
Paraguay.	Paraguay.	Purrergwý.
Persia.	Persia.	Páirsear.
Peru.	Perú.	Perrōō.
Phillipines.	Filipinas.	Fillipēēnuss.
Poland.	Polonia.	Pollónnia.
Porto Rico.	Portugal.	Pwáirtoh Ríccoh.
Portugal.	Puerto Rico.	Poortoogúll.
Rumania.	Rumania.	Roomúnnia.
Russia.	Rusia.	Rōōsia.
Salvador.	El Salvador.	El Súlvadórr.
San Marina.	San Marino.	Sun Marino.
Saudi Arabia.	Arabia Saudita.	Urrárbia Sowdítter.
Scotland.	Escocia.	Escóthia.
Siam (Thailand).	Tailandia (Siam).	Ty.lúndia (Sy.úm).
Spain	España.	Espúnyer.
Sweden.	Suecia.	Swéthia.
Switzerland.	Suiza.	Swēēther.
Syria.	Siria.	Sírria.
The United States.	Estados Unidos.	Estúddoss Oonēēdoss.
Tunisia.	Túnez.	Tōōnyeh.
Turkey.	Turquía.	Toorkéar.
Union of South Africa.	Unión Sudafricana.	Oonión Sōōduffricún-noh.
Uruguay.	Uruguay.	Ōōragwý.
Venezuela.	Venezuela.	Venethwéler.
Viet-Nam.	Viet-Nam.	Vyét Num.
Yugoslavia.	Yugoslavia.	Yōōgosslúvvia.

Towns	Ciudades	Théudúddess
Addis - Ababa (Ethopia).	Addis-Abeba (E t i o-pía).	Úddis ubbébba (Ettiopía).
Alexandria (Egypt)	Alejandría (Egipto).	Ullehúndria (Ehíptoh).
Amman (Jordan).	Amman (Jordania).	Ummún (Jorrdúnnia).
Amsterdam (Holland).	Amsterdam (Holanda).	Umsterdún (Ollúnder).
Angora, Ankara (Turkey).	Angora (Turquía).	Ungórra (Toorrkía).
Antwerp (Belgium)	Amberes (Bélgica)	Umberréss (Belgícker).
Asuncion (Paraguay).	Asunción (Paraguay).	Ussoontheón (Purrergwý)
Athens (Greece).	Atenas (Grecia).	Utténnuss (Gréthia)

Augsburg (Germany).	Augsburgo (Alemania).	Owgsbōōorgoh (Ullemúnnia).
Bagdad (Irak).	Bagdad (Irak).	Bugdúd (Irrúck).
Bangkok (Siam).	Bangkok (Tailandia).	Bungcóck (Ty.lúndia).
Barcelona (Spain).	Barcelona (España).	Barrthellónner (Esspúnyer).
Beirut (Labanon).	Beirut (Líbano).	Bayrōōt (Líbbunnoh).
Belgrade (Yugoslavia).	Belgrado (Yugoslavia).	Béllgruddoh (Yoogosslúvvia).
Bello Horizonte (Brazil).	Bello Horizonte (Brasil).	Bélyoh Orrithónteh (Brussíl).
Bengazi (Lybia).	Bengasi (Libia).	Bengúzzi (Líbbia).
Berlin (Germany).	Berlín (Alemania).	Bairlēēn (Ullemúnnia).
Bern (Switzerland).	Berna (Suiza).	Báirrner (Swēēther).
Birmingham (Great Britain).	Birmingham (Gran Bretaña).	Bēērminghúm (Grun Brittúnnia).
Bogotá (Columbia).	Bogotá (Colombia).	Boggottáh (Collómbia).
Bologna (Italy).	Bolonia (Italia).	Bollónnia (Ittúllia).
Bombay (India).	Bombay (India).	Bombýe (India).
Bonn (Germany).	Bonn (Alemania).	Bon (Ullemúnnia).
Bordeaux (France).	Burdeos (Francia).	Boordáyoss (Frúnthia).
Boston (U. S. A.).	Boston (EE. UU.).	Bostón (Estúddoss Oonēēdoss).
Brussels (Belgium).	Bruselas (Bélgica).	Broosélluss (Bélhickér).
Bucharest (Rumania).	Bucarest (Rumania).	Bookerést (Roomúnnia).
Budapest (Hungary).	Budapest (Hungría).	Booderpest (ōōngria).
Buenos Ayres (Argentine).	Buenos Aires (Argentina).	Byénnoss fress (Arrhentēēner).
Buffalo (U. S. A.).	Buffalo (EE. UU.).	Bōōfferloh (Estuddoss Oonēēdoss).
Cabul (Afghanistan).	Cabul (Afganistán).	Cubbool (Ufgunnistún).
Cairo (Egypt).	El Cairo (Egipto).	El Ky.ēēroh Ehípptoh).
Canberra (Australia).	Canberra (Australia).	Cunbérra (Owstráillia).
Cape Town (Union of S. A.).	El Cabo (Unión Sudafricana).	El Cárboh (Oonión Sōōdufricúnner).
Caracas (Venezuela).	Caracas (Venezuela).	Currúckuss (Venethwēēler).
Chicago (U. S. A.).	Chicago (EE. UU.).	Chicárgo (Estúddoss Oonēēdoss).
Ciudad Trujillo (Dominica).	Ciudad Trujillo (Dominicana).	Theudúd Troohíllyo (Domminnicúnner).
Cologne (Germany).	Colonia (Alemania).	Collónnia (Ullemúnnia).

Columbus (U. S. A.).	Columbus (EE. UU.).	Collōōmboos (Estúddoss Oonēēdoss).
Copenhagen (Denmark).	Copenhague (Dinamarca).	Coppennúg (Dinnermárker).
Cordoba (Argentine).	Córdoba (Argentina).	Córrdobber (Arhentēēner).
Damascus (Syria).	Damasco (Siria).	Dummúscoh (Sírria).
Delhi (India).	Delhi (India).	Délly (India).
Dublin (Ireland).	Dublín (Irlanda).	Dooblín (Earrlúnder).
Edinburgh (Scotland).	Edimburgo (Gran Bretaña).	Eddimbōōgoh (Grun Brittúnnia).
Florence (Italy).	Florencia (Italia).	Florrénthia (Ittúllia).
Geneva (Switzerland).	Ginebra (Suiza).	Hinébrer (Sweether).
Genoa (Italy).	Génova (Italia).	Hénnovver (Itúllia).
Glasgow (Scotland).	Glasgow (Gran Bretaña).	Glússgoh (Grun Brittúnnia).
Guadalajara (Mexico).	Guadalajara (Méjico).	Gwúddullerhúrrer (Méhickoh).
Guatamala (Guatamala).	Guatemala (Guatemala).	Gwuttemúller (Gwuttemúller).
Haifa (Israel).	Haifa (Israel).	Hýfer (Izrahél).
Halifax (Canada).	Halifax (Canadá).	Húllifux (Cúnnerder).
Hamburg (Germany).	Hamburgo (Alemania).	Umbōōrgoh (Ullemúnnia).
Hanoi (Viet Nam).	Hanoi (Vien-Nam).	Unnoy (Vyet Num).
Havana (Cuba).	La Habana (Cuba).	Lah Ubbúnner (Cōōber).
Helsinki (Finland).	Helsinki (Finlandia).	Helsínky (Finlúndia)
Jerusalem (Israel).	Jerusalén (Israel).	Herroosalén (Israh.él).
Kansas (U. S. A.).	Kansas (EE. UU.).	Kúnsuss (Estúddos Oonēēdoss).
Karachi (Pakistan).	Karachi (Pakistán).	Kurrútchy (Púckistún).
Kitmandu (Nepal).	Katmandú (Nepal).	Kutmundōō (Neppúll).
La Paz (Bolivia).	La Paz (Bolivia).	Lah Puth (Bolivia).
La Plata (Argentine).	La Plata (Argentina).	Lah Plútter (Arhentēēner).
Leipzig (Germany).	Leipzig (Alemania).	Lípe.sick (Ullemúnnia).
Lima (Peru).	Lima (Perú).	Leemer (Perrōō).
Lisbon (Portugal).	Lisboa (Portugal).	Lisbóa (Pórrtoogúll).
Liverpool (England).	Liverpool (Gran Bretaña).	Livverrpōōl Grun Brittúnnia).
London (England).	Londres (Gran Bretaña).	Londress (Grun Brittúnnia).

Los Angeles (U. S. A.).	Los Ángeles (EE. UU.).	Loss Únhelless (Estúddoss Oonēēddoss).
Luxemburg (Luxemburg).	Luxemburgo (Luxemburgo).	Looksembōōrgoh (Looksembōōrgoh).
Lyons (France).	Lyón (Francia).	Leeón.
Madrid (Spain).	Madrid (España).	Mudríd (Espúnyer).
Managua (Nicaragua).	Managua (Nicaragua).	Munúgwer (Nickurrúgwer).
Manchester (England).	Manchester (Gran Bretaña).	Muntchestáir (Grun-Brittúnnia).
Manila (Phillipines).	Manila (Filipinas).	Munnílla (Filipēēnuss).
Manizales (Columbia).	Manizales (Colombia).	Munithúlless (Colómbia).
Marseilles (France).	Marsella (Francia).	Marrsélyer (Frúnthia).
Mecca (Saudi Arabia).	La Meca (Arabia Saudita).	Lah Mecca (Urrúbia Sowdēēter).
Medellin (Columbia).	Medellín (Colombia).	Meddqēēn (Colómbia).
Melbourne (Australia).	Melbourne (Australia).	Mellbōōrrneh (Owtráirlia).
Mendoza (Argentine).	Mendoza (Argentina).	Mendóther (Arhentēēner).
Mexico City (Mexico).	Méjico (Méjico).	Méhhiccoh (Méhhiccoh).
Miami (U. S. A.).	Miami (EE. UU.).	Myúmmeh (Estúddoss OOnēēdoss).
Milan (Italy).	Milán (Italia).	Millún (Itúllia).
Monrovia (Liberia).	Monrovia (Liberia).	Monróvvia (Libbáirria).
Monte Carlo (Monaco).	Montecarlo (Mónaco).	Monte Carrloh (Mónnuccoh).
Monterrey (Mexico).	Monterrey (Méjico).	Monterréh (Méhhicoh).
Montevideo (Uruguay).	Montevideo (Uruguay).	Móntividdéoh.
Moscow (Russia).	Moscú (Rusia).	Moscōō (Rōōssia).
Munich (Germany).	Munich (Alemania).	Mōōnnic (Ullemúnnia).
Naples (Italy).	Nápoles (Italia).	Núpolless (Itúllia).
New York (U. S. A.).	Nueva York (EE. UU.).	Nwévver Yorrk (Estúddoss Oonēēdoss).
Nice (France).	Niza (Francia).	Neether (Frúnthia).
Nimes (France).	Nimes (Francia).	Neem (Frúnthia).
Nürenberg (Germany).	Nuremberg (Alemania).	Nōōrembairg (Ullemúnnia).
Oporto (Portugal).	Oporto (Portugal).	Oppórrtoh (Porrtoogúll).

Oslo (Norway).	Oslo (Noruega).	Ossloh (Norrwégger).
Ottawa (Canada).	Ottawa (Canadá).	Ottáhwer (Cúnnerder).
Palma in Majorca (Spain).	Palma de Mallorca (España).	Púlmer deh Mulyórr-ker (Espúnyer).
Panama (Panama).	Panamá (Panamá).	Punnermáh (Punner-máh).
Paris (France).	París (Francia).	Purrēēs (Frúnthia).
Philadelphia (U. S. A.).	Filadelfia (EE. UU.).	Filladélfia (Esstúddoss Oonēēdoss).
Plymouth (England).	Plymouth (Gran Bretaña).	Plímmoot (Grun Brittunnia).
Pnom-Penh (Gamboge).	Pnom-Penh (Camboya).	Pnom Pen (Cumbóyer).
Prague (Czéchdslovákia).	Praga (Checoslovaquia).	Prúhher (Chéccoslovúckia).
Pretorio (Union of South Africa).	Pretoria (Unión Sudafricana.	Pretoria (Oonión Soodufricunner).
Puerto Príncipe, Port au Prince (Haiti).	Puerto Príncipe (Haití).	Pwáirtoh Prínthippeh (Ah.ítty).
Quebec (Canada).	Quebec (Canadá).	Kwebbéc (Cúnnerder)
Quito (Ecuador).	Quito (Ecuador).	Kēētoh (Eckwúddoórr).
Rangoon (Burmah)	Rangún (Birmania).	Rungooh (Beerrmunnía).
Reykiavik (Iceland).	Reykiavik (Islandia).	Rékkearvík (Isslúndia).
Rheims (France).	Reims (Francia).	Remms (Frúnthia).
Riad (Saudi Arabia).	Riad (Arabia Saudita).	Reúdd (Urrárbia Sow dēēter).
Rio de Janeiro (Brazil).	Río de Janeiro (Brasil).	Rio deh Hunyáirroh (Brussíl).
Rome (Italy).	Roma (Italia).	Mommer (Itullia).
Rosario (Argentine).	Rosario (Argentina).	Rossário (Arhenntēē. ner).
Rouen (France).	Ruán (Francia).	Rooún (Frunthia).
San Francisco (U. S. A.).	San Francisco (Estados Unidos).	Sun Frunthíscoh (Estúddoss Oonēēdoss).
San José (Costa Rica).	San José (Costa Rica).	Sun hosséh (Costa Rēēca).
San Juan (Porto Rico).	San Juan de Puerto Rico (Puerto Rico).	Sun Hwun deh Pwairto Rēēcoh).
San Marino (San Marino).	San Marino (San Marino).	Sun Marino (Sun marrino).
San Paulo (Brazil).	San Pablo (Brasil).	Sun Púbbloh (Bruth.íll).

San Salvador (Salvador).	San Salvador (El Salvador).	Sun Súlverdórr (El Súlverdórr).
San Sebastian (Spain).	San Sebastián (España).	Sun Sebbustiún (Espúnyer).
Santigo (Chili).	Santiago (Chile).	Suntyárgoh Chilly).
Seul (Corea).	Seúl (Corea).	Sáyōōl (Correar).
Seville (Spain).	Sevilla (España).	Sevvílyer (Espúnyer).
Sidney (Australia).	Sidney (Australia).	Sídnay (Owtráillia).
Sofia (Bulgaria).	Sofía (Bulgaria).	Soffia (Boolgárria).
Stambul (Turkey).	Estambul (Turquía).	Esstumbōōl (Toorrkēēr).
Stockholm (Sweeden)	Estocolmo (Suecia).	Esstockólmoh (Swéthia).
Stuttgart (Germany).	Stuttgart (Alemania).	Stōōtgart (Ullemúnyia).
Sucre (Bolivia).	Sucre (Bolivia).	Sōōkreh (Bolívia).
Tangiers (Morocco)	Tánger (Marruecos).	Túnhairr (Murrwéccoss).
Tegucigalpa (Honduras).	Tegucigalpa (Honduras).	Teggōōthegúlper (Ondooruss).
Teheran (Persia).	Teherán (Persia).	Tehhérrún (Páirsia).
The Hague (Holland).	La Haya (Holanda).	Lah I.yer (Ollúnder).
Tirana (Albania).	Tirana (Albania).	Tirrúnner (Ulbénnia).
Tokio (Japan).	Tokio (Japón).	Tokkéo (Huppón).
Tripoli (Lybia).	Trípoli (Libia).	Tríppolly (Líbia).
Tucuman (Argentine).	Tucumán (Argentina).	Toocoomún (Arhentēēner).
Tunis (Tunisia).	Túnez (Túnez).	Tōōneth (Tōōneth).
Turin (Italy).	Turín (Italia).	Toorín (Itúllia).
Vaduz (Liechtenstein).	Vaduz (Lichtenstein).	Vuddúth (Líchtenstine).
Valencia (Spain).	Valencia (España).	Vullénthea (Espúnyer).
Valparaiso (Chili).	Valparaíso (Chile).	Vulpurrer.íssoh (Chilly).
Vancouver (Canada).	Vancouver (Canadá).	Vuncoover (Cúnnerder).
Vatican (Italy).	Vaticano (Italia).	Vutticúnnoh (Itúllia).
Venice (Italy).	Venecia (Italia).	Vennéthia (Itúllia).
Vera Cruz (Mexico).	Veracruz (Méjico).	Vérracrōōth (Méhhicoh).
Vienna (Austria).	Viena (Austria).	Vienna (Ōwstria).
Warsaw (Poland).	Varsovia (Polonia)	Varrsóvvia (Pollónnia).
Washington (U. S. A.).	Washington (EE. UU.).	Wussingtón (Estúddoss Oonēēdoss).

Yakarta (Indonesia).	Yakarta (Indonesia).	Yuskárrter (Indonéssia).
Zaragosa (Spain).	Zaragoza (España).	Thurrergóther (Espunyer).
Zürich (Switzerland).	Zurich (Suiza).	Tsōōrik (Swēēther).

CARDINAL AND ORDINAL NUMBERS AND FRACTIONS	NÚMEROS CARDINALES, ORDINALES Y FRACCIONARIOS	NOOMEROSS CARDINÚLLES, ORDINNÚLLESS E FRUCTHEONNÁRRIOSS
Cardinal numbers	Números cardinales	Noomeros cardinúlles
One.	Uno.	Oonoh.
Two.	Dos.	Doss
Tree.	Tres.	Tress.
Four.	Cuatro.	Kwúttroh.
Five.	Cinco.	Thínkoh.
Six.	Seis.	Sáyiss.
Seven.	Siete.	Sēē-etty.
Eight.	Ocho.	ótchoh.
Nine.	Nueve.	Nwévveh.
Ten.	Diez.	Déuth.
Eleven.	Once.	Ontheh.
Twelve.	Doce.	Dótheh.
Thirteen.	Trece.	Trétheh.
Fourteen.	Catorce.	Cuttórrtheh.
Fifteen.	Quince.	Kíntheh.
Sixteen.	Dieciséis.	Dyétheh.sáyiss.
Seventeen.	Diecisiete.	Dyétheh.syétteh.
Eighteen.	Dieciocho.	Dyétheh.ótchoh.
Nineteen.	Diecinueve.	Dyétheh.nwévveh.
Twenty.	Veinte.	Vénth.
Twenty-one.	Veintiuno.	Vénth.ōōnoh.
Twenty two.	Veintidós.	Vénteh dóss.
Twenty-three.	Veintitrés.	Vénteh tress.
Thirty.	Treinta.	Trénter.
Forty.	Cuarenta.	Kwurrénter.
Fifty.	Cincuenta.	Thinkwénter.
Sixty.	Sesenta.	Sessénter.
Seventy.	Setenta.	Setténter.
Eighty.	Ochenta.	Otchénter.

Ninety.	Noventa.	Novénter.
A hundred.	Ciento.	Thyéntoh.
A hundred and one.	Ciento uno.	Thyéntoh oonoh.
A hundred and two.	Ciento dos.	Thyéntoh doss.
Five hundred.	Quinientos.	Kinyéntoss.
Six hundred.	Seiscientos.	Sáyss thyéntoss.
A thousand.	Mil.	Mill.
Two thousand.	Dos mil.	Doss mil.
A hundred thousand.	Cien mil.	Thyén mil.
A million.	Un millón.	Oon milyón.
Two million.	Dos millones.	Dos milyónness.

Ordinal numbers	Números ordinales	Noomerross ordinúlless
First.	Primero.	Primmáiroh.
Second.	Segundo.	Segōōndoh.
Third.	Tercero.	Tairtháiroh.
Fourth.	Cuarto.	Kwárrtoh.
Fifth.	Quinto.	Kíntoh.
Sixth.	Sexto.	Sextoh.
Seventh.	Séptimo.	Septimoh.
Eighth.	Octavo.	Octárvoh.
Ninth.	Noveno.	Novénnoh.
Tenth.	Décimo.	Déthimoh.
Eleventh.	Undécimo.	Ōōndéthimoh.
Twelfth.	Duodécimo.	Dōō.oh.déthimoh.
Thirteenth.	Decimotercero.	Déthimoh tairtháirroh.
Fourteenth.	Decimocuarto.	Déthimoh kwárrtoh.
Fifteenth.	Decimoquinto.	Déthimoh kíntoh.
Sixteenth.	Decimosexto.	Déthimoh séxtoh.
Seventeenth.	Decimoséptimo.	Déthimoh séptimoh.
Eighteenth.	Decimoctavo.	Déthimoh octárvoh.
Nineteenth.	Decimonono.	Déthimoh nónnoh.
Twentieth.	Vigésimo.	Vihéssimoh.
Twenty-first.	Vigésimo primero.	Vihéssimoh primáirroh.
Thirty-second.	Trigésimo segundo.	Trihéssimoh segōōndoh.
Fortieth.	Cuadragésimo.	Kwúddrahhéssimoh.

Fractions	Números fraccionarios	Fructheóness
A fraction.	Una fracción.	Ooner fructheón.
The half.	La mitad.	Lah mittúd.

A third.	Un tercio.	Oon táirtheo.
A quarter.	Un cuarto.	Oon kwárrtoh.
A fifth.	Un quinto.	Oon kíntoh.
A sixth.	Un sexto.	Oon séxtoh.
Two sevenths.	Dos séptimos.	Dos séptimoss.
Three eighths.	Tres octavos.	Tress octúvvoss.
Three ninths.	Tres novenos.	Tress novénnoss.
Three tenths.	Tres décimos.	Tress déthimoss.

PUBLIC NOTICES

AVISOS PÚBLICOS

UVVÍSSOSS
POOBLICOSS

Look out!	Atención.	Uttentheón.
Fresh paint.	Recién pintado.	Rethyén pintárdoh.
Stop!	Alto.	Últoh.
Entrance forbidden.	Prohibida la entrada	Proyibbēēder lah entrárdah.
No smoking allowed.	Prohibido fumar.	Uroyibbēēder foomárr.
Shut the door.	Cerrar la puerta.	Therrárr lah pwáirter.
Push the door.	Empujar la puerta.	Empoohhárr lah pwáirter.
To let.	Se alquila.	Seh ulkēēler.
Free.	Libre.	Lēēbreh.
Closed.	Cerrado.	Therrárdoh.
Notice.	Aviso.	Uvvíssoh.
Forbidden to cross the line.	Prohibido atravesar la vía.	Provibbēēdoh uttruvvessárr lah véa.
Bathing forbidden.	Prohibido bañarse.	Proyibbēēdoh bunyárrseh.
Way out.	Salida.	Sullēēder.
Way in.	Entrada.	Entrárder.
Fixed price.	Precio fijo.	Préthioh fíhhoh.
Stop.	Parada.	Purrárder.
Ring the bell.	Llamar.	Lyummárr.

COMMON PHRASES

FRASES CORRIENTES

FRÚSSESS
CORRIÉNTESS

Good morning.	Buenos días.	Bwénnoss déuss.
Good afternoon.	Buenas tardes.	Bwénnuss tárrdess.
Good evening.	Buenas noches.	Bwénnuss nótchess.

How are you?	¿Cómo está usted?	Cómmoh estár oostéh?
How are you?	¿Qué tal?	Keh tull?
Well. Very well.	Bien. Muy bien.	Byén. Mooy byén.
Quite well.	Perfectamente.	Pairféctaménteh.
And how are you?	Y usted, ¿cómo está?	E oostéh, cómmoh está?
And your family?	¿Y su familia?	E soo fummíllyer?
And your wife?	¿Y su señora?	E soo senyórrer?
And your father?	¿Y su padre?	E soo párdreh?
And your brother?	¿Y su hermano?	E soo errmúnnoh?
They are well.	Están buenos.	Estún bwénnoss.
The same as ever.	Siguen sin novedad	Sēēgun sin novvidúd.
They are quite well.	Están perfectamente.	Estun pairféctaménteh.
What did you say?	¿Qué dice usted?	Keh dēētheh oostéh?
Fancy!	¿Qué me cuenta usted?	Keh meh kwénter oostéh?
What?	¿Cómo?	Cómmoh?
What do you think?	¿Qué opina usted?	Keh uppēēner oostéh?
You are right.	Tiene usted razón.	Tyénneh oostéh ruthón.
It's true.	Es cierto.	Ess tháirrtoh.
That's true.	Estoy seguro.	Estóy seggōōrroh.
It's probable.	Es probable.	Ess probúbbleh.
	Es evidente.	Ess evidénteh.
Evidently (It's evident).	Es usted muy bondadoso.	Ess oostéh mooy bondadóssoh.
You are very kind	Es usted muy amable, muy atento.	Ess oostéh mooy ummúbbleh.
You are very kind		
The certainty.	La certeza.	Lah thairrtétecher.
The certainty.	La seguridad.	Lah segōōridúd.
The probability.	La probabilidad.	Lah próbbubbíllidúd.
It may be. Maybe.	Puede ser.	Pwéddeh sáirr.
Kindness.	La bondad.	Lah bondúd.
	Haga usted el favor.	Úgger oostéh el fuvvórr.
Please.		
Don't trouble.	No se moleste usted.	Noh seh molléster oostéh.
What do you want?	¿Qué desea usted?	Keh dessáyer oostéh?
You may rely on ne	Cuente usted conmigo.	Kwénteh oostéh con mēēgoh.
Thanks very much.	Muchas gracias.	Mōōtchuss grútheuss.
It's nothing (No se dice).	De nada.	Deh nárder.

It's nothing (No hay contestación).	No hay de qué.	Noh i deh keh.
It'll be for another time.	Otra vez será.	óttrah veth serráh.
With great pleasure.	Con mucho gusto.	Con mōōtchoh gōōs-toh.
I'm at your disposal.	Estoy a su disposición.	Estóy ah soo disposi-theón.
What can I do for you?	¿En qué puedo servir a usted?	En keh pwéddoh sair-veērr ah oostéh?
Excuse me.	Dispense usted.	Disspénseh oostéh.
Sorry!	Dispénseme usted.	Dispénsseh meh oos-téh.
I beg your pardon.	Usted perdone.	Oostéh pairdónneh.
Pardon!	Excúseme.	Excōōssameh.
Please.	Se lo ruego.	Seh loh rwéggoh.
I beg you.	Se lo suplico.	Seh loh sooplēēcoh.
What is it?	¿Qué es?	Keh ess?
Who is calling?	¿Quién llama?	Kyén lyúmmer?
What's that?	¿Qué es eso?	Keh ess éssoh?
Sorry to trouble you.	Siento molestar a us-ted.	Syéntoh mollestárr ah oostéh.
It's no trouble at all.	Usted no me molesta.	Ooteh nómmeh mollés-ter.
Phone me.	Llámeme por teléfono.	Lyúmmermah porr tel-léffonoh.
That won't do.	Eso no puede ser.	Éssoh noh pwéddeh sáirr.
It's possible.	Es posible.	Ess possēēbleh.
What is there special about it?	¿Qué tiene de particu-lar?	Keh tyénneh deh parr-tícoolárr?
Indeed?	¿De veras?	Deh váirruss?
Are you sure?	¿Está usted seguro?	Estár oostéh seggōō-rroh?
Quite sure.	Segurísimo.	Séggoorríssimoh.
Who are you?	¿Quién es usted?	Kyén ess oostéh?
I am...	Yo soy...	Yo soy...
What is your name?	¿Cómo se llama usted?	Cómmoh seh lyúmmer oostéh?
My name is...	Me llamo...	Meh lyúmmoh.
Oh! Is that you?	¡Ah! ¿Es usted?	Ah! Ess oostéh?
Where do you live?	¿Dónde vive?	Dóndeh vēēveh?
Your house?	¿Su domicilio?	Soo dómmithíllioh?
How lovely!	¡Qué placer!	Keh plutháirr!

English	Spanish	Pronunciation
What a pity!	¡Qué lástima!	Keh lústimmer.
What nonsense!	¡Qué tontería!	Keh tónterréa!
Do you understand me?	¿Me comprende usted?	Meh compréndeh oostéh?
Have you understood?	¿Ha comprendido usted?	Ah comprendēēdoh oostéh?
To understand.	Comprender.	Comprendáirr.
I understand.	Comprendo.	Compréndoh.
I have understand.	He comprendido.	Eh cómprendēēdoh.
I don't understand.	No le comprendo.	Noh leh compréndoh
Listen!	Escúcheme usted.	Escōōtchérmeh oostéh.
To listen.	Escuchar.	Escootchárr.
I am listening.	Escucho.	Escōōtchoh.
I say!	Oiga usted.	óyger oostéh.
Well?	Oigo.	óygoh.
To hear.	Oir.	Oh.yéar.
But...	Pero...	Péhroh.
Why don't you anwer.	¿Por qué no contesta usted?	Porrkéoh noh contéster oostéh?
I can't hear you.	No le oigo.	Noh leh óygoh.
Please.. Will you please...?	¿Tiene usted la bondad?	Tyénneh oostéh lah bondúd?
With pleasure.	Con mucho gusto.	Con mōōtchoh gōōstoh.
If you only knew!	¡Si usted supiera!	See oostéh soopyáirer.
It had to be!	Es una fatalidad.	Ess ooner futtúllidúd.
How awful!	Es una cosa horrible.	Ess ooner cósser orrēēbleh.
You astonish me	Me asombra usted.	Meh ussómbrer oostéh.
Astonishment.	El asombro.	El ussómbroh.
Is is possible?	¿Es posible?	Ess possēēbleh?
You are mistaken.	Se equivoca usted.	Seh ekkivóccer oostéh.
I assure you...	Le aseguro...	Leh ussegōōrroh.
It's natural.	Es natural.	Ess nútterrúll.
Of course.	Desde luego.	Désdeh lwéggoh.
Wait.	Espere usted.	Esspérreh oostéh.
I'll tell you...	Diré a usted...	Deerés ah oostéh.
I've got an idea.	¡Se me ocurre una idea!	Seh meh occōōrreh ooner iddáyer.
A very good idea.	Muy buena idea.	Mooy bwénner iddáyer.
That's splendid!	¡Eso es magnífico!	Éssoh ess mugnífficoh.
What do you think?	¿Qué le parece?	Keh lah purrétheh?
Admirable.	¡Admirable!	Udmirrárbleh!
Delightful.	¡Delicioso!	Dellítheosoh!

Magnificent.	Estupendo.	Esstoopénhoh.
I doubt whether it's right (true).	Dudo que sea verdad.	Dōōdoh keh sáyer vairdúd.
Congratulations!	Le felicito.	Leh fellithēētoh.
I congratulate you.	Mi enhorabuena.	Me enórrabwénner.
Happy name's day!	Feliz día de su Santo.	Fellēēth déar deh soo súntoh.
Happy birthday! Many happy returns!	Feliz cumpleaños.	Fellēēth coompliúnnyoss.
Happy Christmas!	Felices Pascuas de Navidad.	Fellēēth púskwuss deh núvvidud.
Happy New Year!	Feliz Año Nuevo.	Fellēēth únyoh nwévvoh.
It's incredible.	Es increíble.	Ess incrayēēbleh.
It's very sad.	Es muy triste.	Ess mooy trísteh.
There's no doubt about it.	Es indudable.	Ess índoodárbleh.
You acted very wrongly.	Ha procedido usted mal.	Ah prothedēēdoh oostéh mull.
You have done right.	Ha hecho usted bien.	Ah étchoh oostéh byén.
May I?	¿Me permite usted?	Meh pairmēēteh oostéh.
I shall be very much obliged.	Se lo agradeceré infinitamente.	Sélloh úggreddétherráy ínfinēēterménteh.
I am very grateful.	Se lo agradezco.	Seh loh úggredéthcoh.
I am very much obliged to you.	Le quedo muy agradecido.	Leh keddoh mooy uggrúdethēēdoh.
When you like.	Cuando usted guste.	Kwúndoh oostéh gōōster.
As you like.	Como usted quiera.	Cómmoh oostéh kyáirrer.
It's not worth while	No vale la pena.	Noh vúlleh lah pénner.
It's strange.	¡Es extraño!	Ess extrúnnyoh.
How funny!	¡Es raro!	Ess rúrroh.
Who would have believed it?	¿Quién lo hubiera creido?	Kyen loh oobyáirrer cryaēēdoh?
What a shame!	¡Qué vergüenza!	Keh vairrgwénther!
How horrid!	¡Qué horror!	Keh orrórr!
How annoying!	¡Qué fastidio!	Keh fustíddioh!
I am glad.	Estoy contento.	Estóy conténtoh.
I'm all right.	Estoy bien.	Estóy byén.
I am happy.	Soy feliz.	Soy fellēēth.
I want...	Yo deseo.	Yoh dessáyoh.

I'm afraid...	Yo temo (yo dudo)	Yo témmoh (yo dōō-doh).
I'm afraid.	Tengo miedo.	Téngoh myéddoh.
I want.	Quiero.	Kyérroh.
I'm surprised.	Me asombro.	Meh ussómbroh.
I'm surprised.	Estoy sorprendido.	Estóy sórrprendēēdoh.
I wish you...	Deseo a usted...	Dessáyoh ah oostéh...
I'm annoyed.	Estoy enfadado.	Estóy enfuddárdoh.
I'm sorry.	Lo siento.	Loh syéntoh.

## SOME ADVERBS	## ALGUNOS ADVERBIOS	## ULGOONOSS
		### UDVÁIRRBIOSS
Comfortably.	Cómodamente.	Cómmoddaménteh.
Intentionally.	Con intención.	Con inténtheón.
Sincerely.	Con sinceridad.	Con sinthérridúd.
Without knowing.	Sin saberlo.	Sin subbáirrloh.
Reluctantly.	A disgusto.	Ah dissgōōstoh.
Well.	Bien.	Byén.
Badly.	Mal.	Mull
So, thus.	Así.	Ussēē.
Also, too.	También.	Tumbyén.
With pleasure.	Con gusto.	Con gōōstoh.
Rather.	Más bien.	Muss byén.
Quite.	Del todo.	Del tóddoh.
Jointly.	Juntamente.	Jōōntaménteh.
Where.	Donde.	Dóndeh.
Here.	Aquí.	Uckēē.
There.	Allí.	Ullyēē.
Near.	Cerca.	Tháirrker.
Far.	Lejos.	Léhhoss.
Everywhere.	En todas partes.	En tódduss párrtess.
In front.	Delante.	Dellúnteh.
Behind.	Detrás.	Dettrúss.
Backwards.	Hacia atrás.	Útheer uttrúss.
Inside.	Dentro.	Déntroh.
Outside.	Fuera.	Fwáirer.
Before.	En frente.	En frénteh.
On.	Encima.	Enthēēmer.
Under.	Debajo.	Debbúhhoh.
Here and there.	Aquí y allá.	Uckēē e ullyáh.
Around.	Alrededor.	Ulreddedórr.
Above.	Arriba.	Urrēēber.

Below.	Abajo.	Ubbúhhoh.
Over.	Por encima.	Porr enthēēmer.
Under.	Por debajo.	Porr debúhhoh.
To the right.	Por la derecha.	Porr lah derrétcher.
To the left.	Por la izquierda.	Porr lah inthkya irder.
Onwards, Straight on.	Hacia adelante.	Uthea dellunteh.
When.	Cuando.	Kwundoh.
Then.	Entonces.	Entónthess.
Before.	Antes.	Úntess.
After.	Después.	Despwéss.
Today.	Hoy.	Oy.
Tomorrow.	Mañana.	Munyúnner.
Yesterday.	Ayer.	Ahyáirr.
Soon.	Pronto.	Próntoh.
Late.	Tarde.	Tárrdeh.
Quickly.	De prisa.	Deh prēēser.
Often.	A menudo.	Ah menōōdoh.
Always.	Siempre.	Syémpreh.
Never.	Nunca.	Nōōnker.
Suddenly.	De repente.	Deh reppénteh.
A long time.	Largo tiempo.	Lárrgoh tyémpoh.
Now.	Ahora.	Uh.óra.
Al once.	En seguida.	En segēēder.
Enough.	Bastante.	Busstúnteh.
Little.	Poco.	Póccoh.
Much, a lot.	Mucho.	Mōōtchoh.
Hardly.	Apenas.	Uppénnuss.
More.	Más.	Muss.
Too, Too much.	Demasiado.	Demmussyárdoh.
Less.	Menos.	Ménnoss.
Nothing.	Nada.	Núdder (Nárder).
Nearly.	Casi.	Cussee.
More and more.	Cada vez más.	Cúdder veth muss.
Little by little.	Poco a poco.	Póccoh ah póccoh.
Nothing at all.	Nada absolutamente.	Núdder ubsolōōta-ménteh.
Quite.	Completamente.	Compléttaménteh.
The more..	Cuando más.	Kwúndoh muss.
The less...	Cuando menos.	Kwúndoh ménnoss.
First of all.	Primeramente.	Primmáiraménteh.
Then.	Luego.	Lwéggoh.
At last.	En fin.	En fin.
Quite recently.	Últimamente.	ōōltimmerménteh.
Finally.	Finalmente.	Finnúlménteh.

In the first place.	En primer lugar.	En primmáirr loogárr.
Before all.	Ante todo.	Únteh tāwdoh.
All at once.	A la vez.	Úller veth.
Out of order.	Sin orden.	Sin órrden.
Yes.	Sí.	See.
In accordance with.	Conforme.	Confórrmeh.
Also, too.	También.	Tumbién.
Yes, certainly.	Sí, por cierto.	See, porr tháirrtoh.
Doubtless.	Sin duda.	Sin dooder.
That's right.	Eso es.	Éssoh ess.
Yes, that's so	Es verdad.	Ess verrdúd.
Not at all.	Ya lo creo.	Yah loh cráyoh.
Nothing at all.	Nada de eso.	Nárder deh éssoh.
Nothing more, nothing else.	Nada absolutamente.	Núdder úbbsollōōlaménteh.
Not even.	Nada más.	Núdder muss.
Neither.	Ni siquiera...	See sickyáirrer .
Neither.	Tampoco.	Tumpóccoh.
Probably.	Probablemente.	Probbúblaménteh.
Maybe.	Quizás.	Keethúss.
Perhaps.	Acaso....	Uccússoh.
By chance.	Por casualidad.	Porr cússoo.úllidúd.

The verbs and adjectives are included in the **Vocabulary.**
Los verbos y adjetivos están incluidos en el **Vocabulario.**

MODELS OF LETTERS AND TELEGRAMS
MODELOS DE CARTAS Y TELEGRAMAS

Letters

Dear Sir,

Having just arrived here, I am writing to beg you to give me an interview. Kindly let me know the day and hour that it would suit you to receive me. Meanwhile,

I am, Dear Sir,
Yours faithfully,

Dear Sir,

I have been asked to greet you on behalf of our mutual friend, Mr. X.

As I shall be out of town and, therefore, unable to call personally, I must beg you to excuse my carrying out my commission in writing.

Your sincerely,

Dear Sir,

I was extremely sorry not to have been able to see you yesterday.

I trust to have that pleasure today, by your accepting my invitation to dine with me at my hotel, where I shall expect you at about 8 o'clock.

Yours very sincerely,

Cartas

Muy señor mío:

A mi llegada a ésta formulo la presente para solicitarle una entrevista.

Le ruego me indique día y hora en que puede recibirme.

Entre tanto, le saludo personalmente, queda de Vd. afmo. s. s.

Distinguido señor:

Tengo el encargo de saludar a Vd. en nombre de nuestro común amigo, señor...

No siéndome posible hacerlo personalmente, por ausentarme hoy de ésta, me permito cumplir dicho encargo por medio de la presente, rogándole se sirva disculparme.

Le saluda muy afectuosamente su s. s.

Estimado señor:

Sentí en extremo no poder verle ayer.

Espero que hoy me proporcionará ese placer aceptando mi invitación para cenar juntos en el hotel, donde le esperaré a partir de las ocho.

En esta confianza, se reitera de Vd. afmo. s. s.

Dear Sir,

In the assurance that your many and various occupations will allow you a few hours of relaxation, I beg you to let me know whether I may have the pleasure of lunching with you this morning.

Will you please let me have your answer by phone.

In the meantime, I am,

Your sincerely,

Muy señor mío:

En la confianza de que sus diversas ocupaciones le permitirán distraer unas horas, le ruego me diga si tendré el placer de comer con usted mañana.

Espero su contestación por teléfono, y entre tanto se reitera de Vd. affmo. s. s.

Dear Sir,

I am very sorry not to be able to accept your kind invitation. Before receiving it, I had already promised to dine with some friends.

The day after tomorrow, however, we shall have an opportunity to see each other, and shall be able to fix another day, when I shall be delighted to accept.

Yours very sincerely,

Muy señor mío:

Siento mucho no poder aceptar su amable invitación. Antes de recibirla había prometido a unos amigos que comería con ellos.

No obstante, pasado mañana tendremos ocasión de vernos, y podremos quedar para otro día, en lo que tendré muchísimo gusto.

Le saluda con el mayor afecto su s. s.

Dear friend,

When your letter arrived yesterday, I had already left the hotel, and so was unable to keep your appointment.

I trust you will forgive me, and believe in my continued friendship.

Yours as ever,

Estimado amigo:

Cuando llegó ayer su carta al hotel había salido ya del mismo.

Por esta razón no pude asistir a la cita que me daba Vd.

Le pido mil perdones y le ruego crea en la buena amistad de su afmo. amigo y s. s.

Dear Mr. ——,

I am coming to fetch you tomorrow afternoon, at about 5 o'clock, to have the pleasure of a

Muy señor mío y amigo:

Para tener el gusto de pasar unas horas en su compañía, me permitiré ir a recogerle a su casa

few hours of your company. We
will decide then where want to
go.

Until tomorrow, then.

Yours,

mañana por la tarde, a partir de
las cuatro.

Entonces decidiremos dónde
podemos ir.

Hasta mañana, pues, le saluda
muy afectuosamente su s. s.

Dear Sir,

Should you have received any
letters for me I beg you to be
kind enough to redirect them to
me at .... Hotel, where I am
at present staying.

Thanking you for your atten-
tion,

Yours faithfully,

Muy señor mío:

Le agradeceré que, en el caso
de que se haya recibido correspondencia a mi nombre, se sirva
reexpedirla al Hotel..., donde en
la actualidad me hospedo.

Con gracias anticipadas, le saluda muy atentamente,

Dear G......,

At about X o'clock this afternoon I am going to... If you can
come at that time, I shall be very
glad to see you.

Yours as ever,

Muy señor mío y amigo:

Esta tarde, alrededor de...,
iré a...

Si puede Vd. ir a esa hora ten-
drá mucho gusto en saludarle su
buen amigo y s. s.

Dear Sir,

I am anxious to see you about
an affair that is of great interest
to us both. I earnestly beg you to
let me know at what time and
on what day we can meet at your
convenience.

I am staying at .... Hotel,
Room No. X.

Yours faithfully,

Muy señor mío:

Deseo hablar con Vd. de un
asunto de gran interés para los
dos.

Le ruego encarecidamente se
sirva avisarme día y hora en que
podemos entrevistarnos, a comodidad suya.

Me hospedo en el Hotel... habitación núm...

Queda de Vd. afmo, s. s.

Dear Mr. ......,

I have been obliged by unforeseen circumstances to hasten my
return here, for which reason I
was unable to call on you, as I
ought to have done, to say good-
bye.

Muy señor mío:

Circunstancias imprevistas me
obligaron a precipitar mi viaje
de regreso a ésta.

Esto ha sido el motivo de que
no pasara por su domicilio para
despedirme, como debía.

I trust you will accept my excuses and that I shall soon have the pleasure of seeing you again,
                    Yours sincerely,

Le ruego se sirva aceptar mis excusas, y en la confianza de saludarle pronto de nuevo, se reitera afmo. s. s.

My dear friend,

On leaving this delightful spot, I must express my deep appreciation of the kindness and hospitality I received at the hands of your dear family during my stay at..........

I am anxious to be able to repay so much kindness, and trust that I shall soon have the opportunity on the occasion of a visit to this country.

Please give my kind regards to your wife and accept for yourself my very best wishes,
                    Your affectionate,

Mi querido amigo:

Al ausentarme de esta magnífica localidad, cumplo el deber de expresarle mi profundo agradecimiento por las atenciones y hospitalidad que he recibido de esa estimada familia durante todos los días que he permanecido en...

Estoy deseoso de poder corresponder a tantas delicadezas, y confío que se presente pronto esa oportunidad en ocasión de un viaje a este país.

Mis respetos a su señora, un abrazo para usted de su buen amigo,

---

Telegrams

Send my order ..... Hotel instead of .... Hotel.

Objects to be sent on .... not received.

Send earliest possible .... Hotel objects bought ...... **inst. last.**

Send COD (c. o. d.) .... Hotel goods ordered my letter .... **inst. ult.**

Require urgently goods bought **......... inst. ult.**

Telegramas

Envíe mi pedido Hotel... en vez Hotel...

No he recibido objetos que debía enviarme el...

Envíeme lo antes posible Hotel... objetos comprados... del **corriente, pasado.**

Envíe contra reembolso Hotel... mercancías pedidas mi carta... **corriente, pasado.**

Urgente recibir mercancías compradas... **corriente, pasado.**

MODELS OF LETTERS AND TELEGRAMS FOR RESETVING ROOMS AT A HOTEL
MODELOS DE CARTAS Y TELEGRAMAS PARA HACER RESERVAS DE HABITACIONES EN UN HOTEL

Letters

Dear Sir,

Please let me konw by return of post the price of **an inner, outer room** (1).

Answer to ....

Yours faithfully,

Dear Sir,

Please let me know the price of a **single bedded, double bedded** room with bath room.

Yours faithfully,

Dear Sir,

Please let me know at the earliest possible the price of a **single bedded, double bedded** room with bath room. It must be a room communicating with ano-

Cartas

Sr.
Señor.

Tenga la bondad de indicarme, a vuelta de correo, el precio de una habitación **interior, exterior** (2).

Sírvase contestar a...

En espera de su contestación le saluda muy atentamente,

Sr.
Señor.

Tenga la bondad de indicarme el precio de una habitación **con una cama, dos camas, cama para matrimonio** y cuarto de baño.

De usted atento servidor.

Sr.
Señor.

Tenga la amabilidad de indicarme, a la mayor brevedad posible, el precio de una habitación con **una cama, dos camas, cama de matrimonio** y cuarto de

---

(1) In this letter and those following, only the words in thick type that you require should be copied.

(2) En esta carta, y en las siguientes, cópiense únicamente las palabras **en negritas** que convengan.

ther **single bedded, double bedded** room.

Please answer to ....

Awaiting your reply,

Yours faithfully,

baño. La habitación ha de tener comunicación con otra que tenga **una cama, dos camas.**

Sírvase dirigir la contestación a...

Entre tanto recibo su contestación le saluda atentamente,

Dear Sir,

Please let me know the price of full board for **one, two** persons, with a good bedroom and bath room for **four, six, eight, ten, fifteen, twenty-five, thirty** days, **a month and a half, two months.**

Will you please reply to .... Hotel.

An early answer will oblige,

Yours faithfully,

Sr.

Señor.

Tenga la amabilidad de indicarme el precio de la pensión completa para **una, dos** personas, con una buena habitación para dormir y cuarto de baño, durante **cuatro, seis, ocho, diez, quince, veinte, veinticinco, treinta días, mes y medio, dos meses.**

Sírvase dirigir su respuesta al Hotel...

Le ruego una rápida contestación y anticipándole gracias, queda de Vd. afmo. s. s.

Dear Sir,

I should like to know the price of a **single bedded, double bedded** room with a bath room, and the price of full board for **one, two** persons for a stay of **four, six, eight, ten, fifteen, twenty, twenty-five, thirty days, a month and a half, two months.**

Please reply at your earliest to.........

Yours faithfully,

Sr.

Señor.

Sírvase indicarme el precio de una habitación con **una, dos camas, cama de matrimonio** y cuarto de baño, así como el precio de la pensión completa para **una, dos** personas, calculando la estancia de **cuatro, seis, ocho, diez, quince, veinte, veinticinco, treinta días, mes y medio, dos meses.**

Sírvase contestar a...

De Vd. afmo. s. s.

Dear Sir,

Please let me know your price for full board for **two, three, four, six** persons and **one, two,**

Señor.

Sírvase indicarme el precio de la pensión completa para **dos, tres, cuatro, seis** personas, y **una,**

three communicating rooms, one of them with bath room.

The room, rooms must be large and comfortable, particularly as I intend staying at your hotel for **five, ten, fifteen, twenty, twenty-five, thirt days, a month and a half, two months.**

Kindly address your reply to...

Awaiting your answer,

Yours faithfully,

dos, tres habitaciones que se comuniquen, y una de ellas con cuarto de baño.

Deseo que esta **habitación, estas habitaciones** sean espaciosas y cómodas, tanto más cuanto que tengo la intención de habitar en su hotel durante **cinco, diez, quince, veinte, veinticinco, treinta días, mes y medio, dos meses.**

Sírvase contestar a...

Queda en espera de su contestación afmo. s. s.

Dear Sir,

Please book me for the .... of **this, next** month an **inner, outer** room with bath room.

Señor.

Sírvase reservarme para el... **del corriente, del mes próximo,** una habitación **interior, exterior,** con cuarto de baño.

Dear Sir,

I regret to say that, owing to unforeseen circumstances, I shall be unable to use the room you kindly reserved for me for the .... of **this, next** month. It remains, therefore, at your disposal.

Yours faithfully,

Señor.

Siento mucho comunicarle, que por motivos imprevistos no puedo utilizar la habitación que usted me ha reservado para el... **del corriente, del mes próximo,** y por lo tanto puede usted disponer de ella.

Le saluda atentamente,

Dear Sir,

Owing to unexpected events, I shall not be able to use the room reserved for me until the .... **this, next** month. It was booked for the ...... of **this, next** month.

Please note this change that I am obliged to make, and excuse the trouble it may cause you.

Yours faithfully,

Señor.

Por motivos inesperados no podré utilizar hasta el... **del corriente, del mes próximo,** la habitación que me tenía reservada para el... **de este mes, del mes próximo.**

Le ruego, tome nota de esta rectificación que me veo precisado hacer, y pidiéndole disculpas por las molestias que ello le origine, se reitera de Vd. **affmo., s. s.**

Señor.

...ruego me informe telegrá-
...nte, a vuelta de correo, si
...el... del corriente, del mes
...mo, podré disponer de la
...tación que usted me ha re-
...ado para el... del corriente,
... mes próximo, esto es, con...
...ías de anticipación.

Confiando en que su respuesta
será afirmativa, le anticipo gracias, y le saludo atentamente,

---

Telegramas

Hotel...

Reserve para... **corriente, próximo** habitación **una cama, dos
camas, cama de matrimonio.**

...**nst, prox**
...**le bed.**

Imposible utilizar antes del...
habitación solicitada para... **corriente, próximo.**

...**ve** for ...... **inst, prox**
...with bathroom **one, two,**
...ole bed.

Reserve para el... **del corriente, próximo** habitación con cuarto de baño, **una cama, dos camas, cama de matrimonio.**

State by return price **one,**
wo, double bedded room.

Indique vuelta correo precio
habitación **una cama, dos camas,
cama de matrimonio.**

State by return price **one,**
yo, double bedded room with
...throom.

Indique vuelta correo precio
habitación **una cama, dos camas,
cama de matrimonio** con cuarto
baño.

State next post price **one,**
...**double bedded** room with
...hroom and **one, two bedded**
...municating room.

Indique próximo correo precio habitación **dos camas, cama
matrimonio** con cuarto baño y
habitación contigua **una cama,
dos camas.**

State by return price **full board one, two** persons.	Indique v pensión com **dos personas.**
State by return price full board **two people, two beds, double bed,** bathroom.	Indique vuel pensión complet dos camas, cama cuarto de baño.
State by return **price** full board **three, four, five, six** persons **two, three** rooms communicating bath in **one, two** rooms.	Indique vuelta c pensión completa t **cinco, seis** personas, habitaciones, comunic cuarto de baño en **una** bitaciones.
Accept price vours ...... **inst, ult.** Reserve room one, two, double bedded for ...... inst, **prox.**	Acepto precio carta... c te, pasado. Reserve habi una cama, dos camas, cama **trimonio,** para... **corriente,** **ximo.**
Accept price yours ...... **inst, ult**. Reserve room with bath **one, two, double bedded** for .... this, **next**.	Acepto precio carta... **corrien** te, pasado. Reserve habitación con cuarto de baño, **una cama,** do. camas, **cama matrimonio,** para... **corriente, próximo.**
Say by return price full board one person staying eight......... days.	Indique vuelta correo preci pensión completa una person estancia ocho...

AUXILLIARY VERBS
VERBOS AUXILIARES

TO HAVE	HABER	UBBÁIRR
Infinitive mood	**Modo Infinitivo**	**Máwdoh Infinitēēvoh**

SIMPLE TENSES	FORMAS SIMPLES	FÓRMUSS SÍMPLESS
Infinitive: To have.	*Infinitivo.* haber.	*Infinitēēvoh:* ubbáirr.
Gerund: having.	*Gerundio.* habiendo.	*Herrōōndeoh:* ubbyén doh.
Past Participle: had.	*Participio.* habido.	*Parrtithíppeoh:* ubbēē-doh.

COMPOUND TENSES	FORMAS COMPUESTAS	FÓRMUSS COMPWÉSTERSS
Infinitive: To have had.	*Infinitivo.* haber habido.	*Infinitēēvoh:* ubbáirr ubbēēdoh.
Gerund: having had.	*Gerundio.* habiendo habido.	*Herrōōndeoh:* ubbyén-doh ubbēēdoh.

Indicative mood	**Modo Indicativo**	**Máwdoh Indicatēēvoh**

PRESENT	PRESENTE	PRESSÉNTEH
I . . . . have.	Yo . . . . he.	Yoh. . . . . . eh.
You . . have.	Tú . . . . . has.	Too. . . . . . uss.
He . . . . has.	Él . . . . . ha o hay (forma impersonal).	Ell . . . . . ah ho ír.
We . . . have.	Nosotros . hemos o habemos.	Nossótross. . émmos ho ubbémmoss.
You . . have.	Vosotros. habéis.	Vossótross. . ubbáy.iss.
They . . have.	Ellos . . han.	Éllyoss . . . un.

PERFECT	PRETÉRITO PERFECTO	PRETÉRRITOH PAIRFÉCTOH
I . . . . have had.	Yo . . . . he habido.	Yoh. . . . . . eh ubbēēdoh.
You . . . have had.	Tú . . . . has habido.	Too. . . . . . uss ubbēēdoh.
He . . . . has had.	Él . . . . ha habido.	Ell . . . . . ah ubbēēdoh.
We . . . have had.	Nosotros hemos habido.	Nossótross. . émmoss ubbēēdoh.
You . . . have had.	Vosotros. . habéis habido	Vossótross. . ubbáy.iss ubbēēdoh.
They . . have had.	Ellos . . . han habido.	Éllyoss . . . . un ubbēēdoh.

IMPERFECT	PRETÉRITO IMPERFECTO	PRETÉRRITOH IMPAIRFÉCTOH
I . . . . had.	Yo . . . . había.	Yoh. . . . . ubbēēah.
You . . . had.	Tú . . . . habías.	Too. . . . . ubbēēuss.
He . . . had.	Él . . . . había.	Ell . . . . . ubbēēah.
We . . . had.	Nosotros . habíamos.	Nossótross. . ubbēērmos.
You . . . had.	Vosotros . habíais.	Vossótross. . ubbēē.ah.-iss.
They . . had.	Ellos . . . habían.	Éllyoss . . . ubbēēun.

PLUPERFECT	PRETÉRITO PLUSCUAMPERFECTO	PRETÉRRITOH PLOOSKWUMPAIRFÉCTOH
I . . . . had had.	Yo . . . . había habido.	Yoh. . . . . u b b ē ē r ubbēēdoh.
You . . . had had.	Tú . . . . habías habido.	Too. . . . . u b b ē ē u s ubbēēdoh.
He . . . had had.	Él . . . . había habido.	Ell . . . . . u b b ē ē r ubbēēdoh.
We . . . had had.	Nosotros . habíamos habido	Nossótross. . ubbēērmoss ubbēēdoh.
You . . . had had.	Vosotros . habíais habido.	Vossótross. . ubbēē .ah.-iss ubbēē-doh.
They . . had had.	Ellos . . . habían habido.	Éllyoss . . . u b b ē ē u n ubbēēdoh.

PAST DEFINITE	PRETÉRITO INDEFINIDO	PRETÉRRITOH INDEFFINĒĒDOH
I . . . . had.	Yo . . . . hube.	Yoh. . . . . oobeh.
You . . . had.	Tú . . . . hubiste.	Too. . . . . oobíssteh.
He . . . had.	Él . . . . hubo.	Ell . . . . . ooboh.
We . . . had.	Nosotros . hubimos.	Nossótross. . oobēēmoss.
You . . . had.	Vosotros . hubisteis.	Vossótross. . oobístay . -iss.
They . . had.	Ellos . . . hubieron.	Éllyoss . . . o o b y á i r-ron.

PLUPERFECT	PRETÉRITO ANTERIOR	PRETÉRRITOH UNTAIRIÓRR
I . . . . had had.	Yo . . . . hube habido.	Yoh. . . . . oobeh ub-bēēdoh
You . . . had had.	Tú . . . . hubiste habido.	Too. . . . . oobíssteh ubbēēdoh.
He . . . had had.	Él . . . . hubo habido.	Ell . . . . . ooboh ub-bēēdoh.
We . . . had had.	Nosotros . hubimos habido.	Nossótross. . oobēēmoss ubbēēdoh.
You . . . had had.	Vosotros . hubisteis habido.	Vossótross. . oobísstay.iss ubbēēdoh.
They . . had had.	Ellos . . . hubieron habido.	Éllyoss . . . oobyáirron ubbēēdoh.

FUTURE	FUTURO IMPERFECTO	FOOTŌŌROH IMPAIRFÉCTOH
I . . . . shall have.	Yo . . . . habré.	Yoh. . . . . ubbrúss.
You . . . will have.	Tú . . . . habrás.	Too. . . . . ubbréh.
He . . . will have.	Él . . . . habrá.	Ell . . . . . ubbráh.

We . . . shall have.	Nosotros . habremos.	Nossótross. . u b b r á y-moss.
You . . . will have.	Vosotros. . habréis.	Vossótross. . ubbráy.iss.
They . . will have.	Ellos . . . habrán.	Éllyoss . . . . ubbrún.

FUTURE PERFECT	FUTURO PERFECTO	FOOTŌŌROH PAIRFÉCTOH
I . . . . shall have had.	Yo . . . . . habré habido.	Yoh. . . . . . ubbréh ub-bēēdoh.
You . . . will have had.	Tú . . . . . habrás habi-do.	Too. . . . . . u b b r ú s s ubbēēdoh.
He . . . . will have had.	Él . . . . . habrá habi-do.	Ell . . . . . . ubbráh ub-bēēdoh.
We . . . shall have had.	Nosotros . habremos ha-bido.	Nossótross. . ubbráymoss ubbēēdoh.
You . . . will have had.	Vosotros. . habréis habi-do.	Vossótross. . ubbráy.iss ubbēēdoh.
They . . will have had.	Ellos . . . habrán habi-do.	Éllyoss . . . . u b b r ú n ubbēēdoh.

Conditional mood	Modo Potencial	Máwdoh Pottentheál
PRESENT	SIMPLE O IMPERFECTO	SÍMPLE OH IMPAIRFÉCTOH
I . . . . should have.	Yo . . . . . habría.	Yoh. . . . . . ubbrēēr.
You . . . would have.	Tú . . . . . habrías.	Too. . . . . . ubbrēēuss.
He . . . would have.	Él . . . . . habría.	Ell . . . . . . ubbrēēr.
We . . . should have.	Nosotros . habríamos.	Nossótross. . u b b r ē ē r-mos.
You . . . would have.	Vosotros. . habríais.	Vossótross. . ubbrēē . ah. iss
They . . would have.	Ellos . . . habrían.	Éllyoss . . . . ubbrēēun

PAST CONDITIONAL	COMPUESTO O PERFECTO	COMPWÉSTOH OH PAIRFÉCTOH
I . . . . should have had.	Yo . . . . . habría habi-do.	Yoh. . . . . . ubbrēēr ub-bēēdoh.
You . . would have had.	Tú . . . . . habrías habi-do.	Too. . . . . . u b b r ē ē uss ubbēēdoh.
He . . . would have had.	Él . . . . . habría habi-do.	Ell . . . . . u b b r ē ē r ubbēēdoh.
We . . . should have had.	Nosotros . h a b r í a m o s habido.	Nossótross. . u b b r ē ē r-moss ub-bēēdoh.
You . . would have had.	Vosotros. . habríais ha-bido.	Vossótross. . ubbrēē.ah.-iss ubbēē-doh.
They . . would have had.	Ellos . . . habrían ha-bido.	Éllyoss . . . . u b b r ē ē un ubbēēdoh.

Subjunctive mood	Modo Subjuntivo	Máwdoh Soobhoontēēvoh
PRESENT	PRESENTE	PRESSÉNTEH
I . . . . had.	Yo . . . . haya.	Yoh. . . . . . áh.yer.
You . . had.	Tú . . . . hayas.	Too. . . . . . í.uss.
He . . . had.	Él . . . . . haya.	Ell . . . . . . áh.yer.
We . . . had.	Nosotros . hayamos.	Nossótross. . á h . y er.-moss.
You . . had.	Vosotros. . hayáis.	Vossótross. . ah.yí.is.
They . . had.	Ellos . . . hayan.	Éllyoss . . . . ían.

PAST SUBJUNCTIVE	PRETÉRITO PERFECTO	PRETÉRRITOH PAIRFÉCTOH
I . . . . had had.	Yo . . . . . haya habido.	Yoh. . . . . . áh.yer ub-bēēdoh.
You . . . had had.	Tú . . . . . hayas habi-do.	Too. . . . . . áh.yuss ub-bēēdoh.
He . . . had had.	Él . . . . . haya habido.	Ell . . . . . . áh.yer ub-bēēdoh.
We . . . had had.	Nosotros . hayamos ha-bido.	Nossótross. . áh.yer.moss ubbēēdoh.
You . . . had had.	Vosotros. . hayáis habi-do.	Vossótross. . áh.yáh.iss ubbēēdoh.
They . . had had.	Ellos . . . hayan habi-do.	Éllyoss . . . áh.yun ub-bēēdoh.
	PRETÉRITO IMPERFECTO (1)	PRETÉRRITOH IMPAIRFÉCTOH
	Yo . . . . . hubiera o hu-biese.	Yoh. . . . . . oobyérrer ho oobyés-seh.
	Tú . . . . . hubieras o hubieses.	Too. . . . . . oobyérruss ho oobyés-ses.
	Él . . . . . hubiera o hu-biese.	Ell . . . . . . oobyérrer ho oobyés-seh.
	Nosotros . hubiéramos o hubiésemos.	Nossótross. . oobyér-rummoss oh oobyés-semmoss.
	Vosotros. . hubierais o hubieseis.	Vossótross. . oobyahrré-iss oh oob-yéssay.iss.
	Ellos . . . hubieran o hubiesen	Éllyoss . . . . oobyérrun oh oobyés-sen.
	PRETÉRITO PLUSCUAMPERFECTO (1)	PRETÉRRITOH PLOOSKWUMPAIRFÉCTOH
	Yo . . . . . hubiera o hu-biese habido.	Yoh. . . . . . oobyérrer oh oobyés-seh ubbēē-doh.
	Tú . . . . . hubieras o hubieses ha-bido.	Too. . . . . . oobyérruss oh oobyés-sess ub-bēēdoh.
	Él . . . . . hubiera o hu-biese habido.	Ell. . . . . . oobyérrer oh oobyés-seh ubbēē-doh.
	Nosotros . hubiéramos o hubiésemos habido.	Nossótross. . oobyérrum-moss oh oobyés-semmoss ubbēēdoh.

(1) Not used in English language.

Vosotros. . hubierais o hubieseis habido.	*Vossótross* . . oobyérrah.- iss oh oobyéssay.- iss ubbēēdoh.
Ellos . . . hubieran o hubiesen habido.	*Éllyoss* . . . . oobyérrun oh oobyéssen ubbēēdoh.

FUTURO IMPERFECTO (1)	FOOTŌŌROH IMPAIRFÉCTOH
Yo . . . . hubiere.	*Yoh*. . . . . . oobyérreh.
Tú . . . . hubieres.	*Too*. . . . . . oobyérress.
Él . . . . hubiere.	*Ell*. . . . . . oobyérreh.
Nosotros . hubiéremos.	*Nossótross*. . oobyérremmoss.
Vosotros. . hubiereis.	*Vossótross* . oobyérray.- iss.
Ellos . . . hubieren	*Éllyoss* . . . . oobyerren.

FUTURO PERFECTO (1)	FOOTŌŌROH PAIRFÉCTOH
Yo . . . . hubiere habido.	*Yoh*. . . . . oobyérreh ubbēēdoh.
Tú . . . . hubieres habido.	*Too*. . . . . . oobyérress ubbēēdoh.
Él . . . . hubiere habido.	*Ell*. . . . . . oobyérreh ubbēēdoh.
Nosotros . hubiéremos habido.	*Nossótross*. . oobyérremmoss ubbēēdoh.
Vosotros. . hubiereis habido.	*Vossótross* . oobyérray.- iss ubbēēdoh.
Ellos . . . hubieren habido.	*Éllyoss* . . . . oobyérren ubbēēdoh.

Imperative mood	**Modo Imperativo**	**Máwdoh Imperratēēvoh**
PRESENT	PRESENTE	PRESSÉNTEH
Let me have.	Que *yo* haya.	Keh *yoh* ire (as in *fire*).
Have.	He *tú*.	A *too*.
Let him have.	Haya *él*.	Ire *ell*.
Let us have.	Hayamos *nosotros*.	Ire.moss *nossótross*.
Have.	Habed *vosotros*.	Úbbed *vossótross*.
Let them have.	Hayan *ellos*.	Ían *éllyoss*.

TO BE	**SER**	**SÁIRR**
Infinitive mood	**Modo Infinitivo**	**Māwdoh Infinitēēvoh**
SIMPLE TENSES	FORMAS SIMPLES	FÓRMUSS SÍMPLESS
Infinitive: To be.	*Infinitivo.* ser.	*Infinitēēvoh:* sáirr.
Gerund: Being.	*Gerundio.* siendo.	*Hehrrōōndeoh:* sēē.én-doh.
Past participle: Been.	*Participio.* sido.	*Parrtithippeoh:* sēēdoh.

(1) Not used in English language.

COMPOUND TENSES	FORMAS COMPUESTAS	FÓRMUSS COMPWÉSTERSS
Infinitive: To have been.	*Infinitivo.* haber sido.	*Infinitēēvoh:* ubbáirr sē̄ēdoh.
Gerund: Having been.	*Gerundio.* habiendo sido.	*Hehrrōōndeoh:* ubbyén̄doh sēēdoh.

Indicative mood	Modo Indicativo	Máwdoh Indicatēēvoh
PRESENT	PRESENTE	PRESSÉNTEH
I . . . . am.	*Yo* . . . . soy.	*Yoh.* . . . . . soy.
You . . are.	*Tú* . . . . eres.	*Too.* . . . . áiress.
He . . . is.	*Él* . . . . es.	*Ell* . . . . ess.
We . . are.	*Nosotros* . somos.	*Nossótross.* . sómmoss.
You . . are.	*Vosotros.* . sois.	*Vossótross.* . sóiss.
They . . are.	*Ellos* . . . son.	*Éllyoss* . . . son.
PERFECT	PRETÉRITO PERFECTO	PRETÉRRITOH PAIRFÉCTOH
I . . . . have been.	*Yo* . . . . he sido.	*Yoh.* . . . . eh sēēdoh.
You . . have been.	*Tú* . . . . has sido.	*Too.* . . . . uss sēēdoh.
He . . . has been.	*Él* . . . . ha sido.	*Ell* . . . . ah sēēdoh.
We . . . have been.	*Nosotros* . hemos sido.	*Nossótross* . émmoss sēēdoh.
You . . have been.	*Vosotros.* . habéis sido.	*Vossótross.* . ubbáyiss sēēdoh.
They . . have been.	*Ellos* . . . han sido.	*Éllyoss* . . . un sēēdoh.
IMPERFECT	PRETÉRITO IMPERFECTO	PRETÉRRITOH IMPAIRFÉCTOH
I . . . . was.	*Yo* . . . . era.	*Yoh.* . . . . . áirer.
You . . . were	*Tú* . . . . eras.	*Too.* . . . . áiruss.
He . . . was.	*Él* . . . . era.	*Ell* . . . . áirer.
We . . . were	*Nosotros.* . éramos.	*Nossótross.* . érrermoss.
You . . were	*Vosotros.* . érais.	*Vossótross.* . érrah.iss.
They . . were.	*Ellos* . . . eran.	*Éllyoss* . . . áirrun.
PLUPERFECT	PRETÉRITO PLUSCUAMPERFECTO	PRETÉRRITOH PLOOSKWUMPAIRFÉCTOH
I . . . . had been.	*Yo* . . . . había sido.	*Yoh.* . . . . . ubbēēr sēēdoh.
You . . had been.	*Tú* . . . . habías sido.	*Too.* . . . . ubbēēus sēēdoh.
He . . . . had been.	*Él* . . . . había sido.	*Ell* . . . . ubbēēr sēēdoh.
We . . . had been.	*Nosotros* . habíamos sido.	*Nossótross.* . ubbēērmoss sēēdoh.
You . . . had been.	*Vosotros.* . habíais sido.	*Vossótross.* . ubbēē.ah.iss sēēdoh.
They . . had been.	*Ellos* . . . habían sido.	*Éllyoss* . . . ubbēēun sēēdoh.
PAST DEFINITE	PRETÉRITO INDEFINIDO	PRETÉRRITOH INDEFFINĒĒDOH
I . . . . was.	*Yo* . . . . fui.	*Yoh.* . . . . . fwee.
You . . . were	*Tú* . . . . fuiste.	*Too.* . . . . fwísteh.
He . . . . was.	*Él* . . . . fué.	*Ell* . . . . fweh.
We . . . were	*Nosotros* . fuimos.	*Nossótross.* . fwēēmoss.
You . . . were.	*Vosotros.* . fuisteis.	*Vossótross.* . fwistayiss.
They . . were.	*Ellos* . . . fueron.	*Éllyoss* . . . fwáiron.

PLUPERFECT	PRETÉRITO ANTERIOR	PRETÉRRITOH UNTAIRIÓRR
I . . . . have been.	Yo . . . . hube sido.	Yoh. . . . . . oobeh sēē-doh.
You . . . have been.	Tú . . . . hubiste sido.	Too. . . . . oobísteh sēēdoh.
He . . . . has been.	Él . . . . hubo sido.	Ell . . . . . ooboh sēē-doh.
We . . . have been.	Nosotros . hubimos sido.	Nossótross. . oobēēmoss sēēdoh.
You . . . have been.	Vosotros . . hubisteis si-do.	Vossótross. . oobísstayiss sēēdoh.
They . . have been.	Ellos . . . hubieron si-do.	Éllyoss . . . . oobyáirron sēēdoh.

FUTURE	FUTURO IMPERFECTO	FOOTŌŌROH IMPAIRFÉCTOH
I . . . . shall be.	Yo . . . . . seré.	Yoh. . . . . serréh.
You . . . will be.	Tú . . . . . serás.	Too. . . . . serrúss.
He . . . will be.	Él . . . . . será.	Ell . . . . . serráh.
We . . . shall be.	Nosotros . seremos.	Nossótross. . serrém-moss.
You . . . will be.	Vosotros. . seréis.	Vossótross. . serráyiss.
They . . will be.	Ellos . . . serán.	Éllyoss . . . serrún.

FUTURE PERFECT	FUTURO PERFECTO	FOOTŌŌROH PAIRFÉCTOH
I . . . . shall have been.	Yo . . . . . habré sido.	Yoh. . . . . . ubbréh sēē-doh.
You . . . will have been.	Tú . . . . habrás sido.	Too. . . . . . ubbrúss sēēdoh.
He . . . . will have been.	Él . . . . habrá sido.	Ell . . . . . ubbráh sēē-doh.
We . . . shall have been.	Nosotros . habremos si-do.	Nossótross. . ubbráy-moss sēē-doh.
You . . . will have been.	Vosotros. . habréis sido.	Vossótross. . ubbráy.iss sēēdoh.
They . . will have been.	Ellos . . . habrán sido.	Éllyoss . . . ubbrún sēē-doh.

Conditional mood	Modo Potencial	Máwdoh Pottentheál
PRESENT	SIMPLE O IMPERFECTO	SÍMPLE OH IMPAIRFÉCTOH
I . . . . should be.	Yo . . . . . sería.	Yoh. . . . . serrēēr.
You . . . would be.	Tú . . . . . serías.	Too. . . . . serréuss.
He . . . would be.	Él . . . . . sería.	Ell . . . . . serréar.
We . . . should be.	Nosotros . seríamos.	Nossótross. . serréar-moss.
You . . . would be.	Vosotros. . seríais.	Vossótross. . serrēē.ah.-iss.
They . . would be.	Ellos . . . serían.	Éllyoss . . . . serréun.

Past Conditional	Compuesto o Perfecto	Compwéstoh oh Pairféctoh
I . . . . should have been.	Yo . . . . habría sido.	Yoh. . . . . . ubbrēēr sēēdoh.
You . . . would have been.	Tú . . . . habrías sido.	Too. . . . . ubbrēēuss sēēdoh.
He . . . would have been.	Él . . . . habría sido.	Ell . . . . ubbréar seedoh.
We . . . should have been.	Nosotros habríamos sido.	Nossótross. . ubbrēērmos sēēdoh.
You . . would have been.	Vosotros. . habríais sido.	Vossótross. . ubbrēē.ah. iss sēēdoh.
They . . would have been.	Ellos . . . habrían sido.	Éllyoss . . . ubbrēēun sēēdoh.

Subjunctive mood	Modo Subjuntivo	Máwdoh Soobhoontēēvoh
Present	Presente	Pressénteh
I . . . . were.	Yo . . . . sea.	Yoh. . . . . sáyer.
You . . . were.	Tú . . . . seas.	Too. . . . . sáyuss.
He . . . was.	Él . . . . sea.	Ell . . . . . sáyer.
We . . . were.	Nosotros seamos.	Nossótross. sáyermoss.
You . . . were.	Vosotros. seáis.	Vossótross. say.ah.iss.
They . . were	Ellos . . . sean.	Éllyoss . . sáyun.

Past Subjunctive	Pretérito Perfecto	Pretérritoh Pairféctoh
I . . . . had been	Yo . . . . haya sido.	Yoh. . . . áh.yer sēēdoh.
You . . had been	Tú . . . . hayas sido.	Too. . . . . áh.yuss sēēdoh.
He . . . . had been	Él . . . . haya sido.	Ell . . . . . áh.yer sēēdoh.
We . . . had been	Nosotros hayamos sido.	Nossótross. . áh.yer.moss sēēdoh.
You . . . had been.	Vosotros. . hayáis sido.	Vossótross. ah.yáh.iss sēēdoh.
They . . had been.	Ellos . . . hayan sido.	Éllyoss . . . áh.yun sēēdoh.

	Pretérito Imperfecto (1)	Pretérritoh Impairféctoh
	Yo . . . . fuera o fuese.	Yoh. . . . . fwáirrer oh fwésseh.
	Tú . . . . fueras o fueses.	Too. . . . . fwérruss oh fwéssess.
	Él . . . . fuera o fuese.	Ell. . . . . . fwáirrer oh fwésseh.
	Nosotros fuéramos o fuésemos.	Nossótross. fwáirrummoss oh fwéssemmoss.
	Vosotros fuerais o fueseis.	Vossótross. fwáirrer.iss oh fwéssay.iss.
	Ellos . . . fueran o fuesen.	Éllyoss. . . fwáirrun oh fwéssen.

(1) Not used in English language.

PRETÉRITO PLUSCUAMPERFECTO (1)	PRETÉRRITOH PLOOSKWUMPAIRFÉCTOH
Yo . . . . hubiera o hubiese sido.	Yoh. . . . . . oobyérrer oh oobyésseh sēēdoh.
Tú . . . . hubieras o hubieses sido.	Too. . . . . . oobyérruss oh oobyésses sēēdoh.
Él . . . . hubiera o hubiese sido.	Ell. . . . . . oobyérrer oh oobyésseh sēēdoh.
Nosotros . hubiéramos o hubiésemos sido.	Nossótross. oobyérrum moss oh oobéssemmoss sēēdoh.
Vosotros. . hubierais o hubieseis sido.	Vossótross. oobyérrah. is oh oobyéssa.iss sēēdoh.
Ellos . . . hubieran o hubiesen sido.	Éllyoss. . . oobyérrun oh oobyéssen sēēdoh.

FUTURO IMPERFECTO (1)	FOOTŌŌROH IMPAIRFÉCTOH
Yo . . . . fuere.	Yo. . . . . . fwáirreh.
Tú . . . . fueres.	Too. . . . . . fwáirres.
Él . . . . fuere.	Ell. . . . . . fwáirreh.
Nosotros . fuéremos.	Nossótross. fwérrem moss.
Vosotros. . fuereis.	Vossótross. fwérray.iss.
Ellos . . . fueren.	Éllyoss. . . fwérren.

FUTURO PERFECTO (1)	FOOTŌŌROH PAIRFÉCTOH
Yo . . . . hubiere sido.	Yoh. . . . . oobyérreh sēēdoh.
Tú . . . . hubieres sido.	Too. . . . . obyérress sēēdoh.
Él . . . . hubiere sido.	Ell. . . . . . obyérreh sēēdoh.
Nosotros . hubiéremos sido.	Nossótross. oobyérremmoss sēēdoh.
Vosotros. . hubiéreis sido.	Vossótross. oobyérray. iss sēēdoh.
Ellos . . . hubieren sido.	Éllyoss. . . obyérren sēēdoh.

(1) Not used in English language.

Imperative mood	Modo Imperativo	Máwdoh Imperratēēvoh
PRESENT	PRESENTE	PRESSÉNTEH
Let me be.		Sáyer yoh.
Be.	Sé tú.	Seh too.
Let him be.	Sea él.	Sáyer ell.
Let us be.	Seamos nosotros.	Sáyermoss nossótross.
Be.	Sed vosotros.	Sed vossótross.
Let them be.	Sean ellos.	Sáyun éllyoss.

REGULAR VERBS
VERBOS REGULARES

TO LOVE	AMAR	UMMÁRR
Infinitive mood	Modo Infinitivo	Máwdoh Infinitēēvoh
SIMPLE FORMS	FORMAS SIMPLES	FÓRMUSS SÍMPLESS
Infinitive: To love.	Infinitivo. amar.	Infinitēēvoh: Ummárr.
Gerund: Loving.	Gerundio . amando.	Herrōōndeoh: ummúndoh.
Past participle: Loved.	Participio. amado.	Párrtithíppeoh: ummárdoh.
COMPOUND FORMS	FORMAS COMPUESTAS	FÓRRMUSS COMPWÉSTERSS
Infinitive: To have loved.	Infinitivo. haber amado.	Infinitēēvoh: ubbáirr ummárdoh.
Gerund: Having loved.	Gerundio . h a b i e n d o amado.	Herrōōndeoh: ubbyéndoh ummárdoh.
Indicative mood	Modo Indicativo	Máwdoh Indicatēēvoh
PRESENT	PRESENTE	PRESSÉNTEH
I . . . . love.	Yo . . . . . amo.	Yoh. . . . . . úmmoh.
You . . . . love.	Tú . . . . . amas.	Too. . . . . . úmmuss.
He . . . . loves.	Él . . . . . ama.	Ell . . . . . . úmmer.
We . . . love.	Nosotros . amamos.	Nossótross. . u m m á r- moss.
You . . . love.	Vosotros. . amáis.	Vossótross. . ummár .iss.
They . . love.	Ellos . . . aman.	Éllyoss . . . . úmmun.
PERFECT	PRETÉRITO PERFECTO	PRETÉRRITOH PAIRFÉCTOH
I . . . . have loved.	Yo . . . . . he amado.	Yoh. . . . . . eh ummárdoh.
You . . . have loved.	Tú . . . . . has amado.	Too. . . . . uss ummárdoh.
He . . . . has loved.	Él . . . . . ha amado.	Ell . . . . . . ah ummárdoh.

English	Spanish	Pronunciation
We . . . have loved.	Nosotros . hemos amado.	Nossótross. . émmoss ummár-doh.
You . . . have loved.	Vosotros. . habéis amado.	Vossótross. . ubbáy.iss ummár-doh.
They . have loved.	Ellos . . . han amado.	Éllyoss. . . un ummár-doh.

IMPERFECT	PRETÉRITO IMPERFECTO	PRETÉRRITOH IMPAIRFÉCTOH
I . . . . loved.	Yo . . . . . amaba.	Yoh. . . . . ummárber.
You . . . loved.	Tú . . . . . amabas.	Too. . . . . ummár-buss.
He . . . . loved.	Él . . . . . amaba.	Ell . . . . . ummárber.
We . . . loved.	Nosotros . amábamos.	Nossótross. . ummárber-moss.
You . . . loved.	Vosotros. . amabais.	Vossótross. . ummárbah.iss.
They . . loved.	Ellos . . . amaban.	Éllyoss. . . . ummárbun.

PLUPERFECT	PRETÉRITO PLUSCUAMPERFECTO	PRETÉRRITOH PLOOSKWUMPAIRFÉCTOH
I . . . . had loved.	Yo . . . . . había amado.	Yoh. . . . . ubbēēr ummárdoh.
You . . . had loved.	Tú . . . . . habías amado.	Too. . . . . ubbēēus ummár-doh.
He . . . . had loved.	Él . . . . . había amado.	Ell . . . . . ubbēēr ummárdoh
We . . . had loved.	Nosotros . habíamos amado.	Nossótross. . ubbēēr moss ummár-doh
You . . . had loved.	Vosotros. . habíais amado.	Vossótross. . ubbēē ah.iss ummár-doh.
They . . had loved.	Ellos . . . habían amado.	Éllyoss. . . . ubbēēun ummárdoh.

PAST DEFINITE	PRETÉRITO INDEFINIDO	PRETÉRRITOH INDEFFINĒĒDOH
I . . . . loved.	Yo . . . . . amé.	Yoh. . . . . umméh.
You . . . loved.	Tú . . . . . amaste.	Too. . . . . ummústeh.
He . . . . loved.	Él . . . . . amó.	Ell . . . . . ummóh.
We . . . loved.	Nosotros . amamos.	Nossótross. . ummá moss.
You . . . loved.	Vosotros. . amáis.	Vossótross. . ummáh.iss.
They . . loved.	Ellos . . . amaron.	Éllyoss. . . . ummárro.

PLUPERFECT	PRETÉRITO ANTERIOR	PRETÉRRITOH UNTAIRIÓR
I . . . . had loved.	Yo . . . . . hube amado.	Yoh. . . . . oobeh ummárdoh.
You . . had loved.	Tú . . . . . hubiste amado.	Too. . . . . oobísteh ummár-doh.

He . . . . had loved.	*Él* . . . . . hubo amado.	*Ell* . . . . . . ooboh um-márdoh.
We . . . had loved.	*Nosotros* . h u b i m o s amado	*Nossótross.* oobēēmoss ummár-doh.
You . . . had loved.	*Vosotros.* . h u b i s t e i s amado.	*Vossótross.* . oobístay.iss ummár-doh.
They . . had loved.	*Ellos* . . . h u b i e r o n amado.	*Éllyoss* . . . oobyáirron ummár-doh.

FUTURE	FUTURO IMPAIRFECTO	FOOTŌŌROH IMPAIRFÉCTOH
I . . . . shall love.	*Yo* . . . . . amaré.	*Yoh.* . . . . . ummerráy.
You . . will love.	*Tú* . . . . . amarás.	*Too.* . . . . . ummerrús.
He . . . will love.	*Él* . . . . . amará.	*Ell* . . . . . . ummerráh.
We . . . shall love.	*Nosotros* amaremos.	*Nossótross.* . ummerráy-moss.
You . . will love	*Vosotros.* . amaréis.	*Vossótross.* . ummerráy.iss.
They . . will love.	*Ellos* . . . amarán.	*Éllyoss* . . . ummerrún

FUTURE PERFECT	FUTURO PERFECTO	FOOTŌŌROH PAIRFÉCTOH
I . . . . s h a l l h a v e loved.	*Yo* . . . . . habré amado	*Yoh.* . . . . . ubbréh um-márdoh.
You . . w i l l h a v e loved	*Tú* . . . . . habrás ama-do	*Too.* . . . . u b b r ú s s ummár-doh.
He . . . w i l l h a v e loved.	*Él* . . . . . habrá amado.	*Ell* . . . . . ubbráh um-márdoh.
We . . . s h a l l h a v e loved.	*Nosotros* h a b r e m o s amado.	*Nossótross.* . u b b r á y-moss um-márdoh.
You . . w i l l h a v e loved.	*Vosotros.* . habréis ama-do.	*Vossótross* . ubbráy.iss ummár-doh.
They . w i l l h a v e loved.	*Ellos* . . . habrán ama-do	*Éllyoss* . . . ubbrún um-márdoh.

Conditional mood	Modo Potencial	Máwdoh Pottentheál
PRESENT	SIMPLE O IMPERFECTO	SÍMPLE OH IMPAIRFÉCTOH
I . . . . should love.	*Yo* . . . . . amaría	*Yoh.* . . . . . ummerréar.
You . . would love	*Tú* . . . . . amarías	*Too.* . . . . . u m m e r-réuss.
He . . . . would love.	*Él* . . . . . amaría.	*Ell* . . . . . u m m é r-réar.
We . . . should love.	*Nosotros* amaríamos.	*Nossótross.* u m m é r.réar.moss
You . . . would love.	*Vosotros.* . amaríais.	*Vossótross.* . ummer.ré-ah.iss
They . . would love.	*Ellos* . . . amarían.	*Éllyoss* . . . . u m m e r.-réun.

FUTURO IMPERFECTO (1)	FOOTŌŌROH IMPAIRFÉCTOH
Yo . . . . . amare.	Yoh. . . . . ummárreh.
Tú . . . . . amares.	Too. . . . . ummárress.
Él . . . . . amare.	Ell. . . . . . ummárreh.
Nosotros . amáremos.	Nossótross. . ummárremos.
Vosotros. . amareis.	Vossótros. . . ummárray.iss.
Ellos . . . amaren.	Éllyoss. . . . ummárren.

FUTURO PERFECTO (1)	FOOTŌŌROH PAIRFÉCTOH
Yo . . . . . hubiere amado.	Yoh. . . . . oobyérreh ummárdoh.
Tú . . . . h u b i e r e s amado.	Too. . . . . oobyérress ummárduh.
Él . . . . . hubiere amado.	Ell. . . . . . oobyérreh ummárdoh.
Nosotros . hubiéremos amado.	Nossótross. . oobyérremmoss ummárdoh.
Vosotros. . h u b i e r e i s amado.	Vossótross. . oobyérrayiss ummárdoh.
Ellos . . . h u b i e r e n amado.	Éllyoss. . . . obbyérren ummárdoh.

Imperative mood	Modo Imperativo	Máwdoh Imperratēēvoh
PRESENT	PRESENTE	PRESSÉNTEH
Let me love!	(Que) Ame yo.	Ummeh yoh.
Love!	Ama tú.	Ummeh too.
Let us love!	Ame él.	Ummeh ell.
Let him love!	Amemos nosotros.	Umméh.moss nossótross.
Love!	Amad vosotros.	Ummud vossóttros.
Let then love!	Amen ellos.	Ummen éllyos.

TO FEAR	TEMER	TEMMÁIR
Infinitive mood	Modo Infinitivo	Máwdoh Infinitēēvoh
SIMPLE FORMS	FORMAS SIMPLES	FÓRMUSS SÍMPLESS
Infinitive: To fear.	Infinitivo. temer.	Infinitēēvoh: temmáir.
Gerund: Fearing.	Gerundio . temiendo.	Herrōōndeoh: temmyéndoh.
Past participle: Feared.	Participio. temido.	Parrtithíppeoh: temmēēdoh.
COMPOUND FORMS	FORMAS COMPUESTAS	FÓRMUSS COMPWÉSTERSS
Infinitive: To have feared.	Infinitivo. haber temido.	Infinitēēvoh: ubbáirr temmēēdoh.
Gerund: Having feared.	Gerundio . habiendo temido.	Herrōōndeoh: ubbyéndoh temmēēdoh.

(1) Not used in English language.

Indicative mood	Modo Indicativo	Máwdoh Indicatēēvoh
PRESENT	**PRESENTE**	**PRESSÉNTEH**
I . . . fear.	Yo . . . . . temo.	Yoh. . . . . témmoh.
You . . . fear.	Tú . . . . . temes.	Too. . . . . témmus.
He . . . fears.	Él . . . . . teme.	Ell . . . . . témmer.
We . . . fear.	Nosotros . tememos.	Nossótross. temméh.-moss.
You . . fear.	Vosotros. . teméis.	Vossótross. temméh.iss.
They . . fear.	Ellos . . . temen.	Éllyoss . . . témmen.
PERFECT	**PRETÉRITO PERFECTO**	**PRETÉRRITOH PAIRFÉCTOH**
I . . . . have feared.	Yo . . . . . he temido.	Yoh. . . . . eh temmēē-doh
You . . . have feared.	Tú . . . . . has temido.	Too. . . . . uss tem-mēēdoh.
He . . . has feared.	Él . . . . . ha temido.	Ell . . . . . ah temmēē-doh.
We . . . have feared.	Nosotros . hemos temi-do.	Nossótross . émmoss temmēē-doh.
You . . have feared.	Vosotros. . habéis temi-do.	Vossótross. ubbáy.iss temmēē-doh.
They . . have feared.	Ellos . . . han temido.	Éllyoss . . . un temmēē-doh.
IMPERFECT	**PRETÉRITO IMPERFECTO**	**PRETÉRRITOH IMPAIRFÉCTOH**
I . . . feared.	Yo . . . . . temía.	Yoh. . . . . temméar.
You . . . feared.	Tú . . . . . temías.	Too. . . . . temméuss.
He . . . feared.	Él . . . . . temía.	Ell . . . . . temméar.
We . . . feared.	Nosotros . temíamos.	Nossótross. . temméar.-moss.
You . . feared.	Vosotros. . temíais.	Vossótross. temée.ah.-iss.
They . . feared.	Ellos . . . temían.	Éllyoss . . . temméun.
PLUPERFECT	**PRETÉRITO PLUSCUAMPERFECTO**	**PRETÉRRITOH PLOOSKWUMPAIRFÉCTOH**
I . . . . had feared.	Yo . . . . . había temido.	Yoh. . . . . ubbēēr tem-mēēdoh.
You . . . had feared.	Tú . . . . . habías temi-do.	Too. . . . . ubbēēuss temēēdoh.
He . . . . had feared.	Él . . . . . había temido.	Ell . . . . . ubbēēr tem-mēēdoh.
We . . . had feared.	Nosotros . habíamos te-mido.	Nossótross. . ubbēērmoss temmēē-doh.
You . . had feared.	Vosotros. . habíais temi-do.	Vossótross. ubbēē.ah.-iss.
They . . had feared.	Ellos . . . habían temi-do.	Éllyoss . . . ubbēēun temmēē-doh.

PAST DEFINITE	PRETÉRITO INDEFINIDO	PRETÉRRITOH INDEFFINĒĒDOH
I . . . . feared.	*Yo* . . . . temí.	*Yoh.* . . . . temmée.
You . . feared.	*Tú* . . . . temiste.	*Too.* . . . . temmísteh.
He . . . feared.	*Él* . . . . temió	*Ell* . . . . . temmeóh.
We . . . feared.	*Nosotros* . temimos.	*Nossótross.* . temmēē-mos.
You . . feared.	*Vosotros* . temisteis.	*Vossótross.* . temmísteh-.iss.
They . . feared.	*Ellos* . . . temieron.	*Éllyoss* . . . temmyái-ron.
PLUPERFECT	PRETÉRITO ANTERIOR	PRETÉRRITOH UNTAIRIÓRR
I . . . . had feared	*Yo* . . . . hube temido.	*Yoh.* . . . . oobeh te-mēēdoh.
You . . had feared	*Tú* . . . . hubiste temi-do.	*Too.* . . . . oobíssteh temēēdoh.
He . . . had feared	*Él* . . . . hubo temido.	*Ell* . . . . . ooboh te-mēēdoh.
We . . had feared	*Nosotros* . hubimos te-mido.	*Nossótross.* . oobćēmos temēēdoh.
You . . had feared.	*Vosotros.* . hubisteis te-mido.	*Vossótross.* . oobístay-.iss temēē-doh.
They . . had feared.	*Ellos* . . . hubieron te-mido.	*Éllyoss* . . . . oobyáirron temēēdoh.
FUTURE	FUTURO IMPERFECTO	FOOTŌŌROH IMPAIRFÉCTOH
I . . . . shall fear.	*Yo* . . . . temeré.	*Yoh.* . . . . temmerréh.
You . . will fear.	*Tú* . . . . temerás.	*Too.* . . . . temmer-rúss.
He . . . will fear.	*Él* . . . . temerá.	*Ell* . . . . . temmerráh.
We . . . shall fear.	*Nosotros* . temeremos.	*Nossótross.* . temmerréh-moss.
You . . will fear	*Vosotros.* . temeréis.	*Vossótross.* . temmerréh-.iss.
They . . will fear.	*Ellos* . . . temerán.	*Éllyoss* . . . temmerrún.
FUTURO PERFECTO	FUTURE PERFECT	FOOTŌŌROH PAIRFÉCTOH
Yo . . . . habré temido	*I* . . . . shall have fear-ed.	*Yoh.* . . . . ubbréh temmēē-doh.
Tú . . . . habrás temi-do.	*You* . . . will have fear-ed.	*Too.* . . . . ubbrúss temmēē-doh.
Él . . . . habrá temido.	*He* . . . . will have fear-ed.	*Ell* . . . . . ubbráh temmēē-doh.
Nosotros . habremos te-mido.	*We* . . . shall have fear-ed.	*Nossótross.* . ubbráy-moss tem-mēēdoh.
Vosotros. . habréis temi-do.	*You* . . . will have fear-ed.	*Vossótross.* . ubbráy.iss temmēē-doh.
Ellos . . . habrán temi-do.	*They* . . will have fear-ed.	*Éllyoss.* . . . ubbrún temmēē-doh.

Conditional mood	Modo Potencial	Máwdoh Pottentheâl
PRESENT	SIMPLE O IMPERFECTO	SÍMPLE OH IMPAIRFÉCTOH
I . . . . should fear.	Yo . . . . . temería.	Yoh. . . . . temmer-réar.
You . . . would fear.	Tú . . . . temerías.	Too. . . . . temmer-réus.
He . . . . would fear.	Él . . . . . temería.	Ell . . . . . temmer-réar.
We . . . should fear.	Nosotros . temeríamos.	Nossótross. . temmer-rémmos.
You . . . would fear.	Vosotros. . temeríais.	Vossótross. . temmer-rēē.ah.iss.
They . . would fear.	Ellos . . . temerían.	Éllyoss . . . temmer-rún.

PAST CONDITIONAL	COMPUESTO O PERFECTO	COMPWÉSTOH OH PAIRFÉCTOH
I . . . . should have feared.	Yo . . . . . habría temido.	Yoh. . . . . ubbrēēr temmēē-doh.
You . . . would have feared.	Tú . . . . . habrías temido.	Too. . . . . ubbrēēuss temmēē-doh.
He . . . . would have feared.	Él . . . . . habría temido.	Ell . . . . . ubbrēēr temmēē-doh.
We . . . should have feared.	Nosotros . habríamos temido.	Nossótross. . ubbrēēr-moss temmēēdoh.
You . . . would have feared.	Vosotros. . habríais temido.	Vossótross. . ubbrēē.ah.iss temmēēdoh.
They . . . would have feared.	Ellos . . . habrían temido.	Éllyoss . . . ubbrēēun temmēēdoh.

Subjunctive mood	Modo Subjuntivo	Máwdoh Soobhoontēēvoh
PRESENT	PRESENTE	PRESSÉNTEH
I . . . . fear.	Yo . . . . . tema.	Yoh. . . . . témmer.
You . . . fear.	Tú . . . . . temas.	Too. . . . . . témmus.
He . . . fear.	Él . . . . . tema.	Ell . . . . . témmer.
We . . . fear.	Nosotros . temamos.	Nossótross. . temmár-moss.
You . . . fear.	Vosotros. . temáis.	Vossótross. . temmáh.-iss.
They . . fear.	Ellos . . . teman.	Éllyoss . . . témmun.

PAST SUBJUNCTIVE	PRETÉRITO PERFECTO	PRETÉRRITOH PAIRFÉCTOH
I . . . . feared.	Yo . . . . . haya temido.	Yoh. . . . . . áh.yer temmēēdoh.
You . . . feared.	Tú . . . . . hayas temido.	Too. . . . . . áh.yuss temmēēdoh.
He . . . . feared.	Él . . . . . haya temido.	Ell . . . . . . áh.yer temmēēdoh.

We . . . feared.	Nosotros . hayamos te-mido.	Nossótross. . áh . yer . . moss tem-mēēdoh.
You . . . feared.	Vosotros. . hayáis temi-do.	Vossótross. ah . yáh . iss temmēē-doh.
They . . feared.	Ellos . . . hayan temi-do.	Éllyoss . . . áh.yun tem-mēēdoh.
	PRETÉRITO IMPERFECTO (1)	PRETÉRRITOH IMPAIRFÉCTOH
	Yo . . . . . temiera o te-miese.	Yoh. . . . . . temmyáir-rer oh tem-myésseh.
	Tú . . . . . temieras o te-mieses.	Too. . . . . . temmyáir-russ oh temmyés-ses.
	Él . . . . . . temiera o te-miese.	Ell. . . . . . temmyáir-rer oh temmyés-seh.
	Nosotros . temiéramos o tcnuésemos.	Nossótross. . temmyáir-rummoss oh tem-myéssemm-moss.
	Vosotros . temierais o temieseis.	Vossótross. . temmyáir-rah.iss oh temmyés-say.iss.
	Ellos . . . temieran o temiesen.	Éllyos . . . . temmyáir-run oh temmyés-sen.
	PRETÉRITO PLUSCUAMPERFECTO (1)	PRETÉRRITOH PLOOSKWUMPAIRFÉCTOH
	Yo . . . . . hubiera o hu-biese temi-do.	Yoh. . . . . . oobyérrer oh oobyés-seh tem-mēēdoh.
	Tú . . . . . hubieras o hubieses te-mido.	Too. . . . . . oobyérruss oh oobyés-ses tem-mēēdoh.
	Él . . . . . hubiera o hu-biese temi-do.	Ell. . . . . . oobyérrer oh oobyés-seh tem-mēēdoh.
	Nosotros . hubiéramos o hubiésemos temido.	Nossótross. oobyérrum-moss oh oobyés-semmoss temēēdoh.

(1) Not used in English language.

Vosotros . hubierais o hubieseis temido.		*Vossótross*. . oobyérrah.-iss oh oobyéssay.-iss temmēēdoh.		
Ellos . .. hubieran o hubiesen temido.		*Éllyos* . . .. oobyérrun oh oobyéssen temmēēdoh.		

FUTURO IMPERFECTO (1)		FOOTŌŌROH IMPAIRFÉCTOH	
Yo . . . . temiere.		Yoh. . . . . temyérreh.	
Tú . . . . temieres		Too. . . . . temyáirress.	
Él . . . . . temiere.		Ell. . . . . temyáirreh.	
Nosotros . temiéremos.		Nossótross. temyérremmoss.	
Vosotros. . temiereis.		Vossótross. temyáirreh.iss.	
Ellos . . . temieren.		Éllyos . . . . temyáirren.	

FUTURO PERFECTO (1)		FOOTŌŌROH PAIRFÉCTOH	
Yo . . . . hubiere temido.		Yoh. . . . . oobyérreh temēēdoh.	
Tú . . . . hubieres temido.		Too. . . . . oobyérress temēēdoh.	
Él . .. . . hubiere temido.		Ell. . . . . oobyérreh temēēdoh.	
Nosotros . hubiéremos temido.		Nossótross. oobyérremmoss temēēdoh.	
Vosotros. . hubiereis temido.		Vossótross. oobyérray.-iss temēēdoh.	
Ellos . . . hubieren temido.		Éllyos . . . . oobyérren temēēdoh.	

Imperative mood	**Modo Imperativo**	**Máwdoh Imperatēēvoh**
PRESENT	PRESENTE	PRESSÉNTEH
Let me fear.	(Que) Tema *yo*.	Témmer *yoh*.
Fear.	Teme *tú*.	Témmeh *too*.
Let him fear.	Tema *él*.	Témmer *ell*.
Let us fear.	Temamos *nosotros*.	Temmármoss *nossóttross*.
Fear.	Temed *vosotros*.	Témmed *vossóttross*.
Let them fear.	Teman *ellos*.	Témmun *éllyos*.

TO GO AWAY	**PARTIR**	**PARRTĒERR**
Infinitive mood	**Modo Infinitivo**	**Máwdoh Infinitēēvoh**
SIMPLE FORMS	FORMAS SIMPLES	FÓRMUSS SÍMPLESS
Infinitive: To go away	*Infinitivo.* partir.	*Infinitēēvoh:* parrtēērr.
Gerund: Going away.	*Gerundio* . partiendo.	*Herrōōndeoh:* parrtyéndoh.
Past participle: Gone away.	*Participio.* partido.	*Párrtithippeoh:* parrtēēdoh.

---

(1) Not used in English language.

COMPOUND FORMS	FORMAS COMPUESTAS	FÓRMUSS COMPWÉSTERSS
Infinitive: To have gone away.	*Infinitivo.* haber partido.	*Infinitēēvoh:* ubbáirr parrtēēdoh.
Gerund: Having gone away.	*Gerundio.* habiendo partido.	*Herrōōndeoh:* ubbyéndoh parrtēēdoh.

Indicative mood

PRESENT

I . . . . go away.	
You . . . go away.	
He . . . goes away.	
We . . . go away.	
You . . . go away.	
They . . go away.	

Modo Indicativo

PRESENTE

Yo . . . . parto.	
Tú . . . . partes.	
Él . . . . parte.	
Nosotros . partimos.	
Vosotros. . partís.	
Ellos . . . parten.	

Máwdoh Indicatēēvoh

PRESSÉNTEH

Yoh. . . . . párrtoh.	
Too. . . . . párrtes.	
Ell. . . . . . párrteh.	
Nossótross. parrtēē-moss.	
Vossótross. parrtēēss.	
Éllyoss . . . párrten.	

PERFECT

I . . . have gone away	
You . . have gone away.	
He . . . has gone away.	
We . . have gone away.	
You . . have gone away.	
They . . have gone away.	

PRETÉRITO PERFECTO

Yo . . . . he partido.	
Tú . . . . has partido.	
Él . . . . ha partido.	
Nosotros . hemos partido.	
Vosotros. . habéis partido.	
Ellos . . . han partido.	

PRETÉRRITOH PAIRFÉCTOH

Yoh. . . . . eh parrtēēdoh.	
Too. . . . . uss parrtēēdoh.	
Ell. . . . . . ah parrtēēdoh.	
Nossótross. émmoss partēēdoh.	
Vossótross. ubbáy.iss partēēdoh.	
Éllyoss . . . un parrtēēdoh.	

IMPERFECT

I . . . . went away.	
You . . . went away.	
He . . . went away.	
We . . . went away.	
You . . . went away.	
They . . went away.	

PRETÉRITO IMPERFECTO

Yo . . . . partía.	
Tú . . . . partías.	
Él . . . . partía.	
Nosotros . partíamos.	
Vosotros. . partíais.	
Ellos . . . partían.	

PRETÉRRITOH IMPAIRFÉCTOH

Yoh. . . . . parrtēēr.	
Too. . . . . parrtēēuss.	
Ell. . . . . . parrtēēr.	
Nossótross. parrtēēr-moss.	
Vossótross. parrtēē.ah.-iss.	
Éllyoss . . . parrteēun.	

PLUPERFECT

I . . . . had gone away.	
You . . . had gone away.	
He . . . . had gone away.	

PRETÉRITO PLUSCUAMPERFECTO

Yo . . . . había partido.	
Tú . . . . habías partido.	
Él . . . . había partido.	

PRETÉRRITOH PLOOSKWUMPAIRFÉCTOH

Yoh. . . . . ubbēēr parrtēēdoh.	
Too. . . . . ubbēēus parrtēēdoh.	
Ell. . . . . . ubbēēr parrtēēdoh.	

We . . . had gone away.	Nosotros . h a b i a m o s partido.	Nossótross. u b b ē ē r-moss parr-tēēdoh.
You . . had gone away.	Vosotros. . habíais par-tido.	Vossótross. ubbēē.ah.-iss parr-tēēdoh.
They . . had gone away.	Ellos . . . habían parti-do.	Éllyoss . . . u b b ē ē un parrtēē-doh.

PAST DEFINITE	PRETÉRITO INDEFINIDO	PRETÉRRITOH INDEFFINĒĒDOH
I . . . . went away.	Yo . . . . . partí.	Yoh. . . . . partēē.
You . . . went away.	Tú . . . . . partiste.	Too. . . . . parrtísteh.
He . . . went away.	Él . . . . . partió.	Ell . . . . . parrteóh.
We . . . went away.	Nosotros . partimos.	Nossótross. parrtēē-moss.
You . . . went away.	Vosotros. . partisteis.	Vossótross. parrtístay.-iss.
They . . went away.	Ellos . . . partieron.	Éllyoss . . . parrtyáir-ron.

PLUPERFECT	PRETÉRITO ANTERIOR	PRETÉRRITOH UNTAIRIÓRR
I . . . . had gone away.	Yo . . . . . hube partido.	Yoh. . . . . oobeh parr-tēēdoh.
You . . . had gone away.	Tú . . . . . hubiste par-tido.	Too. . . . . oobíssteh parrtēē-doh.
He . . . had gone away.	Él . . . . . hubo partido.	Ell. . . . . . ooboh parr-tēēdoh.
We . . . had gone away.	Nosotros . hubimos par-tido.	Nossótross. oobēēmoss parrtēē-doh.
You . . . had gone away.	Vosotros. . hubisteis par-tido.	Vossótross. oobístay.iss parrtēē-doh.
They . . had gone away.	Ellos . . . hubieron par-tido.	Éllyoss . . . oobyáirron parrtēē-doh.

FUTURE	FUTURO IMPERFECTO	FOOTŌŌROH IMPAIRFÉCTOH
I . . . . shall go away.	Yo . . . . . partiré.	Yoh. . . . . parrtirréh.
You . . . will go away.	Tú . . . . . partirás.	Too. . . . . parrtirrúss.
He . . . will go away.	Él . . . . . partirá.	Ell . . . . . parrtirráh.
We . . . shall go away.	Nosotros . partiremos.	Nossótross. parrtirrém-mos.
You . . . will go away.	Vosotros. . partiréis.	Vossótross. . partirráy.iss.
They . . will go away.	Ellos . . . partirán.	Éllyoss . . . parrtirrún.

FUTURE PERFECT	FUTURO PERFECTO	FOOTŌŌROH PAIRFÉCTOH
I . . . . . shall have gone away.	Yo . . . . . habré partido.	Yoh . . . . . . u b b r é h parrtēē-doh.
You . . . will have gone away.	Tú . . . . . habrás partido.	Too . . . . . . u b b r ú ss parrtēē-doh.
He . . . . will have gone away.	Él . . . . . habrá partido.	Ell . . . . . . u b b r á h parrtēē-doh.
We . . . shall have gone away.	Nosotros . h a b r e m o s partido.	Nossótross . u b b r á y-moss parr-tēēdoh.
You . . . will have gone away.	Vosotros . . habréis partido.	Vossótross . . ubbráy.iss parrtēē-doh.
They . . will have gone away.	Ellos . . . habrán partido.	Éllyoss . . . u b b r ú n parrtēē-doh.

Conditional mood	Modo Potencial	Máwdoh Pottentheál
PRESENT	**SIMPLE O IMPERFECTO**	**SÍMPLE OH IMPAIRFÉCTOH**
I . . . . s h o u l d go away.	Yo . . . . . partiría.	Yoh . . . . . . parrtirréer.
You . . . would go away.	Tú . . . . . partirías.	Too . . . . . . p a r r t i r-réuss.
He . . . . would go away.	Él . . . . . partiría.	Ell . . . . . parrtirréer.
We . . . s h o u l d go away.	Nosotros . partiríamos.	Nossótross . parrtirréer-moss.
You . . . would go away.	Vosotros . . partiríais.	Vossótross . . parrtirrée-ah.is.
They . . would go away.	Ellos . . . partirían.	Éllyoss . . . parrtirrée-un.

PAST CONDITIONAL	COMPUESTO O PERFECTO	COMPWÉSTOH OH PAIRFÉCTOH
I . . . . s h o u l d have gone away.	Yo . . . . . habría partido.	Yoh . . . . . . u b b r ē ē r parrtēē-doh.
You . . . w o u l d have gone away.	Tú . . . . . habrías partido.	Too . . . . . ubbrēēcuss parrtēē-doh.
He . . . . would have gone away.	Él . . . . . habría partido.	Ell . . . . . . u b b r ē ē r-parrtēē-doh.
We . . . should have gone away.	Nosotros . h a b r í a m o s partido.	Nossótross . . u b b r ē ē r-moss parr-tēēdoh.
You . . . w o u l d have gone away.	Vosotros . . habríais partido.	Vossótross . . ubbrée.ah. iss partēē-doh.
They . . would have gone away.	Ellos . . . habrían partido.	Éllyoss . . . ubbrēē.un partēēdoh.

Subjunctive mood	Modo Subjuntivo	Máwdoh Soobhoontēēvoh
	PRESENTE (1)	PRESSÉNTEH
	Yo . . . . parta.	Yoh. . . . . párrtah.
	Tú . . . . partas.	Too. . . . . párrtuss.
	Él . . . . parta.	Ell . . . . . párrtah.
	Nosotros . partamos	Nossótross. parrtáh-moss.
	Vosotros. . partáis.	Vossótross. . parrtáh.iss.
	Ellos . . . partan.	Éllyoss . . . párrtun
PAST SUBJUNCTIVE	PRETÉRITO PERFECTO	PRETÉRRITOH PAIRFÉCTOH
I . . . . went away.	Yo . . . . haya partido.	Yoh. . . . . áh.yer parrtēē-doh.
You . . . went away.	Tú . . . . hayas parti-do.	Too. . . . . áh.yuss parrtēē-doh.
He . . . went away.	Él . . . . haya partido.	Ell . . . . . áh.yer parrtēē-doh.
We . . . went away.	Nosotros . hayamos par-tido.	Nossótross. áh.yer.moss parrtēē-doh.
You . . . went away.	Vosotros. . hayáis parti-do.	Vossótross. ah.yáh.iss parrtēē-doh.
They . . went away.	Ellos . . . hayan parti-do.	Éllyoss . . . áh.yun parrtēē-doh.
PLUPERFECT	PRETÉRITO IMPERFECTO	PRETÉRRITOH IMPAIRFÉCTOH
I . . . . had gone away	Yo . . . . partiera o partiese.	Yoh. . . . . parrtyáirer oh parrty-ésseh.
You . . . had gone away.	Tú . . . . partieras o partieses.	Too. . . . . parrtyáirr-russ oh parrtyés-sess.
He . . . had gone away.	Él . . . . partiera o partiese.	Ell . . . . . parrtyáirer oh parrty-ésseh.
We . . . had gone away.	Nosotros . partiéramos o partiésemos.	Nossótross. parrtyáirr-ramos oh parrtyés-semoss.
You . . . had gone away.	Vosotros. . partierais o partieseis.	Vossótross. parrtyáirr-aihss oh parrtyés-sen.
They . . had gone away.	Ellos . . . partieran o partiesen.	Éllyoss . . . parrtyáirr-run oh parrtyés-sen.

_____

(1) Not used in English language.

PRETÉRITO PLUSCUAMPERFECTO (1)	PRETÉRRITOH PLOOSKWUMPAIRFÉCTOH
Yo ..... hubiera o hubiese partido.	Yoh. ..... oobyérrer oh oobyésseh parrtēēdoh.
Tú ..... hubieras o hubieses partido.	Too. .... oobyérruss oh oobyéssess parrtēēdoh.
Él ..... hubiera o hubiese partido.	Ell ...... oobyérrer oh oobyésseh parrtēēdoh.
Nosotros . hubiéramos o hubiésemos partido.	Nossótross.. oobyérrummoss oh oobyéssemmoss parrtēēdoh.
Vosotros.. hubierais o hubieseis partido.	Vossótross. . oobyérrah.iss oh oobyéssay.iss parrtēēdoh.
Ellos ... hubieran o hubiesen partido.	Éllyoss ... oobyérrun oh oobyéssen parrtēēdoh.

FUTURO IMPERFECTO (1)	FOOTŌŌROH IMPAIRFÉCTOH
Yo ..... partiere.	Yoh. ..... parrtyáirreh.
Tú ..... partieres.	Too. .... parrtyáirress.
Él ..... partiere.	Ell ...... parrtyáirreh.
Nosotros . partiéremos.	Nossótross . parrtyáirremmoss.
Vosotros.. partiereis.	Vossótross. parrtyáirray.iss.
Ellos ... partieren.	Éllyoss ... parrtyáirren.

FUTURO PERFECTO (1)	FOOTŌŌROH PAIRFÉCTOH
Yo ..... hubiere partido.	Yoh. ..... oobyérreh parrtēēdoh.
Tú ..... hubieres partido.	Too. .... oobyérress parrtēēdoh.
Él ..... hubiere partido.	Ell ...... oobyérreh parrtēēdoh.

(1) Not used in English language.

Nosotros . hubiéremos partido.	Nossótross. . oobyér-remmoss parrtēē-doh.
Vosotros . hubiereis partido.	Vossótross. . oobyér-ray.iss parrtēē-doh.
Ellos . . . hubieren par-tido.	Éllyoss . . . oobyér-ren parr-tēēdoh.

Imperative mood	Modo Imperativo	Máwdoh Imperratēēvoh
PRESENT	PRESENTE	PRESSÉNTEH
Let me go away.	(Que) yo parta.	Keh yoh párrteh.
Go away!	Parte tú.	Párrteh too.
Let him go away.	Parta él.	Párrtah ell.
Let us go away.	Partamos nosotros.	Parrtáhmoss nossótross.
Go away!	Partid vosotros.	Parrtēēd vossótross.
Let them go away.	Partan ellos.	Párrtun éllyoss.

SOME IRREGULAR VERBS
ALGUNOS VERBOS IRREGULAREŚ

TO BEGIN	COMENZAR	COMMENTHÁRR
Infinitive mood	Modo Infinitivo	Máwdoh Infinitēēvoh
SIMPLE FORMS	FORMAS SIMPLES	FÓRMUSS SÍMPLESS
Infinitive: To begin.	Infinitivo: Comenzar.	Infinitēēvoh: Commen-thárr.
Gerund: Begining.	Gerundio: Comenzando.	Herrööndeoh: Commen-thúndoh.
Past participle: Begun.	Participio: Comenzado.	Parrtithíppeoh: Com-menthárdoh.
COMPOUND FORMS	FORMAS COMPUESTAS	FÓRMUSS COMPWÉSTERSS
Infinitive: To have be-gun.	Infinitivo: Haber comen-zado.	Infinitēēvoh: Ubbáirr commenthárdoh.
Gerund: Having begun.	Gerundio: Habiendo co-menzado.	Herrööndeoh: Ubbyén-doh commenthárdoh.
Indicative mood	Modo Indicativo	Máwdoh Indicatēēvoh
PRESENT	PRESENTE	PRESSÉNTEH
I . . . . . begin. You . . . begin. He . . . . begins. We . . begin. You . . . begin. They . . begin.	Comienzo, comienzas, co-mienza, comenzamos, comenzáis, comienzan.	Commyénthoh, com-myénthuss, commyén-ther, commenthármiss, commentháh.iss, com-myénthun.

	PRETÉRITO PERFECTO	PRETÉRRITOH PAIRFÉCTOH
	He comenzado; has comenzado; ha comenzado; hemos comenzado; habéis comenzado; han comenzado.	Eh commenthárdoh; uss commenthárdoh; ah commenthárdoh; émmos commenthárdoh; ubbáy.iss commenthárdoh; un commenthárdoh.

	PRETÉRITO IMPERFECTO (1)	PRETÉRRITOH IMPAIRFÉCTOR
	Comenzaba, comenzabas, comenzaba, comenzábamos, comenzabais, comenzaban.	Commenthárber, comenthárbuss, commenthárber, commenthárbermoss, commenthárbah.iss, commenthárbun.

PLUPERFECT	PRETÉRITO PLUSCUAMPERFÉCTO	PRETÉRRITOH PLOOSKWUMPAIRFÉCTOH
I . . . . had begun. You . . . had begun. He . . . . had begun. We . . . had begun. You . . . had begun. They . . had begun.	Había comenzado; habías comenzado; había comenzado; habíamos comenzado; habíais comenzado; habían comenzado.	Ubbēēr commenthárdoh; ubbēēus commenthárdoh; ubbēēr commenthárdoh; ubbēērmos commenthárdoh; ubbēēah.iss commenthárdoh; ubbēēun commenthárdoh.

PAST DEFINITE	PRETÉRITO INDEFINIDO	PRETÉRRITOH INDEFFINĒĒDOH
I . . . . began. You . . . began. He . . . . began. We . . . began. You . . . began. They . . began.	Comencé, comenzaste, comenzó, comenzamos, comenzasteis, comenzaron.	Commenthéh, commenthústeh, commenthóh, commenthármoss, commenthústay.iss, commenthárron.

PAST ANTERIOR	PRETÉRITO ANTERIOR	PRETÉRRITOH UNTAIRIÓRR
I . . . . had begun. You . . . had begun. He . . . . had begun. We . . . had begun. You . . . had begun. They . . had begun.	Hube comenzado; hubiste comenzado; hubo comenzado; hubimos comenzado; hubisteis comenzado; hubieron comenzado.	Oobeh commenthárdoh; oobísteh commenthárdoh; ooboh commenthárdoh; oobēēmoss commenthárdoh; oobístay.iss commenthárdoh; oobyáirron commenthárdoh.

(1) Not used in English language.

FUTURE	FUTURO IMPERFECTO	FOOTŌŌROH IMPA...
I . . . . shall begin. You . . . will begin. He . . . . will begin. We . . . shall begin. You . . . will begin. They . . will begin.	Comenzaré; comenzarás, comenzará, comenzaremos, comenzaréis, comenzarán.	Commentharréh, commentharrúss, commentharráh, commentharrémmos, commentharréy.iss, commentharrún.

FUTURE PERFECT	FUTURO PERFECTO	FOOTŌŌROH PAIRFÉCTOH
I . . . . shall have begun. You . . . will have begun. He . . . . will have begun. We . . . shall have begun. You . . . will have begun. They . . will have begun.	Habré comenzado; habrás comenzado; habrá comenzado; habremos comenzado; habréis comenzado; habrán comenzado.	Ubbréh commenthárdoh; ubbrúss commenthárdoh; ubbráh commenthárdoh; ubbráymos commenthárdoh, ubbráy.iss commenthárdoh; ubbrún commenthárdoh.

Conditional mood	Modo Potencial	Máwdoh Pottentheál
PRESENT	SIMPLE O IMPERFECTO	SÍMPLE OH IMPAIRFÉCTOH
I . . . . shoul begin. You . . . would begin. He . . . . would begin. We . . . should begin. You . . . would begin. They . . would begin.	Comenzaría, comenzarías, comenzaría, comenzaríamos, comenzaríais, comenzarían.	Commentherréah, commentherréuss, commentherréah, commentherréarmoss, commentherrée.ah.iss, commentherréun.

PAST CONDITIONAL	COMPUESTO O PERFECTO	COMPWÉSTOH OH PAIRFÉCTOH
I . . . . should have begun. You . . . would have begun. He . . . . would have begun. We . . . should have begun. You . . . would have begun. They . . would have begun.	Habría comenzado; habrías comenzado; habría comenzado; habríamos comenzado; habríais comenzado; habrían comenzado.	Ubbrēēr commenthárdoh; ubbrēēus commenthárdoh; ubbrēēr commenthárdoh; ubbrēērmos commenthárdoh; ubbrēē.ah.iss commenthárdoh; ubbrēēun commenthárdoh.

Subjunctive mood	Modo Subjuntivo	Máwdoh Soobhoontēēvoh
PRESENT	PRESENTE	PRESSÉNTEH
I . . . . begin. You . . . begin. He . . . . begins. We . . . begin. You . . . begin. They . . begin.	Comience, comiences, co-mience, comencemos, comencéis, comiencen.	Commyéntheh, commy-énthess, commyéntheh, commenthémmoss, commentháy.iss, com-myénthen.
PERFECT	PRETÉRITO PERFECTO	PRETÉRRITOH PAIRFÉCTOH
I . . . . have begun. You . . . have begun. He . . . . has begun. We . . . have begun. You . . . have begun. They . . have begun.	Haya comenzado; hayas comenzado; haya co-menzado; hayamos co-menzado; hayáis comenzado; hayan co-menzado.	Áh.yer commenthárdoh; áh.yuss commenthár-doh; ah.yer comment-hárdoh; áh.yer.moss commenthárdoh; áh. yáh.iss commenthár-doh. áh.yun commen-thárdoh.
	PRETÉRITO IMPERFECTO (1)	PRETÉRRITOH IMPAIRFÉCTOH
	Comenzara o comenzase, comenzaras o comenza-ses, comenzara o co-menzase, comenzára-mos o comenzásemos, comenzarais o comen-zaseis, comenzaran o comenzasen.	Commentharráh oh com-menthárseh; comment-harrúss oh commen-thússeh; commentha-rráh oh commenthús-seh; commenthárram-mos oh commenthús-semmoss; commentha-rráh.iss oh commen-thússay.iss; commen-thárrun oh commen-thússen.
PLUPERFECT	PRETÉRITO PLUSCUAMPERFECTO	PRETÉRRITOH PLOOSKWUMPAIRFÉCTOH
I . . . . had begun. You . . . had begun. He . . . . had begun. We . . . had begun. You . . . had begun. They . . had begun.	Hubiera o hubiese co-menzado; hubieras o hubieses comenzado; hubiera o hubiese co-menzado; hubiéramos o hubiésemos comen-zado; hubierais o hu-bieseis comenzado; hu-bieran o hubiesen co-menzado.	Oobyérrer oh oobyés-seh commenthárdoh; oobyérrus oh oobyés-sses commenthárdoh; oobyérrer oh oobyés-seh commenthárdoh; oobyérrummoss oh oobyéssemmoss com-menthárdoh; oobyér-rah.iss oh oobyéssay. iss commenthárdoh; oobyérrun oh oobyés-sen commenthárdoh.

(1) Not used in English language.

FUTURO IMPERFECTO (1)	FOOTŌŌROH IMPAIRFÉCTOH
Comenzare, comenzares, comenzare, comenzáremos, comenzareis, comenzaren.	Commentharréh, commentharréss, commentharréh, commenthárremoss, commenthárréh.iss, commenthárren.

FUTURO PERFECTO (1)	FOOTŌŌROH PAIRFÉCTOH
Hubiere comenzado; hubieres comenzado; hubiere comenzado; hubiéremos comenzado; hubiereis comenzado; hubieren comenzado.	Oobyérreh commenthárdoh; oobyérress commenthárdoh; oobyérreh commenthárdoh; oobyérremmoss commenthárdoh; oobyérray.iss commenthárdoh; oobyérren commenthárdoh.

Imperative mood	Modo Imperativo	Máwdoh Imperratēēvoh
PRESENT	PRESENTE	PRESSÉNTEH
Let me begin. Begin! Let him begin. Let us begin. Begin! Let them begin.	Comienza, comience, comencemos, comenzad, comiencen.	Commyénther, commyéntheh, commenthémmoss, comménthud, commyénthen.

TO DO, TO MAKE	HACER	U T H Á I R R
Infinitive mood	Modo Infinitivo	Máwdoh Infinitēēvoh
SIMPLE FORMS	FORMAS SIMPLES	FÓRRMUSS SÍMPLESS
Infinitive: To do. Gerund: Doing. Past participle: Done.	Infinitivo: Hacer. Gerundio: Haciendo. Participio: Hecho.	Infinitēēvoh: Utháirr. Herrōōndeoh: Uthyéndoh. Parrtithíppeoh: Étchoh.
Infinitive: To make. Gerund: Making. Past participle: Made.		
COMPOUND FORMS	FORMAS COMPUESTAS	FÓRRMUSS COMPWÉSTERSS
Infinitive: To have done. Gerund: Having done.	Infinitivo: Haber hecho. Gerundio: Habiendo hecho.	Infinnitēēvoh: Ubbáirr étchoh. Herrōōndeoh: Ubbyéndoh étchoh.
Infinitive: To have made. Gerund: Having made.		

(1) Not used in English language.

Indicative mood	Modo Indicativo	Máwdoh Indicatēēvoh
PRESENT	PRESENTE	PRESSÉNTEH
I . . . do. You . . . do. He . . . . does. We . . . do. You . . . do. They . . do.	Hago, haces, hace, hace-mos, hacéis, hacen.	Argoh, úthess, ú t h e h, uthémmoss, utháy.iss, úthen.
I . . . make. You . . . make. He . . . makes. We . . . make. You . . . make. They . . make.		
PERFECT	PRETÉRITO PERFECTO	PRETÉRRITOH PAIRFÉCTOH
I . . . have done. You . . . have done. He . . . has done. We . . . have done. You . . . have done. They . . have done.	He hecho; has hecho; ha hecho; hemos hecho; habéis hecho; han he-cho.	Eh étchoh; uss étchoh; ah étchoh; émmoss ét-c h o h ; ubbáy.iss ét-choh; un étchoh.
I . . . have made. You . . . have made. He . . . has made. We . . . have made. You . . . have made. They . . have made.		
IMPERFECT	PRETÉRITO IMPERFECTO	PRETÉRRITOH IMPAIRFÉCTOH
I . . . did. You . . . did. He . . . did. We . . . did. You . . . did. They . . did.	Hacía, hacías, hacía, ha-cíamos, hacíais, hacían.	Uthéer, uthéuss, uthéer, uthéermoss, uthée.ay-iss, uthéun.
I . . . made. You . . . made. He . . . made. We . . . made. You . . . made. They . . made.		
PLUPERFECT	PRETÉRITO PLUSCUAMPERFECTO	PRETÉRRITOH PLOOSKWUMPAIRFÉCTOH
I . . . had done. You . . . had done. He . . . had done. We . . . had done. You . . . had done. They . . had done.	Había hecho; habías he-cho; había hecho; ha-bíamos hecho; habíais hecho; habían hecho.	Ubbēēr étchoh; ubbēē-uss étchoh; ubbēēr ét-choh; ubbēērmoss ét-choh; ubbēē.ah.iss ét-choh; ubbēēun étchoh.

I . . . . had made.
You . . had made.
He . . . had made.
We . . had made.
You . . had made.
They . . had made.

PRETÉRITO INDEFINIDO (1)

Hice, hiciste, hizo, hicimos, hicisteis, hicieron.

PRETÉRRITOH INDEFFINÈÈDOH

Eetheh, ithíssteh, éethoh, ithéemoss, ithísstay.iss, ithyáirron.

PRETÉRITO ANTERIOR (1)

Hube hecho; hubiste hecho; hubo hecho; hubimos hecho; hubisteis hecho; hubieron hecho.

PRETÉRRITOH UNTAIRIÓRR

Oobeh étchoh; oobíssteh étchoh; ooboh étchoh; oobéèmoss étchoh; oobísstay.iss étchoh; oobyáirron étchoh.

FUTURE

I . . . . shall do.
You . . will do.
He . . . will do.
We . . . shall do.
You . . will do.
They . . will do.

I . . . . shall make
You . . will make
He . . . will make
We . . . shall make
You . . will make
They . . will make

FUTURO IMPERFECTO

Haré, harás, hará, haremos, haréis, harán.

FOOTÒÒROH IMPAIRFÉCTOH

Urréh, urrúss, urráh, urrémmoss, urráy.iss, urrún.

FUTURE PERFECT

I . . . . shall have done.
You . . will have done.
He . . . will have done.
We . . . shall have done.
You . . will have done.
They . . will have done.

I . . . . shall have made.
You . . shall have made.

FUTURO PERFECTO

Habré hecho; habrás hecho; habrá hecho; habremos hecho; habréis hecho; habrán hecho

FOOTÒÒROH PAIRFÉCTOH

Ubbréh étchoh; ubbrúss etchoh; ubbráh étchoh; ubbráymos étchoh; ubbráy.iss étchoh; ubbrún étchoh.

---

(1) Not used in English language.

He . . . . will have made.	
We . . . shall have made.	
You . . will have made.	
They . . will have made.	

Conditional mood	Modo Potencial	Máwdoh Pottentheál
PRESENT	SIMPLE O IMPERFECTO	SÍMPLE OH IMPAIRFÉCTOH
I . . . . should do. *You* . . would do. *He* . . . . would do. *We* . . . should do. *You* . . would do. *They* . . would do.	Haría, harías, haría, haríamos, haríais, harian.	Urréear, urréuss, urréar, urréarmoss, urrée.ah. .iss, urréun.
I . . . . should make *You* . . . would make *He* . . . . would make *We* . . . should make *You* . . . would make. *They* . . would make.		
PAST CONDITIONAL	COMPUESTO O PERFECTO	COMPWÉSTOH OH PAIRFÉCTOH
I . . . . should have done, made. *You* . . would have done, made. *He* . . . . would have done, made. *We* . . . should have done, made *You* . . would have done, made. *They* . . would have done, made	Habría hecho; habrías hecho; habría hecho; habríamos hecho; habríais hecho; habrían hecho.	Ubbréēr étchoh; ubbrēēus étchoh; ubbrēēr étchoh; ubbrēēmos étchoh; ubbrēē.ah.iss étchoh; ubbrēēun étchoh.
Subjunctive mood	Modo Subjuntivo	Máwdoh Soobhoontēēvoh
PAST SUBJUNCTIVE	PRESENTE	PRESSÉNTEH
I . . . . did, made. *You* . . . did, made. *He* . . . . did, made. *We* . . . did, made. *You* . . . did, made. *They* . . did, made.	Haga, hagas, haga, hagamos, hagáis, hagan.	Arger, árgus, árger, uggármoss, uggáh.iss, árgun.

	PRETÉRITO PERFECTO (1)	PRETÉRRITOH PAIRFÉCTOH
	Haya hecho; hayas hecho; haya hecho; hayamos hecho; hayáis hecho; hayan hecho.	Ah.yer étchoh; áh.yuss étchoh; áh.yer étchoh; áh.yer.moss étchoh; ah.yáh.iss étchoh; áh.yun étchoh.

	PRETÉRITO IMPERFECTO (1)	PRETÉRRITOH IMPAIRFÉCTOH
	Hiciera o hiciese, hicieras o hicieses, hiciera o hiciese, hiciéramos o hiciésemos, hicierais o hicieseis, hicieran o hiciesen.	Ithyáirrer oh ithyésseh; ithyáirruss oh ithyéssess; ithyáirrer oh ithyésseh; ithyáirrermoss oh ithyáissemmoss; ithyésseh.iss oh ithyáirrah.iss; ithyáirrun oh ithyéssen.

PLUPERFECT	PRETÉRITO PLUSCUAMPERFECTO	PRETÉRRITOH PLOOSKWUMPAIRFÉCTOH
I . . . . had done, made.	Hubiera o hubiese hecho; hubieras o hubieses hecho; hubiera o hubiese hecho; hubiéramos o hubiésemos hecho; hubierais o hubieseis hecho; hubieran o hubiesen hecho.	Oobyérrer oh oobyésseh étchoh; oobyérrus oh oobyéssess étchoh; oobyérrer oh oobyésseh étchoh; oobyérrummoss oh oobyéssemmoss étchoh; oobyérrah.iss oh oobyéssay.iss étchoh; oobyérrun oh oobyéssen étchoh.
You . . . had done, made.		
He . . . had done, made.		
We . . . had done, made.		
You . . had done, made.		
They . . had done, made.		

	FUTURO IMPERFECTO (1)	FOOTŌŌROH IMPAIRFÉCTOH
	Hiciere, hicieres, hiciere, hiciéremos, hiciereis, hiciesen.	Ithyáirreh, ithyáirress, ithyáirreh, ithyáirremmoss, ithyairreh.iss, ithyessen.

	FUTURO PERFECTO (1)	FOOTŌŌROH PAIRRFÉCTOH
	Hubiere hecho; hubieres hecho; hubiere hecho; hubiéremos hecho; hubiereis hecho; hubieren hecho.	Oobyérreh étchoh; oobyérress étchoh; oobyérreh étchoh; oobyérremmoss étchoh; oobyérray.iss étchoh; oobyérren étchoh.

(1) Not used in English language.

Imperative mood	Modo Imperativo	Máwdoh Imperratēēvoh
PRESENT	PRESENTE	PRESSÉNTEH
Let me do, make. Do!, Make! Let him do, make. Let us do, make. Do!, Make! Let them do, make.	Haz, haga, hagamos, haced, hagan.	Uth, úgger, úggummoss, úthed, úggun.

TO SLEEP	DORMIR	DORRMÉÉRR
Infinitive mood	**Modo Infinitivo**	**Máwdoh Infinitēēvoh**
SIMPLE FORMS	FORMAS SIMPLES	FÓRMUSS SÍMPLESS
Infinitive: To sleep. *Gerund:* sleeping. *Past participle:* slept.	*Infinitivo:* Dormir. *Gerundio:* Durmiendo. *Participio:* Dormido.	*Infinitēēvoh:* Dorrmēērr. *Herröōndeoh:* Doorrmyéndoh. *Parrtithíppeoh:* Dorrmēēdoh.
COMPOUND FORMS	FORMAS COMPUESTAS	FÓRMUSS COMPWÉSTERSS
Infinitive: To have slept. *Gerund:* Having slept.	*Infinitivo:* Haber dormido. *Gerundio:* Habiendo dormido.	*Infinitēēvoh:* Ubbáirr dorrmēēdoh. *Herröōndeoh:* Ubbyéndoh dorrmēēdoh.

Indicative mood	Modo Indicativo	Máwdoh Indicatēēvoh
PRESENT	PRESENTE	PRESSÉNTEH
I . . . . sleep. *You* . . . sleep. *He* . . . sleeps. *We* . . . sleep. *You* . . . sleep. *They* . . sleep.	Duermo, duermes, duerme, dormimos, dormís, duermen.	Dwáirrmoh, dwáirrmess, dwáirrmeh, dorrmēēmoss, dorrmēēs, dwáirrmen.
PERFECT	PRETÉRITO PERFECTO	PRETÉRRITOH PAIRFÉCTON
I . . . . have slept. *You* . . . have slept. *He* . . . . has slept. *We* . . . have slept. *You* . . . have slept. *They* . . have slept.	He dormido; has dormido; ha dormido; hemos dormido; habéis dormido; han dormido.	Eh dorrmēēdoh; uss dorrmēēdoh; ah dorrmēēdoh; émmoss dorrmēēdoh; ubbáy.iss dorrmēēdoh; un dorrmēēdoh.
IMPERFECT	PRETÉRITO IMPERFECTO	PRETÉRRITOH IMPAIRFÉCTOH
I . . . . slept. *You* . . . slept. *He* . . . slept. *We* . . . slept. *You* . . . slept. *They* . . slept.	Dormía, dormías dormía, dormíamos, dormíais, dormían.	Dorrméar, dorrméuss, dorrméar, dorrmēērmoss, dormēē.ah.iss, dorrméun.

PLUPERFECT	PRETÉRITO PLUSCUAMPERFECTO	PRETÉRRITOH PLOOSCKWUMPAIRFÉCTOH
I . . . had slept.	Había dormido; habías dormido; había dormido: habíamos dormido; habíais dormido; habían dormido.	Ubbēēr dorrmēēdoh, ub-bēēuss dorrmēēdoh; ubbēēr dorrmēēdoh; ubbēērmoss dorrmēēdoh; ubbēē.ah.iss dorrmēēdoh, ubbēēun dorrmēēdoh.
You . . had slept.		
He . . . had slept.		
We . . . had slept.		
You . . had slept.		
They . . had slept.		

PAST DEFINITE	PRETÉRITO INDEFINIDO	PRETÉRRITOH INDEFFINĒĒDOH
I . . . slept.	Dormí, dormiste, durmió, dormimos, dormisteis, durmieron.	Dorrmēē, dormísteh, dorrméoh, dorrmēēmoss, dorrmístey.iss, doorrmyáirrun.
You . . . slept.		
He . . . slept.		
We . . . slept.		
You . . . slept.		
They . . slept.		

	PRETÉRITO ANTERIOR (1)	PRETÉRRITOH UNTAIRIÓRR
	Hube dormido; hubiste dormido; hubo dormido; hubimos dormido; hubisteis dormido; hubieron dormido.	Oobeh dorrmēēdoh; oo-bísteh dorrmēēdoh; ooboh dorrmēēdoh; oobēēmos dorrmēēdoh; oobisstay.is dorrmēēdoh; oobyáirrun dorrmēēdoh.

FUTURE	FUTURO IMPERFECTO	FOOTŌŌROH IMPAIRFÉCTOH
I . . . shall sleep.	Dormiré, dormirás, dormirá, dormiremos, dormiréis, dormirán.	Dorrmeerréh, dorrmeerrúss, dorrmeerráh, dorrmeerémoss, dorrmeerráy.iss, dorrmeerún.
You . . will sleep.		
He . . . will sleep		
We . . . shall sleep		
You . . will sleep.		
They . . will sleep		

FUTURE PERFECT	FUTURO PERFECTO	FOOTŌŌROH PAIRFÉCTOH
I . . . shall have slept.	Habré dormido; habrás dormido; habrá dormido; habremos dormido; habréis dormido; habrán dormido	Ubbréh dorrmēēdoh; ubbrúss dorrmēēdoh; ubbráh dorrmēēdoh; ubbráymos dorrmēēdoh; ubbráy.iss dorrmēēdoh; ubbrún dorrmēēdoh.
You . . will have slept.		
He . . . will have slept.		
We . . . shall have slept.		
You . . will have slept.		
They . . will have slept.		

Conditional mood	Modo Potencial	Máwdoh Pottentheál
PRESENT	SIMPLE O IMPERFECTO	SÍMPLE OH IMPAIRFÉCTOH
I . . . should sleep	Dormiría, dormirías, dormiría, dormiríamos, dormirías, dormirían	Dorrmirréer, dorrmirréuss, dormirréer, dorrmirréamoss, dorrmirrēēuss, dorrmirréun.
You . . would sleep		
He . . . would sleep		
We . . . should sleep		
You . . would sleep.		
They . . would sleep.		

(1) Not used in English language.

PRETÉRITO PERFECTO	COMPWÉSTOH OH PAIRFÉCTOH
Habría dormido; habrías dormido; habría dormido; habríamos dormidos; habríais dormido; habrían dormido	Ubbrēēr dorrmēēdoh; ubbrēēuss dorrmēēdoh; ubbrēēr dorrmēēdoh; ubbrēērmoss dorrmēēdoh; ubbrēē.ah.iss dorrmēēdoh; ubbrēēun dorrmēēdoh.

Modo Subjuntivo (1)	Máwdoh Soobhoontēēvoh
PRESENTE	**PRESSÉNTEH**
Duerma, duermas, duerma, durmamos, durmáis, duerman.	Dwáirrmer, dwáirrmuss, dwáirrmer, dorrmáhmoss, doorrmáh.iss, dwáirrmen.
PRETÉRITO PERFECTO	**PRETÉRRITOH PAIRFÉCTOH**
Haya dormido; hayas dormido; haya dormido; hayamos dormido; hayáis dormido; hayan dormido.	Áh.yer dorrmēēdoh; áh.yuss dorrmēēdoh; áh.yer dorrmēēdoh; áh.yermoss dorrmēēdoh; ah.yáh.iss dorrmēēdoh; áh.yun dorrmēēdoh.
PRETÉRITO IMPERFECTO	**PRETÉRRITOH IMPAIRFÉCTOH**
Durmiera o durmiese; durmieras o durmieses; durmiera o durmiese; durmiéramos o durmiésemos; durmierais o durmieseis; durmieran o durmiesen.	Doorrmyáirer oh doorrmyésseh; doorrmyáirruss oh doorrmyéssess; doorrmyáirramoss oh doorrmyéssemoss; doorrmyáirrah.iss oh doorrmyéssess; doorrmyáirrun oh doorrmyéssen.
PRETÉRITO PLUSCUAMPERFECTO	**PRETÉRRITOH PLOOSKWUMPAIRFÉCTOH**
Hubiera o hubiese dormido; hubieras o hubieses dormido; hubie-	Oobyérrer oh oobyésseh dorrmēēdoh; oobyérruss oh oobyéssess

---

(1) Not used in English language.

ra o hubiese dormido;
hubiéramos o hubiése-
mos dormido; hubie-
rais o hubieseis dor-
mido; hubieran o hu-
biesen dormido.

d...
re...
mê...
mo...
moss
byérra
say.iss
byérrun
dorrmêêc

FUTURO IMPERFECTO   FOOTÖÖROH

Durmiere, durmieres,
durmiere, durmiére-
mos. durmiereis, dur-
mieren.

Doorrmyáirreh
yáirress, do o
rreh, doorrm
moss, doorrmy
iss, doorrmyáirr

FUTURO PERFECTO   FOOTÖÖROH PAIRFÉ...

Hubiere dormido; hu-
bieres dormido; hubie-
re dormido; hubiére-
mos dormido; hubie-
reis dormido; hubieren
dormido.

Oobyérreh doorrm
doh; oobyérress do
mêêdoh; oobyérre
dorrmêêdoh, oobyé
rremmoss dorrmêêdoh;
oobyérray.iss dorrmê
êdoh; oobyérren dorr-
mêêdoh.

Imperative mood   Modo Imperativo   Máwdoh Imperratêêvoh

PRESENT   PRESENTE   PRESSÉNTEH

Let me sleep.
Sleep!
Let him sleep
Sleep!
Let us sleep.
Let them sleep.

Duerme, duerma, durma-
mos, dormid, duerman.

Dwáirrmeh, dwáirrmer,
doorrmáhmoss, dorr-
mêêd, dwáirrmun.

TO GO   IR   EERR

Infinitive mood   Modo Infinitivo   Máwdoh Infinitêêvoh

SIMPLE FORMS   FORMAS SIMPLES   FÓRMUSS SÍMPLESS

Infinitive: To go.
Gerund: Going.
Past participle: Gone.

Infinitivo: Ir.
Gerundio: Yendo.
Participio: Ido.

Infinitêêvoh: Eerr.
Herröödeoh: Yéndoh.
Parrtithippeo: Êêdoh.

COMPOUND FORMS   FORMAS COMPUESTAS   FÓRMUSS COMPWÉSTUSS

Infinitive: To have gone.

Infinitivo: Haber ido.

Infinitêêvoh: Ubbáirr
êêdoh.

Gerund: Having gone.

Gerundio: Habiendo ido.

Herröödeoh: Ubbyén-
doh êêdoh.

Indicative mood	Modo Indicativo	Máwdoh Indicatēēvoh
PRESENT	PRESENTE	PRESSÉNTEH
I . . . . go. You . . . go. He . . . goes. We . . . go. You . . . go. They . . go.	Voy, vas, **va**, vamos, vais, **van.**	Voy, vuss, vah, **varmoss,** vah.iss, vun.
PERFECT	PRETÉRITO PERFECTO	PRETÉRRITOH PAIRFÉCTOH
I . . . . have gone. You . . . have gone. He . . . has gone. We . . . have gone. You . . . have gone. They . . have gone.	He ido; has ido; ha ido; hemos ido; habéis ido; han ido.	Eh ēēdoh; uss ēēdoh; ah ēēdoh; émmoss ēēdoh; ubbáy.iss ēēdoh; un ēēdoh.
IMPERFECT	PRETÉRITO IMPERFECTO	PRETÉRRITOH IMPAIRFÉCTOH
I . . . . went. You . . . went. He . . . went. We . . . went. You . . . went. They . . went.	Iba, ibas, iba, íbamos, íbais, iban.	Ēēber, ēēbus, ēēber, ēēbummoss, ēēbah.iss, ēēbun.
PLUPERFECT	PRETÉRITO PLUSCUAMPERFECTO	PRETÉRRITOH PLOOSKWUMPAIRFÉCTOH
I . . . . had gone. You . . . had gone. He . . . had gone. We . . . had gone. You . . . had gone. They . . had gone.	Había ido; habías ido; había ido; habíamos ido; habíais ido; había ido.	Ubbēēr ēēdoh; ubbēēuss ēēdoh; ubbēēr ēēdoh; ubbēērmoss ēēdoh; ubbēē.ah.iss ēēdoh; ubbēēun ēēdoh.
PAST DEFINITE	PRETÉRITO INDEFINIDO	PRETÉRRITOH INDEFFINĒĒDOR
I . . . . went. You . . . went. He . . . went. We . . . went. You . . . went. They . . went.	Fui, fuiste, fue, fuimos, fuisteis, fueron.	Fwee, fwísteh, fwee, fwēēmoss, fwísteh.iss, fwáirron.
	PRETÉRITO ANTERIOR (1)	PRETÉRRITOH UNTAIRIÓRR
	Hube ido; hubiste ido; hubo ido; hubimos ido; hubisteis ido; hubieron ido.	Oobeh ēēdoh; oobíssteh ēēdoh; ooboh ēēdoh; oobēēmos ēēdoh; oobisstay.iss ēēdoh; obbyáirron ēēdoh.

(1) Not used in English language.

FUTURE	FUTURO IMPERFECTO	FOOTŌŌROH IMPAIRFÉCTOH
I . . . . shall go. *You* . . . will go. *He* . . . . will go. *We* . . . . shall go. *You* . . . will go. *They* . . . will go.	Iré, irás, irá, iremos, iréis, irán.	Irréh, irrúss, irráh, ir-rémmoss, irráy.iss, irrún.

FUTURE PERFECT	FUTURO PERFECTO	FOOTŌŌROH PAIRFÉCTOH
I . . . . shall have gone. *You* . . . will have gone. *He* . . . . will have gone. *We* . . . shall have gone. *You* . . . will have gone. *They* . will have gone.	Habré ido; habrás ido; habrá ido; habremos ido; habréis ido; habrán ido.	Ubbréh ēēdoh; ubbrúss ēēdoh; ubbráh ēēdoh; ubbráymoss ēēdoh; ubbráy.iss ēēdoh; ubbrún ēēdoh.

Conditional mood	Modo Potencial	Máwdoh Pottentheál
PRESENT	**SIMPLE O IMPERFECTO**	**SÍMPLE OH IMPAIRFÉCTOH**
I . . . . should go. *You* . . . would go. *He* . . . . would go. *We* . . . should go. *You* . . . would go. *They* . . would go.	Iría, irías, iría, iríamos, iríais, irían.	Irréar, irréuss, irréar, irréummoss, irreah.iss, irréun.

PAST CONDITIONAL	COMPUESTO O PERFECTO	COMPWÉSTOH OH PAIRFÉCTOH
I . . . . should have gone. *You* . . . would have gone. *He* . . . . would have gone. *We* . . . should have gone. *You* . . . would have gone. *They* . . would have gone.	Habría ido; habrías ido; habría ido; habríamos ido; habríais ido; habrían ido.	Ubbrēēr ēēdoh; ubbrēē-uss ēēdoh; ubbrēēr ēēdoh; ubbrēērmoss ēēdoh; ubbré.ah.iss ēēdoh; ubbrēēun ēēdoh.

	Modo Subjuntivo (1)	Máwdoh Soobhoontēēvoh
	PRESENTE	**PRESSÉNTEH**
	Vaya, vayas, vaya, vaya-mos, vayáis, vayan.	Váhyah, váhyuss, váh-yah, váhyummoss, vah-yáh.iss, váhyun.

---

(1) Not used in English language.

PRETÉRITO PERFECTO	PRETÉRRITOH PAIRFÉCTOH
Haya ido; hayas ido; haya ido; hayamos ido; hayáis ido; hayan ido.	Áh.yer ēēdoh; áh.yuss ēēdoh; áh.yer ēēdoh; áh.yer.moss ēēdoh; ah.yáh.iss ēēdoh; áh.yun ēēdoh.

PRETÉRITO IMPERFECTO	PRETÉRRITOH IMPAIRFÉCTOH
Fuera o fuese, fueras o fueses, fuera o fuese, fuéramos o fuésemos, fuerais o fueseis, fueran o fuesen.	Fwáirrer oh fwésseh; fwáirruss oh fwéssess; fwáirrer oh fwésseh; fwáirrummoss oh fwéssemos; fwáirrah.iss oh fwéssess; fwáirrun oh fwéssun.

PRETÉRITO PLUSCUAMPERFECTO	PRETÉRRITOH PLOOSKWUMPAIRFÉCTOH
Hubiera o hubiese ido; hubieras o hubieses ido; hubiera o hubiese ido; hubiéramos o hubiésemos ido; hubierais o hubieseis ido; hubieran o hubiesen ido.	Oobyérrer oh oobyésseh ēēdoh; oobyérruss oh oobyésses ēēdoh; oobyérrer oh oobyésseh ēēdoh; oobyérrummoss oh oobyéssemmoss ēēdoh; oobyérrah.iss oh oobyéssay.iss ēēdoh; oobyérrun oh oobyéssen ēēdoh.

FUTURO IMPERFECTO	FOOTŌŌROH IMPAIRFÉCTOH
Fuere, fueres, fuere, fuéremos, fuereis, fueren.	Fwáirreh, fwáirress, fwáirreh, fwáirremmoss, fwáirray.iss, fwáirren.

FUTURO PERFECTO	FOOTŌŌROH PAIRFÉCTOH
Hubiere ido; hubieres ido; hubiere ido; hubiéremos ido; hubiereis ido; hubieren ido.	Oobyérreh ēēdoh; oobyérres ēēdoh; oobyérreh ēēdoh; oobyérremmoss ēēdoh; oobyérray.iss ēēdoh; oobyérren ēēdoh.

Imperative mood	Modo Imperativo	Máwdoh Imperratēēvoh
PRESENT	PRESENTE	PRESSÉNTEH
Let me go. Go! Let him go. Let us go. Go! Let them go.	Ve, vaya, vayamos, id, vayan.	Veh, váhyah, váhyummoss, váhyun.

TO COME	VENIR	V E N E E R R
Infinitive mood	**Modo Infinitivo**	**Máwdoh Infinitēēvoh**
SIMPLE FORMS	FORMAS SIMPLES	FÓRMUSS SÍMPLESS
Infinitive: To come.	*Infinitivo:* Venir.	*Infinitēēvoh:* Venneerr.
Gerund: Coming.	*Gerundio:* Viniendo.	*Herrōōndeoh:* Vinyéndoh.
Past participle: Come.	*Participio:* Venido.	*Parrtithíppeoh:* Vennēēdoh.

COMPOUND FORMS	FORMAS COMPUESTAS	FÓRMUSS COMPWÉSTERSS
Infinitive: To have come.	*Infinitivo:* Haber venido.	*Infinitēēvoh:* U b b á i r r vennēēdoh.
Gerund: Having come.	*Gerundio:* Habiendo venido.	*Herrōōndeoh:* Ubbyéndoh vennēēdoh.

Indicative mood	**Modo Indicativo**	**Máwdoh Indicatēēvoh**
PRESENT	PRESENTE	PRESSÉNTEH
I . . . . come.	Vengo, vienes, viene, venimos, venís, vienen.	Véngoh, vyénness, vyénneh, venēēmoss, vennēēs, vyénnen.
You . . . come.		
He . . . comes.		
We . . . come.		
You . . . come.		
They . . come.		

PERFECT	PRETÉRITO PERFECTO	PRETÉRRITOH PAIRFÉCTOH
I . . . . have come.	He venido; has venido; ha venido; hemos venido; habéis venido; han venido.	Eh vennēēdoh; uss vennēēdoh; ah vennēēdoh; émmos vennēēdoh; ubbáy.iss vennēēdoh; un vennēēdoh.
You . . have come		
He . . . has come.		
We . . . have come.		
You . . have come.		
They . . have come.		

IMPERFECT	PRETÉRITO IMPERFECTO	PRETÉRRITOH IMPAIRFÉCTOH
I . . . . came.	Venía, venías, venía, veníamos, veníais venían.	Vennēēr, vennéuss, vennēēr, vennéummoss, vennéah.iss, vennéun.
You . . . came.		
He . . . came.		
We . . . came.		
You . . . came.		
They . . came.		

PLUPERFECT	PRETÉRITO PLUSCUAMPERFECTO	PRETÉRRITOH PLOOSKWUMPAIRFÉCTOH
I . . . . had come.	Había venido; habías venido; había venido; habíamos venido; habíais venido; habían venido.	Ubbēēr vennēēdoh; ubbēēuss vennēēdoh; ubbēēr vennēēdoh; ubbēērmoss vennēēdoh; ubbēē.ah.iss vennēēdoh; ubbēēun vennēēdoh.
You . . had come.		
He . . . had come.		
We . . . had come.		
You . . had come.		
They . . had come.		

PAST DEFINITE	PRETÉRITO INDEFINIDO	PRETÉRRITOH INDEFFINËËDOH
I . . . . came.	Vine, viniste, vino, venimos, vinisteis, vinieron.	Vēēneh, viníssteh, vēēnoh, vennēēmoss, vinníssteh.iss, vinnyáirron.
You . . . came.		
He . . . came.		
We . . . came.		
You . . . came.		
They . . came.		

	PRETÉRITO ANTERIOR (1)	PRETÉRRITOH UNTAIRIÓRR
	Hube venido; hubiste venido; hubo venido; hubimos venido; hubisteis venido; hubieron venido.	Oobeh vennēēdoh; oobíssteh vennēēdoh; ooboh vennēēdoh; oobēēmoss vennēēdoh; oobístay.iss venēēdoh; oobyáirron vennēēdoh.

FUTURE	FUTURO IMPERFECTO	FOOTŌŌROH IMPAIRFÉCTON
I . . . . shall come.	Vendré, vendrás, vendrá, vendremos, vendréis, vendrán.	Vendréh, vendrúss, vendráh, vendréhmoss, vendráy.iss, vendrún.
You . . . will come.		
He . . . . will come.		
We . . . shall come.		
You . . . will come.		
They . . will come.		

FUTURE PERFECT	FUTURO PERFECTO	FOOTŌŌROH PAIRFÉCTOH
I . . . shall have come.	Habré venido; habrás venido; habrá venido; habremos venido; habréis venido; habrán venido.	Ubbréh vennēēdoh; ubbrúss vennēēdoh; ubbráh vennēēdoh; ubbráymos vennēēdoh; ubbráy.iss vennēēdoh; ubbrún vennēēdoh.
You . . . shall have come.		
He . . . . will have come.		
We . . . will have come.		
You . . . will have come.		
They . . will have come.		

	Modo Potencial (1)	Máwdoh Pottentheál
	SIMPLE O IMPERFECTO	SÍMPLE OH IMPAIRFÉCTOH
	Vendría, vendrías, vendría, vendríamos, vendríais, vendrían.	Vendrēēr, vendréuss, vendrēēr, vendréummos, vendrēē.ah.iss, vendréun.

---

(1) Not used in English language.

COMPUESTO o PERFECTO	COMPWÉSTOH OH PAIRFÉCTOH
Habría venido; habrías venido; habría venido; habríamos venido; habríais venido; habrían venido.	Ubbréér vennēēdoh; ubbrēēuss vennēēdoh; ubbréér vennēēdoh; ubbrēērmoss vennēēdoh; ubbrēē.ah.iss vennēēdoh; ubbrēēun vennēēdoh.

Modo Subjuntivo (1)	Máwdoh Soobhoontēēvoh

PRESENTE	PRESSÉNTEH
Venga, vengas, venga, vengamos, vengáis, vengan.	Vénger, vénguss, vénger, vengúmmos, vengáh.iss, véngun.

PRETÉRITO PERFECTO	PRETÉRRITOH PAIRFÉCTOH
Haya venido; hayas venido; haya venido; hayamos venido; hayáis venido; hayan venido.	Áh.yer vennēēdoh; áh.yuss vennēēdoh; áh.yer vennēēdoh; áh.yer.moss vennēēdoh; áh.yáh.iss vennēēdoh; áh.yun vennēēdoh.

PRETÉRITO IMPERFECTO	PRETÉRRITOH IMPAIRFÉCTOH
Viniera o viniese, vinieras o vinieses, viniera o viniese, viniéramos o viniésemos, vinierais o vinieseis, vinieran o viniesen.	Vinyáirrer o vinyésseh; vinyáirruss oh vinnyésses; vinyáirremmoss oh vinyéssemoss; vinyáirrah.iss oh vinyéssay.iss; vinyáirrun oh vinyéssen.

PRETÉRITO PLUSCUAMPERFECTO	PRETÉRRITOH PLOOSKWUMPAIRFÉCTOH
Hubiera o hubiese venido; hubieras o hubieses venido; hubiera o hubiese venido; hubiéramos o hubiésemos venido; hubierais o hubieseis venido; hubieran o hubiesen venido.	Oobyérrer oh oobyésseh vennēēdoh; oobyérruss oh oobyéssess vennēēdoh; oobyérrer oh oobyésseh vennēēdoh; oobyérrummoss oh oobyéssemmoss vennēēdoh; obyérrah.iss oh obyéssay.iss vennēēdoh; obyérrun oh oobyéssen vennēēdoh.

(1) Not used in English language.

FUTURO IMPERFECTO	FOOTŌŌROH IMPAIRFÉCTOH
Viniere, vinieres, viniere, viniéremos viniereis, vinieren.	Vinyáirrer, vinyáirress, vinyáirrer, vinyáirremmoss, vinyáirrah.iss, vinyáirrun.

FUTURO PERFECTO	FOOTŌŌROH PAIRFÉCTOH
Hubiere venido; hubieres venido; hubiere venido; hubiéremos venido; hubiereis venido; hubieren venido.	Oobyérreh vennēēdoh; oobyérress vennēēdoh; oobyérreh vennēēdoh; oobyérremmoss vennēēdoh; oobyérray.iss vennēēdoh; oobyérren vennēēdoh.

Imperative mood	Modo Imperativo	Máwdoh Imperratēēvoh
PRESENT	PRESENTE	PRESSÉNTEH
Let me come. Come! Let him come. Let us come. Come! Let them come.	Ven, venga, vengamos, venid, vengan.	Ven, vénger, vengúmmos, vennēēd, véngun.

VOCABULARY

A

Abandon. Abandonar (*ubbún.- donnárr*).

Abandoning. Abandono (*ubbún.dónnoh*).

Abbot. Abate (*ubbútteh*).

Abbreviation. Abreviatura (*ubbrévvier.tóörer*).

Abdicate. Abdicar (*úbbdic-cárr*).

Ability. Habilidad (*ubbilli-dúd*).

Able. Capaz (*cuppúth*).

Ablution. Ablución (*ubblöö-theón*).

Ably. Hábilmente (*ubbillmén-teh*).

Abnegation. Abnegación (*úb-negáy.theón*).

Abnormal. Anormal (*únnorr-múll*).

Abominable. Abominable (*ub-bóminnárbleh*).

About. Acerca de (*ucthéirker deh*).

About. Alrededor (*úllreddi-dórr*).

Above. Arriba (*urreebúr*).

Abridge. Abreviar (*ubbrev-viárr*).

Absence. Ausencia (*owsén-thea*).

Absolute. Absoluto (*úbbsul-löötoh*).

Absolutely. Absolutamente (*ubbsollööter.ménteh*).

Absorbent. Absorbente (*úbb-sorbénteh*).

Abstain. Abstenerse (*úbbsten-náirrseh*).

Abstinence. Abstinencia (*ubbstinnénthea*).

Absurd. Absurdo (*ubbsöörr-doh*).

Abundance. Abundancia (*ub-bundúnthea*).

Abundant. Abundante (*ub-bundúnteh*).

Abuse. (s.) Insulto, atropello (*insööltoh, uttroppélyoh*).

Abuse. (v.) Abusar (*ubboo-sárr*).

Abyss. Abismo (*ubbissmoh*).

Abyss. Sima (*séemer*).

Acacia. Acacia (*uckússea*).

Academy. Academia (*úcker.démmea*).

Accelerate. Acelerar (*utheller-rárr*).

Accelerater. Acelerado (*uthél-lerrárdoh*).

Accent. Acento (*uthéntoh*).

Accentuation. Acentuación (*uthéntoo.uthéon*).

Accept. Aceptar (*utheptárr*).

Accessory. Accesorio (*úck.thes-soréoh*).

Acclamation. Aclamación (*úck-klúmmutheón*).

Acclimatise. Aclimatar (*uck-kléemuttárr*).

Accompany. Acompañar (*uck-kómpunnyárr*).

According to. Según (*segöön*).

Accordion. Acordeón (*uckórr-deón*).

Account. Cuenta (*kwénter*).

Accredit. Acreditar (*uckréd-dittárr*).

Accumulation. Acumulación (*ucköömoolútheón*).

Accumulator. Acumulador (*uc-köömooluddórr*).

Accuse. Acusar (*úckoosárr*).

Accused. Reo, acusado (*ráyoh, uckoossárdoh*).

Accustom. Acostumbrar, habituar (*ukkóstoombrárr, ub-bittoo.árr*).

Acid. Ácido (*úthedoh*).

Acknowledge. Reconocer (*rec-konnotháirr*).

Acknowledgment. Reconocimiento (*reckonnothimmyén-toh*).

Acquire. Adquirir (*úddkirréér*).

Acquisition. Adquisición (*udd-kizzitheón*).

Across. A través (*uttruvvéss*).

Act. (s.) Acta (*úckter*).

Act. (v.) Actuar (*ucktooárr*).

Actual. Real (*rayúll*).

Actuality. Realidad, hecho (*rayúlledúd, étchoh*).

Active. Activo (*ucktéëvoh*).

Activity. Actividad (*ucktïvvi-dúd*).

Adapt. Adaptar (*údduptárr*).

Adaptation. Adaptación (*ud-duptútheón*).

Add. Añadir (*únyuddéér*).

Addition. Sumar (*soommárr*).

Address. (s.) Dirección, señas (*dirrectheón, sényuss*).

Address. (v.) Dirigir, -se (*di-rrihhéér, -seh*).

Addup. Adicionar, sumar (*ud-ditheonárr, soomárr*).

Adequate. Adecuado (*uddekár-doh*).

Adhere. Adherir (*údderréér*).

Adjacent. Adyacente (*udd.-huthénteh*).

Adjudge. Adjudicar (*udhöö-dickárr*).

Adjust. Ajustar (*uh.hoostárr*).

Adjuster. Ajustador (*uh.hoos-terdórr*).

Adjutant. Ayudante (*áh-yoo-dúnteh*).

Administer. Administrar (*ud-ministrárr*).

Admire. Admirar (*údmi-rrárr*).

Admission. Admisión (*udmis-seón*).

Admit. Admitir (*údmittéér*).

Admonish. Amonestar (*ud-mónnestárr*).

Adopt. Adoptar (*úddoptárr*).

Adore. Adorar (*úddawrárr*).

Adorn. Engalanar, adornar (*engullunnárr, uddorrnárr*).

Adulterate. Adulterar (*uddõol.terrárr*).

Advance. (s.) Anticipo (*untithippoh*).

Advance. (v.) Adelantar, avanzar (*úddelluntárr, unvunthárr*).

Advantage. (s.) Ventaja (*ventúh.her*).

Advantage. (v.) Aventajar (*uvventuh.hárr*).

Advertise. Anunciar (*unnõontheárr*).

Advertisement. Anuncio (*unnõotheo*).

Advertiser. Anunciante (*unnõonthe.únteh*).

Advice. Consejo (*conséhhoh*).

Advise. Aconsejar (*uccónsehhárr*).

Adze. Azuela (*uthwéller*).

Aerodrome. Aeródromo (*aháiródráwmoh*).

Afability. Afabilidad (*úffer.billidúd*).

Affect. Afectar (*uffectárr*).

Affection. Afición, cariño (*uffithión, curréényoh*).

Affectionate. Afectuoso (*ufféctoo.awsoh*).

Affirm. Afirmar (*uffeermarr*).

Affirmation. Afirmación (*uffeermuthéon*).

Affinity. Afinidad (*uffínnidad*).

Afflict. Angustiar, afligir, apenar (*ungoostiárr, afflihhēērr, uppennárr*).

Affray. Refriega (*reffre.égger*).

Affront. Afrontar (*uffrentárr*).

Afront. Afrontar (*uffrentárr*).

Against. Contra (*cóntrer*).

Agt. Edad (*eddúd*).

Aggregate. Agregar (*uggreggárr*).

Agility. Agilidad, soltura (*uhhillidud, soltóõrer*).

Agitation. Agitación (*uggituthéon*).

Aglutinate. Aglutinar (*ugglõõtinarr*).

Agonise. Agonizar (*uggónnithárr*).

Agony. Agonía (*uggonéea*).

Agree. Convenir, acordar (*convennēērr, uckorrdárr*).

Agricultural. Agrícola (*uggrickoller*).

Agriculture. Agricultura (*úggrikooltõõrer*).

Agrieve. Agravar (*uggruvvárr*).

Air. (s.) Aire (*iry*).

Air. (v.) Airear (*i.ray.árr*).

Airport. Aeropuerto (*aháiropwáirtoh*).

Alder. Saúco (*suh.õõkoh*).

Alembic. Alambique (*úllum.bēēkeh*).

Alive. Vivo (*vēēvoh*).

All. Todo (*tóddoh*).

Allege. Aducir, alegar (*uddõothēēr, ullegárr*).

Allow. Conceder, permitir (*contheddáirr, pairrmittēēr*).

Allusion. Alusión (*ullõõsseón*).

Almanack. Calendario (*cullendárreoh*).

Almont. Almendra (*ullméndrer*).

Almost. Casi (*cusee*).

Alms. Limosna (*limmósner*).

Alone. Solo (*sáwloh*).

Alphabet. Abecedario (*úbbeh.theddárrioh*).

Alpinism. Alpinismo (*úllpinnissmoh*).

Already. Ya (*yah*).

Also. También (*tumbyén*).

Altar. Altar (*ulltárr*).

Alter. Alterar (*úllterrárr*).

Alternate. Alternar, turnar (*úlltaernárr, toorrnárr*).

Although. Aunque (*õwnkeh*).

Amalgamate. Fusionar (*foosseonnárr*).

Ambassador. Embajador (*embuhherdórr*).

Amber. Ámbar (*úmberr*).

Ambiguous. Ambiguo (*umbiggwoh*).

Ambition. Ambición (*umbitheón*).

Ambitious. Ambicioso (*umbitheósoh*).

American. Americano (*ummericárno*).

Ammoniac. Amoníaco (*ummónniúckoh*).

Amputate. Amputar (*úmpootárr*).

Analogue. Análogo (*unnálloggoh*).

Analise. Analizar (*únnalithárr*).

Analysis. Análisis (*unnúllisiss*).

Anatomy. Anatomía (*unnúttomméa*).

Ancestors. Antepasados (*úntepussárdoss*).

Anchor. Ancla (*únclah*).

Ancient. Antiguo (*untigwoh*).

Anecdote. Anécdota (*unnécdorter*).

Anemia. Anemia (*unnáymea*).

Anemic. Anémico (*unnémmicoh*).

Anesthesia. Anestesia (*unnestéssier*).

Angel. Ángel (*únhell*).

Angelical. Angelical (*unhéllicull*).

Anger. Enojo, ira (*ennóhhoh, ēērer*).

Angle. Ángulo (*únngõõloh*).

Anguish. Angustia, zozobra (*ungõõsteuh, thothóbbrer*).

Animal. Animal (*únnimmúll*).

Animate. Avivar (*úvvivárr*).

Animation. Animación (*unnimmátheón*).

Ankle. Tobillo (*tobbílyoh*).

Annihilate. Aniquilar (*unnidióssoh*).

Annoying. Fastidioso (*fusstidióssoh*).

Annul. Anular (*únnoolárr*).

Annulment. Anulación (*únnõõlutheón*).

Anoint. Untar (*oontárr*).

Anonymous. Anónimo (*annónnimmoh*).

Anottier. Otro (*óttroh*).

Answer. Contestar, respondes (*contestárr, respondáirr*).

Antecedent. Antecedente (*úntetheddénteh*).

Antichamber. Antecámara (*únticúmmerah*).

Anticipate. Anticipar (*untithippárr*).

Anticipation. Anticipación (*untithipputheón*).

Antipathy. Antipatía (*úntiputhéa*).

Antipode. Antípoda (*untíppoder*).

Antiquated. Anticuado (*untikwárdoh*).

Antiquity. Antigüedad (*antigwedúd*).

Antithesis. Antítesis (*untítésiss*).

Anvil. Yunque (*yõõnkeh*).

Anxiety. Ansiedad (*únseardúd*).

Aperitif. Aperitivo (*uppérrittēēnoh*).

Apogee. Apogeo (*úppoh-háyoh*).

Apostle. Apóstol (*uppóstol*).

Apothecary. Farmacéutico (*fárrmer.tháy.ootickoh*).

Apparatus. Aparato *(upper-rártoh)*.

Apparition. Aparición *(úpper-ritheón)*.

Appear. Aparecer *(uppúrre-tháirr)*.

Appear. Comparecer, parecer *(compurretháirr, purre-tháirr)*.

Appeared. Parecido *(purre-theédoh)*.

Appease. Sosegar *(sosseggárr)*.

Appetite. Apetito *(úppetieé-toh)*.

Applaud. Aplaudir *(upplãu-déer)*.

Application. Aplicación *(úp-plickútheón)*.

Apply. Aplicar *(upplickárr)*.

Appoint. Citar *(theétárr)*.

Appointment. Cita *(theéter)*.

Apprentice. Aprendiz *(upren-déeth)*.

Apprenticeship. Aprendizaje *(uppréndithúhheh)*.

Approach. Acercarse *(uthair-cárrseh)*.

Appropriate. Apropiar *(up-proppeárr)*.

Approve. Aprobar *(úpprob-bárr)*.

April. Abril *(ubbrill)*.

Arbitrate. Arbitrar *(urbi-trárr)*.

Arch. (s.) Arco *(árrkoh)*.

Arch. (v.) Arquear *(árrkay-árr)*.

Architect. Arquitecto *(arrkit-téctoh)*.

Architecture. Arquitectura *(árrkittectóorer)*.

Archive. Archivo *(artchéevoh)*.

Arduous. Arduo *(árrdoo.oh)*.

Area. Área *(urráyer)*.

Argue. (s.) Argüir *(arrgoo-éer)*.

Argue. (v.) Argumentar, opinar, razonar *(arrgoomen-tárr, oppinnárr, ruthonárr)*.

Argument. Argumento *(arr-gooméntoh)*.

Aristocracy. Aristocracia *(úrristockrúthea)*.

Arithmetic. Aritmética *(úr-ritt.métticker)*.

Arm. (s.) Arma, brazo *(ár-mer, brúthoh)*.

Arm. (v.) Armar *(arrmárr)*.

Armchair. Sillón *(silyón)*.

Armpit. Sobaco *(sobbúckoh)*.

Army. Ejército *(ehháirrthit-toh)*.

Around. Alrededor *(úllreddi-dórr)*.

Arrange. Arreglar *(úrreglárr)*.

Arrangement. Arreglo *(urré-gloh)*.

Arrival. Llegada *(lyiggárder)*.

Arrive. Llegar *(lyeggárr)*.

Arrow. Flecha, saeta *(flét-cher, sah.étter)*.

Arsenal. Arsenal *(árrsennúll)*.

Art. Arte *(árrteh)*.

Articulate. Articular *(arrtic-koolárr)*.

Artificial. Artificial, postizo *(artifitheúll, posteéthoh)*.

Artist. Artista *(arrtíster)*.

As. Como *(cómmoh)*.

Ascend. Ascender *(ústhen-dáirr)*.

Ascent. Ascenso *(uthénsoh)*.

Ascention. Ascensión *(usthón-theón)*.

Ash. Ceniza *(thennééther)*.

Ashamed, to be. Avergonzarse *(uvváirgonthárrseh)*.

Ask. Preguntar, pedir *(preg-goontárr, peddéerr)*.

As much. Tanto *(túntoh)*.

Aspect. Aspecto *(usspécttoh)*.

Aspire. Aspirar *(usspírrárr)*.

Ass. Asno, burro *(úsnoh, bóorroh)*.

Assail. Embestir *(embestéer)*.

Assault. Acometer, saltear *(uckómmettáirr, sulteárr)*.

Assets. Activo, haber *(uctéé-voh, ubbáirr)*.

Assiduity. Asiduidad *(ussi-dóoedúd)*.

Assiduous. Asiduo *(ussiddoo-oh)*.

Assign. Asignar *(ussignárr)*.

Assimilate. Asimilar *(ussimi-lárr)*.

Assist. Ayudar, secundar, presenciar *(áhyoodarr, seccoon-dárr, pressenthéarr)*.

Assistance. Ayuda *(uhyóóder)*.

Associate. Asociar *(ussóh-theárr)*.

Association. Asociación *(us-sóhtheáytheón)*.

Assertment. Surtido *(soorr-teédoh)*.

Assure. Asegurar *(usséggoo-rárr)*.

Asterisk. Asterisco *(usterris-koh)*.

Astonish. Asombrar *(ussom-brárr)*.

Astonished. Asombrado *(us-sombrárdoh)*.

Astonishing. Asombroso *(us-sombróssoh)*.

Astronomy. Astronomía *(uss-tronnomméa)*.

Atemnate. Atenuar *(uttenoo.-árr)*.

Atmosphere. Atmósfera *(utt-mósferrah)*.

Atom. Átomo *(úttommoh)*.

Atrocious. Atroz *(uttróth)*.

Atrocity. Atrocidad *(attróssi-dúr)*.

Attach. Sujetar *(soohettárr)*.

Attack. (v.) Atacar *(úttu-ckárr)*.

Attack. (s.) Ataque *(uttú-ckeh)*.

Attain. Lograr *(loggrárr)*.

Attempt. Atentar, tentativa *(uttentár, lentuttééver)*.

Attend (somethg.). Asistir *(ussistéer)*.

Attend to. Atender *(utten-dáirr)*.

Attract. Atraer *(uttrráirr)*.

Attraction. Atracción *(uttrú-theón)*.

Attractive. Atractivo *(úttruc-téévoh)*.

Attribute. (v.) Atribuir *(ut-tribwéerr)*.

Attribute. (s.) Atributo *(út-tribbóótoh)*.

Auction. Almoneda, subasta *(úllmonnédder, soobúster)*.

Audacious. Audaz *(owdúth)*.

Audacity. Audacia *(owdú-thear)*.

Audience. Audiencia, auditorio *(owdyénthea, owdittórreo)*.

Augury. Agüero *(uggwéárroh)*.

August. Agosto *(uggóstoh)*.

Aunt. Tía *(téar)*.

Austrian. Austríaco *(owstriác-koh)*.

Aut. Hormiga *(orrmeeger)*.

Authentic. Auténtico *(owtén-tiooh)*.

Authenticity. Autenticidad *(owtentitihdud)*.

Author. Autor *(owtorr)*.

Authorisation. Autorización *(owtorrithutheón)*.

Authority. Autoridad *(owtor-ridúd)*.

Authorize. Autorizar *(owtor-rithárr)*.

Autograph. Autógrafo *(owtóg-gruffoh)*.

Automaton. Autómata *(ow-tómmutter)*.

Autostrade. Autovía *(owtoh.-vēēr)*.
Autumn. Otoño *(ottónyoh)*.

Auxiliary. (adj.) Auxiliar *(owkzillyárr)*.
Avenge. Vengar *(vengárr)*.

Avoid. Evitar *(evvittárr)*.
Axletree. Cabria *(cubréar)*.

B

Bachelor. Soltero *(soltáirroh)*.
Bachelorship. Bachillerato *(búlchelyerrártoh)*.
Back. Espalda *(espúlder)*.
Backshop. Trastienda *(trustyénder)*.
Bad. Malo *(márloh)*.
Bag. Saco *(súckoh)*.
Bag. Talega *(tullégger)*.
Bagatel. Bagatela *(buggertéller)*.
Baggage. Bagaje *(buggáh.heh)*.
Bagpipe. Gaita *(gáh.ceter)*.
Bakehouse. Tahona *(tuhhónner)*.
Baker. Panadero *(punnerdáiroh)*.
Baker's. Panadería *(punnudderréar)*.
Balance. Equilibrio, balance, saldo *(ékky.libbreoh, bullúntheh, súldoh)*.
Balcony. Balcón *(bullcón)*.
Ball. Bala, pelota *(búller, pellótter)*.
Ball (dance). Baile *(bý.leh)*.
Balsam. Bálsamo *(búllsummoh)*.
Balustrade. Balaustrada *(búllowstrárdeh)*.
Ban. Prohibición *(prohibbiseón)*.
Band. Banda, faja *(bánder, fúhher)*.
Bandage. Venda *(vénder)*.
Bandit. Bandido *(bundēēdoh)*.
Bank. Banca, orilla *(búnker, orríllyer)*.
Banker. Banquero *(buncáiroh)*.
Banquet. Banquete *(bunkétteh)*.
Bar. (v.) Atrancar *(uttruncárr)*.
Bar. (s.) Bar *(barr)*.
Bargain. Ganga *(gúnger)*.
Bark. Ladrar *(luddrárr)*.
Barking. Ladrido *(luddrēēdoh)*.
Barley. Cebada *(thebárder)*.
Barter. Trocar *(trockárr)*.
Base. Cimentar *(thimmentárr)*.

Basin. Palangana *(pullungúnner)*.
Basket. Canasta *(cunnúster)*.
Basket (large). Cesta *(théster)*.
Basket (small). Cesto *(théstoh)*.
Batch. Hornada *(ornnárder)*.
Bathing establishment. Balneario *(búllne.árreoh)*.
Bay. Bahía *(by.éar)*.
Be. Ser. estar *(sáir, estárr)*.
Beach. Playa *(pláhyer)*.
Beam. Viga *(vēēger)*.
Bean, bread. Haba *(úbber)*.
Bear. Oso *(óssoh)*.
Bearer. Portador *(porrtuddórr)*.
Beat (with a stick). Apalear *(uppúlleárr)*.
Beat. Golpear, pegar *(golpay.árr, peggárr)*.
Beautiful. Hermoso *(airrmósso)*.
Beautify. Embellecer *(embéllyetháir)*.
Beauty. Hermosura *(airrmóssóórah)*.
Because. Porque *(pórrkeh)*.
Bed. Cama, lecho *(cúmmer, létchoh)*.
Bedroom. Alcoba, dormitorio *(ulcawber, dorrmittorioh)*.
Bee. Abeja *(ubbéhher)*.
Beer. Cerveza *(thaervéther)*.
Beer house. Cervecería *(tháirrvetherréa)*.
Beet. Acelga, remolacha *(uthélgger, remmolútcher)*.
Beetle. Escarabajo *(escúrrerbúhhoh)*.
Before. Delante *(delúnteh)*.
Beg. Suplicar *(sooplickárr)*.
Beggar. Mendigo *(mendēēgoh)*.
Begin. Comenzar, empezar *(commenthárr, empethárr)*.
Beginning. Comienzo *(commyénthoh)*.
Beguinning. Principio *(printhíppeoh)*.
Behind. Atrás, detrás *(utrúss, detrúss)*.

Believe. Creer *(cray.áirr)*.
Bell. Campana *(cumpúnner)*.
Bellows. Fuelle *(fwéllyeh)*.
Belly. Vientre, panza *(vyéntreh, púnther)*.
Belong. Pertenecer *(pairrtennetháirr)*.
Belonging. Perteneciente *(pairrtennethyénteh)*.
Bench. Banco *(búncoh)*.
Bend. Plegar, encorvar *(pleggárr, encorrvárr)*.
Berth. Litera *(litterer)*.
Beside. Al lado de *(ull lárdoh deh)*.
Besides. Además *(úddimúss)*.
Bet. Apuesta *(uppuéstah)*.
Better. Mejor *(mehhórr)*.
Between. Entre *(éntry)*.
Bile. Hiel *(e.él)*.
Bill. Cuenta, cartel *(kávénter, carrtéll)*.
Bill. Cuenta, cartel *(kwénter, narrdy)*.
Bind. Agarrotar *(ugúrrotárr)*.
Bind. Agarrotar, atar, ligar, encuadernar *(ugúrrottárr, uttárr, liggárr, enkwudernárr)*.
Binding. Encuadernación *(enkwúddernutheón)*.
Bird. Pájaro *(púhherroh)*.
Birth. Nacimiento *(nuthi.mmyéntoh)*.
Biscuit. Galleta *(gullyétter)*.
Bishop. Obispo *(obbispoh)*.
Bishop's crozier. Báculo *(búccooloh)*.
Bite. (v.) Morder *(morrdáirr)*.
Bite. (s.) Mordisco *(morrdiscoh)*.
Bitter. Amargo *(ummárrgoh)*.
Black. Negro *(néggroh)*.
Blacksmith. Herrero *(erráirroh)*.
Blame. Censurar *(thensoorárr)*.
Blanket. Manta *(múnter)*.
Bleat. Balar *(bullárr)*.
Bleed. Sangrar *(sungrárr)*.
Blind. (adj.) Ciego *(thyéggoh)*.
Blind. (v.) Cegar *(theggárr)*.

Blindness. Ceguera *(theggōōerer)*.

Blood. Sangre *(súngreh)*.

Bloody. Sangriento *(sungriyéntoh)*.

Blow. (s.) Golpe, porrazo, puñetazo *(gólpeh, porrúthoh, poonyettúthoh)*.

Blow. (v.) Soplar *(sopplárr)*.

Blue. Azul *(uthōōl)*.

Bluish. Azulado *(uthoolárdoh)*.

Blush. (s.) Rubor, sonrojo *(roobórr, sonróhhoh)*.

Blush. (v.) Ruborizar, sonrojarse *(rooborrithárr, sonrohhárrseh)*.

Boar. Jabalí *(hubbullēē)*.

Board. Tabla, tablero, junta *(túbbler, tubláirroh, hōōnter)*.

Boast. Jactarse, ostentar *(hucktárrseh, ostentárr)*.

Boat. Bote *(bótteh)*.

Body. Cuerpo *(kwáirrpoh)*.

Boil. Hervir *(airvēērr)*.

Boldness. Osadía *(ossuddéa)*.

Bone. Hueso *(wéssoh)*.

Bonfire. Hoguera *(ogháirer)*.

Bonnet. Gorro *(górroh)*.

Book. Libro *(lēēbroh)*.

Booking-office. Taquilla *(tackíllyer)*.

Book-keeping. Contabilidad *(contubbíllidúd)*.

Bookshop. Librería *(librerréar)*.

Bore. Taladrar *(tulludrárr)*.

Bored. Aburrido *(úbboorēēdoh)*.

Boredom. Aburrimiento *(ubbōōrimyéntoh)*.

Borer. Taladro *(tullúdroh)*.

Born, to be. Nacer *(nutháirr)*.

Bosom. Pecho, seno *(pétchoh, sénnoh)*.

Both. Ambos *(úmboss)*.

Bottle. Botella *(bottéllyer)*.

Bottom. Fondo *(fóndoh)*.

Boundary. Linde *(líndeh)*.

Bow. Lazo *(lúthoh)*.

Bowels. Tripas *(trēēpuss)*.

Box. Caja, palco *(cúh.her, púlcoh)*.

Boy. Niño, muchacho *(nēēnyoh, mootchútchoh)*.

Bracelet. Pulsera *(poolsáirrer)*.

Braid. Trenzar *(trenthárr)*.

Brain. Cerebro, seso *(thérrebbroh, séssoh)*.

Brake. Freno *(frénnoh)*.

Bramble. Zarza *(thárrther)*.

Bran. Salvado *(sulvúddoh)*.

Branch. Rama, sucursal *(rúmmer, soockoorrsúll)*.

Brandy. Aguardiente *(úggwarrdyénteh)*.

Brasier. Brasero *(brussáirroh)*.

Brave. Valiente *(vullyénteh)*.

Braveness. Bravura *(bruvvōōrer)*.

Bravery. Valentía *(vullentēēr)*.

Bravo. Bravo *(brárvoh)*.

Bray. Rebuznar *(rebboothnárr)*.

Bread. Pan *(pun)*.

Breadth. Amplitud *(úmplittúd)*.

Break. Romper *(rompáirr)*.

Breakfast. Desayuno *(désseryōōnoh)*.

Breast-bone. Esternón *(essterrnón)*.

Breath. Aliento *(ullyéntoh)*.

Breathe. Respirar *(respirárr)*.

Breathing. Aspiración *(ússpirrútheón)*.

Breeches. Calzón *(cullthón)*.

Breed. Criar *(cree.árr)*.

Brewery. Cervecería *(wairrvétherréa)*.

Bribe. Sobornar *(sobborrnárr)*.

Bribery. Cohecho *(coh.étchoh)*.

Bridge. Puente *(puénteh)*.

Bridle. Brida *(brēēder)*.

Briery. Zarzal *(tharrthúl)*.

Brigade. Brigada *(briggárder)*.

Brightness. Resplandor *(resplundórr)*.

Brilliant. Brillante *(brilyúnteh)*.

Bring. Traer *(tryáirr)*.

Bristled. Erizado *(errithárdoh)*.

Broken. Roto *(róttoh)*.

Bronze. Bronce *(bróntheh)*.

Broom. Escoba, retama *(escóbber, rettúmmer)*.

Brother. Hermano *(airrmúnnoh)*.

Brown. Moreno *(morrénnoh)*.

Brush. (s.) Cepillo, brocha *(theppíllyoh, brótcher)*.

Brush. (v.) Acepillar *(uthéppillyárr)*.

Brutal. Brutal *(brootúll)*.

Brutality. Brutalidad *(brootúllidúd)*.

Bride. Novia *(nóvvear)*.

Build. Edificar *(eddifficárr)*.

Builder. Edificador *(eddifficadórr)*.

Building. Edificio *(eddiffitheo)*.

Bulky. Voluminoso *(volloominosoh)*.

Dull. Toro *(tāwroh)*.

Bull (papal). Bula *(bōoler)*.

Bullet. Bala *(búller)*.

Bullfighter. Torero *(torráirroh)*.

Bullfighting. Tauromaquia *(towrommuckēēr)*.

Bunch. Manojo *(munnóhhoh)*.

Bunch of grapes. Racimo *(rúthimmoh)*.

Bundle. Bulto *(bōōltoh)*.

Bundle. Lío *(léoh)*.

Buoy. Boya *(bóy.yer)*.

Burial. Entierro *(entyérroh)*.

Bury. Enterrar *(enterrárr)*.

Burin. Buril *(boorēēl)*.

Burn. (v.) Abrasar, arder, quemar *(úbbrussárr, arrdáirr, kemmárr)*.

Burn. (s.) Quemadura *(kemmerdōōrer)*.

Burst. (s.) Estallido *(estullēēdoh)*.

Burst. (v.) Reventar, estallar *(revventárr, estullyárr)*.

Bury. Sepultar *(seppooltárr)*.

Bushel. Fanega *(fúnnigger)*.

Business. Negocio *(negótheoh)*.

Bust. Busto *(boostoh)*.

But. Pero *(páirroh)*.

Butcher. Carnicero *(carrnitháirroh)*.

Butter. Mantequilla *(muntikíllyer)*.

Button. Botón *(bottón)*.

Button hole. Ojal *(ohhúll)*.

Button hook. Abrochador *(ubbrótcher.dórr)*.

Buy. Comprar *(comprárr)*.

Buyer. Comprador *(cómprudórr)*.

By. Por *(porr)*.

C

Cabbage, white. Repollo (reppólyoh).

Gabin, Cabina, cabaña, camarote (cubbééner, cubbúnyer, cummerróttch).

Cabinet. Gabinete (gubbinnétteh).

Cabinet-maker. Ebanista (cbbunnister).

Cable. (s.) Cable (cárbleh).

Cable. (v.) Cablegrafiar (cárblehgrúffeárr).

Cage. Jaula (hówler).

Cake. Torta, pastel (tórrter, pustéll).

Calamity. Calamidad (cullúmmiddúd).

Calculation. Cálculo (cúllcooloh).

Calf. Pantorrilla (puntorrilyer).

Calf. Becerro (bethérroh).

Call. Llamar (lyummárr).

Caller. Llamador (lyummerdórr).

Calm. (v.) Apaciguar (uppúthigwárr).

Calm. (s.) Calma, sosiego (cúlmer, sossyéggoh).

Calm. (adj.) Calmado (cúllmudoh).

Calumniate. Calumniar (culloomneárr).

Camel. Camello (cummélyoh).

Camomile. Manzanilla (munthunillyer).

Camp. (s.) Campamento (cumper.méntoh).

Camp. (v.) Acampar (uckumpárr).

Camphor. Alcanfor (úllcunfórr).

Canal. Canal (cunnúll).

Canary. Canario (cunárreoh).

Cancer. Cáncer (cúnther).

Candelabra. Candelabro (cundellárbroh).

Candidate. Candidato (cúndidártoh).

Candle. Bujía (boo.héar).

Candle. Vejiga (vehhééger).

Candlestick. Palmatoria, candelero (pullmuttórrea, cundelláirroh).

Candlewood. Tea (táyer).

Cane. Caña (cúnnyer).

Cannon. Cañón (cunnyón).

Cannon (bilyds). Carambola (currumbóhler).

Canteen. Cantina (cuntééner).

Canvas. Lona (lónner).

Cap. Gorra (górrer).

Capacity. Capacidad (cupputhidúd).

Cape. Cabo (cárbo).

Capital. Capital, caudal (cuppittúll, cowdúll).

Capitalise. Capitalizar (cúppittullithárr).

Capitalist. Capitalista (cúppittullister).

Captain. Capitán (cuppittún).

Captivate. Cautivar (cowtivvárr).

Captura. Presa (présser).

Capture. Captura (cuptóórer).

Car. Carro, coche (cúrroh, cótcheh).

Caravan. Caravana (currervúnner).

Carbine. Carabina (cúrrerbééner).

Card. Tarjeta (tarrhétter).

Cardboard. Cartón (carrtón).

Care. (s.) Cuidado (quiddárdoh).

Care. (v.) Cuidar (quiddárr).

Carelessness. Descuido (deskwéédoh).

Caress. (v.) Acariciar (uckúrri.theárr).

Caress. (s.) Caricia (currithear).

Caricature. Caricatura (cúrricuttóórer).

Carman. Carretero (currettáiroh).

Carnival. Carnaval (carrnervúll).

Carpenter. Carpintero (carpintáiroh).

Carpenter's shop. Carpintería (carpinterréar).

Carpet. Alfombra (ullfómbrer).

Carry. Acarrear, llevar (uckúrreárr, lyervárr).

Carry off. Arrebatar (úrrebuttárr).

Cartridge. Cartucho (carrtóótchoh).

Cartridge-box. Canana (cunnúnner).

Carve. Trinchar (trintchárr).

Case. Caso, estuche, funda (cussoh, estóótcheh, fóónder).

Cash. Cobrar (cobbrárr).

Casino. Casino (cusséénoh).

Cask. Casco, tonel, cuba (cúscoh, tonnéll, cóóber).

Cast. Lance (lúntheh).

Caste. Casta (cúster).

Castle. Castillo (custillyoh).

Casual. Casual (cússoo.úl).

Casualty. Casualidad (cússoo.úllidúd).

Cat. Gato (gúttoh).

Catahr. Catarro (cuttárroh).

Catastrophe. Catástrofe (cuttústroffeh).

Catch. Coger (coh.háirr).

Catch cold. Constiparse (constippárrseh).

Catch cold. Resfriarse (résfreárrseh).

Catch reach. Atrapar (uttruppárr).

Category. Categoría (cúttoggorréah).

Cattle. Ganado (gunnárdoh).

Cause. (s.) Causa (cówser).

Cause. (v.) Causar (cowsárr).

Cavalier. Jinete (hinnétteh).

Cavalry. Caballería (cúbbullerréar).

Cease. Cesar (thessárr).

Ceiling. Techo (tétchoh).

Celebrated. Afamado (uffermárdoh).

Celebrated. Célebre (théllebreh).

Cell (prison). Calabozo (cullerbáwthoh).

Cellar. Sótano (sóttunnoh).

Cement. Cemento (thimméntoh.)

Centigrade. Centígrado (thentigruddoh).

Centime. Céntimo (théntimmoh.)

Centimeter. Centímetro (thenlerbáwthoh).

Central. Céntrico (théntric-koh).

Centre. Centro (théntroh).

Century. Siglo (sigglah).

Ceremony. Ceremonia (thérremmonnéah).

Certain. Cierto (thyáirtoh).

Certainly. Efectivamente (ejecteevérménteh).

Chain. Cadena (cuddénner).

Chair. Silla (sīlyer).

Chalk. Tizón, yeso (tithón, yéssoh).

Challenge. (s.) Desafío (désauffeoh).

Challenge. (v.) Retar (retlárr).

Chamber. Cámara (cúmmerrer).

Chance. Suerte, azar (swáirrteh, uther.hárr).

Change. (s.) Cambio, muda (cúmbeoh, móóder).

Change. (v.) Cambiar (cumbeárr).

Character. Carácter (curruck.tairr).

Charcoal. Carbón (carrbón).

Charge. (v.) Cargar, gravar, encargar (carrgárr, gruvvárr, encarrgárr).

Charge. (s.) Cargo, gravamen (cárrgoh, gruvvahmen).

Charity. Caridad (carridúd).

Charm. Encantar (encuntárr).

Charmer. Encantador (encunterdórr).

Chat. (v.) Charlar (charrlárr).

Chat. (s.) Charla (chárrler).

Cheat. Tramposo (trumpóssoh).

Check. Comprobar (comprobbárr).

Cheek. Mejilla (mehhíllyer).

Cheekbone. Pómulo (pómmonloh).

Cheer. Animar (unnimárr).

Cheese. Queso (késsoh).

Chemist. Boticario (botticárreo).

Chemist's. Farmacia (farmúcthea).

Chemistry. Química (kímmícker).

Cherry. Cereza (therréther).

Cherry tree. Cerezo (therréthoh).

Chess. Ajedrez (uh.heddréth).

Chest. Pecho (pétchoh).

Chestnut. Castaña (cusstúnnyer).

Chew. Mascar (muscárr).

Chicken. Pollo (póllyoh).

Chief. Jefe (héffeh).

Chiefly. Principalmente (printhippulménteh).

Chignon. Moño (mónyoh).

Chilblain. Sabañón (subbunyón).

Child. Niño (nēényoh).

Child-birth. Parto (párrtoh).

Childhood. Niñez (nēényeth).

Childish. Infantil (infuntíll).

Chime. Repicar (reppickárr).

Chimera. Quimera (kimmáirrer).

Chimney. Chimenea (chimmennáyer).

Chip. Astilla (usstíllyer).

Chisel. Cincel formón (thinthél, forrmón).

Chocolate. Chocolate (chockolárteh).

Cholera. Cólera (cóllerruh).

Choose. Escoger (escohháirr).

Chop. Costilla (costíllyer).

Chorus. Coro (cáwroh).

Christmas. Navidad (nuvvidúd).

Christmas Eve. Nochebuena (nótchehbwénner).

Chronicle. Crónica (crónnicker).

Church. Iglesia (iggléssea).

Cider. Sidra (síddrer).

Cigar. Cigarro (thiggárroh).

Cigarcase. Petaca (pettúcker).

Cigarette. Cigarrillo (thiggarrillyoh).

Cipher. Cifra (thíffrer).

Circle. Aro, círculo (árroh, thēērcooloh).

Circular. Circular (thēērcoolárr).

Circulation. Circulación (théercoolutheón).

Circumference. Circunferencia (theercoonferrénthear).

Citizen. Ciudadano (thēē.ooduddúnnoh).

City. Ciudad (thēē.oodúd).

Civil. Civil (thívvil).

Civility. Urbanidad (oorrbunníddúd).

Civilization. Civilización (thivvillithutheón).

Civilize. Civilizar (thivvillithárr).

Claim. Reclamación (recklummutheón).

Class. Clase (clússeh).

Classic. Clásico (clússicoh).

Classify. Clasificar (clússifficárr).

Claw. Garra, zarcillo (gúrrer, tharrthílyoh).

Clay. Arcilla (arthíllyer).

Clean. (adj.) Limpio (límpeoh).

Clean. (v.) Limpiar (límpeárr).

Cleanness. Limpieza (límpyéther).

Clearness. Claridad (clurridúd).

Clerk. Escribiente (escribbyénteh).

Clew. Ovillo (ovvíllyoh).

Climate. Clima (clēēmer).

Climb. Trepar (treppárr).

Cloak. Capa (cúpper).

Clog. Zueco (thwéckoh).

Closing. Cláusula (clōwsooler).

Cloth. Lienzo, paño, tela (lyenthóh, púnnyoh, téller).

Clothing. Ropa (rópper).

Cloud. Nube (nóóbeh).

Cloudy. Nublado (nooblárdoh).

Coach. Coche (cótcheh).

Coal. Carbón (carrbón).

Coalyard. Carbonería (carrbonnerréar).

Coarse. Grosero (grossáirroh).

Coast. (s.) Costa (cóster).

Coast. (v.) Costear (costeh.árr).

Coat of Arms. Escudo (escōōdoh).

Cod. Abadejo, bacalao (ubberdehoh, buckerlőw).

Code. Código (códdigoh).

Coffee. Café (cuĵféh).

Coffin. Féretro (férretroh).

Coin. Moneda (monnédder).

Coincide. Coincidir (coh.inthiddéarr).

Coinsidence. Coincidencia (cóh.inthiddénthea).

Coining. Acuñación (uckoonyútheón).

Colander. Colador (collerdórr).

Cold. Frío, resfriado (frēēoh, resfreúddoh).

Cold catch. Resfriarse (resfreárrsch).

Coldness. Frialdad (freuldúd).

Colic. Cólico (cóllicoh).

Collar. Collar (colyárr).

Colleague. Colega (collégger).

Collect. Coleccionar (colleck-theonnárr).

Collecting. Recaudación (reckowdutheón).

Collection. Colección (collécktheón).

College. Colegio *(colléh.eoh)*.

Collision. Choque *(tchóckeh)*.

Colour. Color *(collórr)*.

Colt. Potro *(póttroh)*.

Column. Columna *(collóōmner)*.

Comb. (s.) Peine *(páyneh)*.

Comb. (v.) Peinar *(paynárr)*.

Combination. Combinación *(combinnátheón)*.

Combine. Combinar *(combinnárr)*.

Come. Venir *(vennéērr)*.

Come down. Bajar *(buh.hárr)*.

Come out. Salir *(sulléērr)*.

Come up. Subir *(soobéar)*.

Comfort. Comodidad *(commodidúd)*.

Commandment. Mandamiento *(mundermyéntoh)*.

Comment. Comentar *(commentárr)*.

Commerce. (s.) Comercio *(commérrtheo)*.

Commerce. (v.) Comerciar *(commáirtheárr)*.

Commission. Comisión *(commisseón)*.

Commissionist. Comisionista *(commisseonista)*.

Commit. Cometer *(commettáirr)*.

Common. Común *(commóōn)*.

Communicate. Comunicar *(commoonicárr)*.

Communication. Comunicación *(commóōnicútheón)*.

Community. Comunidad *(commoonidúd)*.

Companion. Compañero, acompañante *(cómpunyáiroh, uckmpunnyúnteh)*.

Company. Compañía, sociedad *(kómpuunyéar, sóthear.dúd)*.

Compare. Comparar *(compurrárr)*.

Comparison. Comparación *(cómpurrútheón)*.

Compass. Compás, brújula *(compúss, bróōhhaller)*.

Compensate. Compensar *(compensárr)*.

Competence. Competencia *(competténthear)*.

Competent. Competente *(competténteh)*.

Compile. Recopilar *(recoppillárr)*.

Complacence. Complacencia *(compluthénthear)*.

Complain. Quejarse *(kehhárrseh)*.

Complaint. Queja *(kéhher)*.

Complete. (v.) Completar *(cómplettáirr)*.

Complete. (adj.) Completo *(complēttoh)*.

Compliment. Cumplido *(coomplēēdoh)*.

Compose. Componer *(componnárr)*.

Composed. Compuesto *(compuéstoh)*.

Composition. Composición *(compositheón)*.

Compositor. Cajista *(cuh.hister)*.

Compress. Apretar, comprimir *(upprettárr, comprimméarr)*.

Compromise. Compromiso, transigir *(compromissoh, trunsihhéērr)*.

Comrade. Camarada *(cumerrárder)*.

Concavity. Concavidad *(concúvvydúd)*.

Conceive. Concebir *(conthebbéēr)*.

Concentrate. Concentrar *(conthentrárr)*.

Concern. Concernir *(cónthairrnēēr)*.

Concert. Concierto *(conthairrtoh)*.

Concision. Concisión *(conthisseón)*.

Conclude. Concluir *(concloo.ēēr)*.

Conclusion. Conclusión *(conclooseón)*.

Concourse. Concurso *(concóōrrsoh)*.

Concrete. Concreto, hormigón *(concréttoh, ormmigón)*.

Concurrence. Concurrencia *(concurrénthea)*.

Condemn. Condenar *(condennárr)*.

Condemnation. Condena *(condénner)*.

Condense. Condensar *(condensárr)*.

Condition. Condición *(condition)*.

Conduct. Conducta *(condóōcter)*.

Confection. Confección *(confectheón)*.

Confectioner's. Confitería *(confitterréar)*.

Conference. Conferencia *(conferrénthear)*.

Confess. Confesar *(confessárr)*.

Confession. Confesión *(confesseón)*.

Confidence. Confidencia *(cónfee.únther)*.

Confirm. Confirmar *(confurmárr)*.

Conflict. Conflicto *(conflictoh)*.

Conformable. Conforme *(confórmeh)*.

Conformity. Conformidad *(conformidúd)*.

Confound. Confundir *(confoondēēr)*.

Confused. Confuso *(confóōssoh)*.

Confusion. Confusión *(confoosseón)*.

Congregate. Reunirse *(reh.oonēērrseh)*.

Congress. Congreso *(congréssoh)*.

Conjugate. Conjugar *(conhoogár)*.

Conjugation. Conjugación *(conhooguthéon)*.

Conjunction. Conjunción *(conhoonthéon)*.

Conjuror. Prestidigitador *(prestidihhituddórr)*.

Connect. Enlazar *(enluthárr)*.

Connection. Enlace, relación *(enlútheh, rellutheón)*.

Conscience. Conciencia *(conthyénthear)*.

Consecrate. Consagrar *(consugrárr)*.

Consent. Consentir *(consentēērr)*.

Consequence. Consecuencia *(consekwénthear)*.

Consider. Considerar *(considderrárr)*.

Consideration. Consideración *(considderrútheon)*.

Consignee. Consignatario *(conséggnuttórioh)*.

Consist. Consistir *(consistēēr)*.

Console. Consolar *(consollár)*.

Consolidate. Consolidar *(consollidárr)*.

Conspiration. Conspiración *(conspirruthéon)*.

Conspire. Conspirar *(conspirrárr)*.

Constance. Constancia *(constúnthea)*.

Constituent. Constituente *(constitooyénteh)*.

Constitute. Constituir *(constitoo.ēēr)*.

Constitution. Constitución (constitootheón).

Construct. Construir (constroo.éérr).

Construction. Construcción (constitootheón).

Constructor. Constructor (constroocktórr).

Consult. Consultar (consooltárr).

Consultation. Consultación (consooltutheón).

Consume. Consumir (consoomérr).

Consumption. Consumo (consóomoh).

Contain. Contener (contennáirr).

Contemporary. Contemporáneo (oontemporrúnneo).

Contempt. Desprecio (desprétheoh).

Contemptible. Despreciable (desprétheh.úbbleh).

Contend. Altercar, porfiar (úlltaircárr, porrfeárr).

Content. Contentar (contentarr).

Contest. Contienda (contyénder).

Continual. Continuo (continnoo.oh).

Continuation. Continuación (contiunoo.útheón).

Continue. Continuar (continnoo.ár).

Contraband. Contrabando (cóntrerbúndoh).

Contract. (v.) Contratar (contruttárr).

Contract. (s.) Contrato (contrúttoh).

Contradict. Contrariar (contrárreárr).

Contradiction. Contradicción (cóntrerdictheón).

Contrary. Contrario (contrárreoh).

Contrast. Contraste (contrústeh).

Contribute. Contribuir (contribboo.éer).

Contribution. Contribución (contribbootheón).

Contrive. Ingeniar (inhenneárr).

Convenience. Comodidad, conveniencia (commóddidúd, convennyénthea).

Convenient. Cómodo, conveniente, oportuno (commodoh, convennyénteh, opportóonoh).

Convenient. Oportuno (opportóonoh).

Conversation. Conversación (convairrsutheón).

Converse. Conversar (convairrsárr).

Convert. Convertir (convairrtéérr).

Conveyance. Conducción (conductheón).

Convict. Presidiario (pressiddiúrreoh).

Convince. Convencer (conventháirr).

Convoke. Convocar (convoccárr).

Cook. (s.) Cocinero (cothinnáirroh).

Cook. (v.) Cocer, guisar (cotháirr, ghissárr).

Cool. Enfriar (enfrée.árr).

Co-operate. Coadyuvar, cooperar (coh.údyoovárr, coh.opperárr).

Co-ordinate. Coordenar (coh.orrdinárr).

Copper. Cobre (cóbreh).

Copper-coloured. Cobrizo (cobrééthoh).

Copy. (v.) Copiar (coppeárr).

Copy. (s.) Copia (cóppea).

Copybook. Cuaderno (kwoddáirrnoh).

Cord. Cordón (corrdón).

Corduroy. Pana (pánner).

Cork. Tapón, corcho (tuppón, córrtcher).

Corkscrew. Sacacorchos (suckercórtchuss).

Corn. Grano, cereal (grárnoh, therreúl).

Corn (foot). Callo (cúllyoh).

Cornea. Córnea (córrnear).

Corner. (s.) Esquina, rincón (eskééner, rincón).

Corner. (v.) Arrinconar (urrinconnárr).

Cornice. Cornisa (corrnisser).

Corporal. Cabo (cárbuh).

Corporation. Corporación (corrporrútheón).

Corpse. Cadáver (cuddúvverr).

Correct. Enmendar, corregir (enmendarr, corrihhéér).

Correspondant. Corresponsal (corresponsúll).

Correspondence. Correspondencia (correspondénthear).

Corridor. Corredor (correddórr).

Corrupt. Corromper (corromper).

Cost. Costar (costárr).

Cotton. Algodón (ullgoddón).

Cough. (s.) Tos (toss).

Cough. (v.) Toser (tossáirr).

Council. Consejo (conséhhoh).

Count. Contar (contárr).

Counter. Mostrador (mostrudórr).

Countermand. Contraorden (cóntrerórrden).

Counterpane. Colchón (coltchón).

Country. País (pahyiss).

Countryman. Compatriota (computtriótter).

County. Comarca (commárker).

Couple. Pareja (purréhhor).

Couplet. Copla (cópler).

Courage. Animo (únnimmoh).

Course. Rumbo (róomboh).

Court. Galantear (gulluntéárr).

Courtyard. Patio (pútteoh).

Cover. Cubrir, tapar (coobréér, tuppárr).

Cow. Vaca (vúcker).

Coward. Cobarde (cobbárrdeh).

Cowardice. Cobardía (cóbbarrdéar).

Crack. (s.) Grieta (greeétter).

Crack. (v.) Agrietar, chasquear (uggree.ettárr, chuskeh.árr).

Cradle. Cuna (cóoner).

Crane. Grúa (gróoer).

Creak. Rechinar (retchiunárr).

Cream. Nata (nútter).

Create. Crear (crayár).

Creature. Criatura (creatóorer).

Credit. Crédito (créddittoh).

Crevice. Grieta, hendidura (gryétter, endidóorer).

Crib. Pesebre (pessébreh).

Crime. Delito, crimen (delléétoh, créémen).

Criminal. Criminal (criminúll).

Cristalisation. Cristalización (cristullithutheón).

Cristalize. Cristalizar (cristallithárr).

Criterium. Criterio (crittáirreoh).

Critic. Crítico (critticoh).

Criticise. Criticar (critticárr).

Cry. (v.) Llorar, gritar (lyorrárr, greetárr).

Cry. (s.) **Grito** *(grēētoh).*
Croak. Graznido *(gruthnēē-doh).*
Cronic. Crónico *(crónickoh)*
Crop. Cosecha *(cossétcher).*
Cross. (s.) Cruz *(crooth).*
Cross. (v.) Cruzar, atravesar *(croothárr, úttruvvessárr).*
Crossing. Travesía *(truvvessēēr).*
Crossway. Encrucijada *(encrōōthihhárder).*
Croup. Grupa *(grōōpper).*
Crowd. (v.) Agolparse, apretar *(uggolpárrseh, úpprettárr).*
Crowd. (s.) Muchedumbre, multitud *(mōōtcheddōōmbreh, mōōltitud).*
Crown. (s.) Corona *(corrónner).*
Crown. (v.) Coronar *(corronnárr).*
Cruel. Cruel *(croo.él).*
Cruelty. Crueldad *(croo.eldúd).*

Cruiser. Crucero *(croothái-roh).*
Crumble. Triturar, desmenuzar *(trittoorárr, desmenoothárr).*
Crush. Aplastar, machacar *(upplusstárr, mutchuccárr).*
Cry. Llorar, vocear *(lyorrárr, votheárr).*
Crystal. Cristal *(cristúll).*
Cuban. Cubano *(coobúnnoh).*
Cudgelling. Paliza *(pullēēther).*
Culminating. Culminante *(coolminnúnteh).*
Cultivation. Cultivo *(cooltēē-voh).*
Culture. Cultura *(cooltōōrer).*
Cunning. (adj.) Astuto *(ustōōtoh).*
Cunning. (s.) Astucia *(usstōōthea).*
Cup. Taza, copa *(túther, cópper).*
Cupidity. Codicia *(coddithea).*
Cure. (s.) Cura *(cōōrer).*
Cure. (v.) Curar *(coorárr).*

Curiosity. Curiosidad *(cooriōssidúd).*
Curl. Rizo *(rēēthoh).*
Current. Corriente *(corryénteh).*
Curse. (v.) Maldecir *(muldethēēr).*
Curse. (s.) Maldición *(mulldítheon).*
Cursed. Maldito *(muldēētoh).*
Curtain. Cortina, telón *(corttēēner, tellón).*
Cushion. Cojín *(coh.ēēn).*
Custard. Flan *(flunn).*
Custom. Costumbre *(oostōōmbreh).*
Customer. Cliente *(clee.énteh).*
Customs-house. Aduana *(uddoo.únner).*
Cut. (v.) Cortar, recortar *(corrtárr, reckorrtárr).*
Cut. (s.) Tajo *(túhhoh).*
Cutting. Retazo *(rettúthoh).*
Cyclone. Ciclón *(thicklón).*
Cylinder. Cilindro *(thillindroh).*

D

Daily paper. Diario *(de.úrreoh).*
Dam. Dique *(dēēkeh).*
Damage. Daño, avería *(dúnnyoh, uvverreer).*
Damp. Húmedo *(ōōmeddoh).*
Dampness. Humedad *(ōōmeddúd).*
Dance. Bailar *(by.lárr).*
Danger. Peligro *(pelligroh).*
Dangerous. Peligroso *(pelligrósooh).*
Dare. Atrever *(uttreváirr).*
Daring. (adj.) Atrevido *(uttrevvēēdoh).*
Daring. (s.) Atrevimiento *(uttrévvimmyéntoh).*
Dark. Obscuro *(obscóroh).*
Darkness. Tinieblas *(tinnyébluss).*
Darn. Zurcir *(thoorthēērr).*
Date. Fecha *(fétcher).*
Datum. Dato *(dártoh).*
Daughter. Hija *(ihher).*
Dawn. (s.) Alba, madrugada *(úllber, mudroogárder).*
Dawn. (v.) Amanecer, alborear *(úmmer.nethairr, ullborreárr).*

Day. Día *(déar).*
Day before yesterday. Anteayer *(unteh.i.yairr).*
Dazzle. Deslumbrar *(desloombrárr).*
Dead. Muerto *(mwáirrtoh).*
Deaf. Sordo *(sórrdoh).*
Deafness. Sordera *(sorrdáirrer).*
Deal. Traficar *(truffickárr).*
Dealer. Negociante *(neggótheúnteh).*
Dear. Caro *(cároh).*
Death. Muerte, defunción *(mwáirrteh, defoontheón).*
Debt. Deuda *(déh.ooder).*
Debtor. Deudor *(deh.oodórr).*
Decadence. Decadencia *(déckuddénthea).*
Decay. Decaer, menguar *(deckah.airr, mengwárr).*
Deceive. Engañar *(engunnyárr).*
Decence. Decencia *(dethéntheár).*
Decide. Decidir *(dethiddéear).*
Decigramme. Decigramo *(dethiggrummoh).*

Decilitre. Decilitro *(dethilēētroh).*
Decimeter. Decímetro *(dethimmettroh).*
Decision. Decisión *(dethisseón).*
Decisive. Decisivo *(dethissēēvoh).*
Declaration. Declaración *(declurrutheón).*
Declare. Declarar *(decklurrárr).*
Decorate. Decorar *(decorrárr).*
Decorum. Decoro *(deccórroh).*
Decree. (v.) Decretar *(decrettárr).*
Decree. (s.) Decreto, auto *(decréttoh, ówtoh).*
Dedicate. Dedicar *(dedicárr).*
Deduct. Deducir *(deddoothéerr).*
Deduction. Deducción *(deddoootheón).*
Deep. Profundo, hondo *(proffōōndoh, óndoh).*
Deeply. Hondamente *(onderménteh).*
Defalcation. Desfalco *(desfúlcoh).*

Defamation. Difamación (dif-fummútheón).
Defect. Defecto (deféctoh).
Defective. Defectuoso (defféctoo.óssoh).
Defence. Defensa (defénser).
Defend. Defender (deffendáirr).
Defender. Defensor (deffensórr).
Defer. Retrasar (rettrussárr).
Deference. Deferencia (defferénthear).
Deficiency. Deficiencia (déffithyónthear).
Define. Definir (deffinnéërr).
Definitely. Definitivamente (deffinnittéëvarménteh).
Definition. Definición (deffinitheón).
Definitive. Definitivo (deffinnittéëvoh).
Deform. Deformar, afear (deformmárr, uffay.árr).
Deformed. Deforme (defförrmeh).
Deformity. Deformidad (defformidúd).
Defraud. Defraudar (defrowdárr).
Degenerate. Degenerar (dehennerrárr).
Degeneration. Degeneración (dehénnerrútheón).
Degrade. Degradar (degruddárr).
Deign. Dignarse (dignárrseh).
Delay. Tardar (tarrdárr).
Delegate. (v.) Delegar (dellegárr).
Delegate. (s.) Delegado (dellegárdoh).
Deliberately. Deliberadamente (dilliberrárderménteh).
Delicious. Delicioso (dellitheóssoh).
Delight. (v.) Deleitar (delláyittárr).
Delight. (s.) Deleite (delláyitteh).
Delirium. Delirio (dellírreoh).
Deliver. Entregar (entregárr).
Demolish. Derribar, demoler (derribárr, demmolláirr).
Demon. Demonio (demmónneoh).
Demonstrate. Demostrar (demmostrárr).
Demoralize. Desmoralizar (des.moralithárr).
Den. Guarida (gwurrééder).

Denominate. Denominar (dennommínnárr).
Denote. Denotar (dennottárr).
Density. Densidad (densiddúd).
Dentist. Dentista (dentíster).
Denunciation. Denuncia (dennöönthea).
Deny. Negar (neggárr).
Depart. Partir (parrtéërr).
Department. Departamento (depárrterméntoh).
Departure. Partida (parrtééder).
Depend. Depender (deppendáirr).
Dependence. Dependencia (deppendénthear).
Deplorable. Deplorable (déplorrúbbleh).
Deplore. Deplorar (deplorrárr).
Deposit. (v.) Depositar (deppóssitárr).
Deposit. (s.) Depósito (deppóssittoh).
Depth. Profundidad (proffoondiddúd).
Deputation. Diputación (dippootaytheón).
Deputy. Diputado (dippootárdoh).
Derive. Derivar (derrivárr).
Desert. Desierto (dessyáirtoh).
Deserve. Merecer (merretháirr).
Design. Designio (dessigneoh).
Desire. Gana (gúnner).
Desirous. Deseoso (dessay.óssoh).
Desist. Desistir (dessistéërr).
Desolation. Desolación (dés.sollutheón).
Despair. (s.) Desesperación (dessesperrútheón).
Despair. (v.) Desesperar (déssesperrárr).
Despise. Despreciar (despretheárr).
Despoil. Despojar (despoh.hárr).
Dessert. Postre (póstreh).
Destination. Destino (destéënoh).
Destine. Destinar (destinárr).
Destiny. Destino (destéënoh).
Destroy. Destrozar, destruír (destrothárr, destroo.éër).
Destruction. Destrucción (deströöck.theón).
Detail. Detalle, pormenor (detúllyeh, porrmennórr).
Detch. Zanja (thúnher).

Detention. Detención (dettentheón).
Determination. Determinación (dettáirrmiunútheón).
Determine. Determinar (dettáirminnár).
Determined. Determinado (dettáirminnárdoh).
Detestable. Detestable (dettestúbbleh).
Development. Desarrollo (déssurrólyoh).
Deviate. Desviar (desvee.árr).
Deviation. Extravío (extrúvvioh).
Devil. Diablo (dyúbloh).
Devolution. Devolución (dévvollootheón).
Devour. Devorar (dévvorrárr).
Dew. Rocío (rothéoh).
Diagram. Diagrama (deargrümmer).
Dial. Cuadrante (kwudrúnteh).
Dialect. Dialecto (dearléctoh).
Dialogue. Diálogo (de.úllagoh).
Diameter. Diámetro (de.úmmetroh).
Dictate. Dictar (dictárr).
Dictionary. Diccionario (dictheonnárreoh).
Die. (s.) Cuño (cöönyoh).
Die. (v.) Fallecer, morir (fullyetháirr, morréërr).
Difference. Diferencia (differénthear).
Difficult. Difícil (difféëthill).
Difficulty. Dificultad (difficooltúd).
Diffuse. Difundir (diffoondéër).
Diffusion. Difusión (diffoosseón).
Dig. Cavar (cuvvárr).
Digest. Digerir (dihherréër).
Dignity. Dignidad (dignidúd).
Dilatation. Dilatación (dillutútheón).
Dilate. Dilatar (dilluttárr).
Dilation. Dilación (dillutheón).
Diligence. Diligencia (dillihhénthea).
Diligent. Diligente (dillihhénteh).
Dimention. Dimensión (dimménseón).
Diminish. Disminuir (disminnoo.éër).
Dine. Comer (commáirr).

Diplomacy. Diplomacia *(diplommúthea)*.

Diptych. Díptico *(diptickoh)*.

Direct. (adj.) Directo *(dirréctoh)*.

Direct. (v.) Dirigir *(dirrehhéer)*.

Direction. Dirección *(directheón)*.

Director. Director *(directórr)*.

Directress. Directriz *(directréeth)*.

Dirty. (adj.) Sucio *(sóotheoh)*.

Dirty. (v.) Ensuciar *(ensootehárr)*.

Disadvantage. Desventaja *(desventúh.her)*.

Disagreable. Desagradable *(dessuggrudúbbleh)*.

Disagreement. Desacuerdo *(désser.quáredoh)*.

Disappear. Desaparecer *(déssuppúrretháirr)*.

Disarrange. Desarreglar *(déssurreglárr)*.

Disaster. Desastre *(dessústreh)*.

Disastrous. Desastroso *(dissustróssoh)*.

Discharge. Despedir *(despeddéerr)*.

Disciple. Discípulo *(disthippoolóh)*.

Discipline. Disciplina *(disthipplééner)*.

Discourage. Desanimar *(dessunnimárr)*.

Discouragement. Desaliento *(déssullyéntoh)*.

Discourse. Discurso *(discóorrsoh)*.

Discreet. Discreto *(discréttoh)*.

Discretion. Discreción *(discrethcón)*.

Discuss. Discutir *(discootéer)*.

Disease. Dolencia *(dollénthea)*.

Disentangle. Desenredar *(déssenreddárr)*.

Disfigure. Desfigurar *(desfiggoorárr)*.

Disguise. Disfraz *(disfrúth)*.

Disgust. (v.) Disgustar, dar asco *(disgoostárr, darr úskoh)*.

Disgust. (s.) Disgusto, asco, *(disgóostoh, úscoh)*.

Disgusting. Asqueroso *(uskerróssoh)*.

Dish clout. Estropajo *(estroppúhhoh)*.

Dishearten. Desanimar *(déssunnimárr)*.

Dishonour. (v.) Deshonrar *(dessonrárr)*.

Dishonour. (s.) Deshonra *(déssónrah)*.

Disimulate. Disimular *(dissimmoolárr)*.

Disimulation. Disimulación *(dissimmoolutheón)*.

Disinter. Desenterrar *(dessenterrárr)*.

Disinterestedness. Desinterés *(dessinterréss)*.

Disk. Disco *(diskoh)*.

Disloyal. Desleal *(deslay.úll)*.

Dismal. Funesto *(foonéstoh)*.

Dismantle. Arrasar *(urrussárr)*.

Dismount. Apear *(úppeh.árr)*.

Disobey. Desobedecer *(désobbéddethárr)*.

Disolved. Disuelto *(diswéltoh)*.

Disorder. (v.) Desordenar *(dessorrdenárr)*.

Disorder. (s.) Desorden *(dessorrden)*.

Disorient. Desorientar *(dessórientárr)*.

Dispatch. Despachar, expedir *(desputchárr, eckspeddéerr)*.

Displease. Desagradar *(déssugruddárr)*.

Dispose. Disponer *(dísponáir)*.

Disposition. Disposición *(dispossitheón)*.

Disregard. Desairar *(déssah.irrárr)*.

Disrespect. Desaire *(dessáh.eereh)*.

Dissipate. Disipar *(dissippárr)*.

Distance. Distancia *(distúnthea)*.

Distant. Lejano *(lehhúnnoh)*.

Distinct. Distinto *(distíntoh)*.

Distinction. Distinción *(distinthcón)*.

Distinctive. Distintivo *(distintéévoh)*.

Distinguish. Distinguir *(distinghéer)*.

Distract. Distraer *(distrah.dírr)*.

Distraction. Distracción *(distrúctheón)*.

Distribute. Distribuir, repartir *(distriboo.éérr, repparrtéér)*.

Distribution. Distribución *(distribboothcón)*.

Disturb. Estorbar, molestar, incomodar, perturbar, turbar *(esstorrbárr, mollestárr, incommoddárr, pairrtoorbárr, toorrbárr)*.

Diver. Buzo *(bóothoh)*.

Diversion. Diversión *(divváirrsee.ón)*.

Diversity. Diversidad *(divváirrsiddúd)*.

Divide. Dividir *(divvidéerr)*.

Divinity. Divinidad *(divvinnidúd)*.

Division. División *(divvisseón)*.

Do. Hacer *(utháirr)*.

Doctor. Doctor *(doctórr)*.

Doctrine. Doctrina *(doctrééner)*.

Document. Documento *(dockoomóntoh)*.

Dog. Perro *(pérroh)*.

Domestic. Doméstico *(dommésticoh)*.

Domicile. Domicilio *(dommithillioh)*.

Dominical. Dominical *(domminnicúll)*.

Dominion. Dominio *(domminnioh)*.

Done. Hecho *(étchoh)*.

Donkey. Borrico *(borréékoh)*.

Door. Puerta *(pwáirrter)*.

Dose. Dosis *(dóssiss)*.

Double. Doblar, redoblar *(dobblárr, reddoblárr)*.

Doubt. (s.) Duda *(dóoder)*.

Doubt. (v.) Dudar *(doodárr)*.

Douche. Ducha *(dóötcher)*.

Dove. Paloma, tórtola *(pullómmer, tórrtoller)*.

Downfall. Hundimiento *(oondimyéntoh)*.

Dozen. Docena *(dothénner)*.

Draft, rough copy. Borrador *(borrerdórr)*.

Drag. Arrastrar *(urrustrárr)*.

Drama. Drama *(drármer)*.

Draw. (s.) Cajón *(cuh.hón)*.

Draw. (v.) Dibujar *(dibbóöhhárr)*.

Drawing. Dibujo *(dibbóöhhoh)*.

Draw lots. Sortear *(sorrteh.árr)*.

Dream. Soñar *(sonyárr)*.

Drench. Empapar *(empuppárr)*.

Dress. (s.) Vestido *(vestéédoh)*.

Dress. (v.) Enderezar *(endérritthárr)*.

Drinkable. Potable *(pottúb-bleh).*
Drive. Conducir *(condoo-théar).*
Drivel. (s.) Baba *(báber).*
Drivel. Babear *(bubbeárr).*
Driver (tram). Maquinista *(muckinnister).*
Drop. Gota *(gótter).*
Dross. Escoria *(escórrear).*
Drown. Ahogar *(uh.ogár).*
Drug. Droga *(dráwger).*
Drum. Tambor *(tumbórr).*

Drunk. Borracho *(borrút-choh).*
Drunkenness. Borrachera *(bo-rrútcháirrer).*
Dry. (adj.) Seco *(séckoh).*
Dry. (v.) Secar *(seckárr).*
Duel. Duelo *(doo.élloh).*
Dull. Sombrío *(sombréoh).*
Dullness. Torpeza *(torrpé-ther).*
Dumb. Mudo *(móodoh).*
Durable. Duradero *(dóorer-dáirroh).*

Duration. Duración *(doo-ruthcón).*
Dust. Polvo *(pólvoh).*
Dust cloud. Polvareda *(polvu-rrédder).*
Duty. Deber *(debbáirr).*
Dwelling. Vivienda *(vivyén-der).*
Dye. Teñir *(tenyéarr).*
Dyer. Tintorero *(tintorrái-rroh).*
Dyer's. Tintorería *(tintorre-rréēr).*

E

Eagerness. Afán *(uffún).*
Ear. Oreja *(orréhher).*
Ear (corn). Espiga *(espēē-gher).*
Early. Temprano *(temprún-noh).*
Earth. Tierra *(tyáirrer).*
Earthenware. Loza *(lóther).*
Earthly. Terreno *(terrénnoh).*
Earthquake. Terremoto *(te-rrehmóttoh).*
Easily. Fácilmente *(fáthil-ménteh).*
East. Este *(ésteh).*
Easter. Pascua *(púskwer).*
Easy. Fácil *(fútheel).*
Eat. Comer *(commáirr).*
Ebony. Ébano *(ébunnoh).*
Ebullition. Ebullición *(ebboo-litheón).*
Eclipse. Eclipsar *(ecklipsárr).*
Economical. Económico *(ec-konnómmicoh).*
Economy. Economía *(eckon-nomméa).*
Ecstasy. Éxtasis *(éckstussis).*
Edge. Filo, borde *(fēēloh, hórrdeh).*
Editing office. Redacción *(red-dutheón).*
Edition. Edición *(edditheón).*
Education. Educación *(eddoo-cutheón).*
Efficacy. Eficacia *(efficúthea).*
Efficacious. Eficaz *(efficúth).*
Effort. Esfuerzo *(esfwáirr-thoh).*
Egg. Huevo *(wévvoh).*
Eight. Ocho *(ótchoh).*
Eighth. Octavo *(octávvoh).*
Eighty. Ochenta *(otchénter).*
Elect. Elegir *(ellihhéērr).*
Electricity. Electricidad *(elec-trithidúd).*

Electromotor. Electromotor *(ellectrommotórr).*
Elegance. Elegancia *(ellegún-thea).*
Elephant. Elefante *(ellef-fúnteh).*
Elevate. Elevar *(ellevárr).*
Elevation. Elevación *(ellevu-theón).*
Eleven. Once *(óntheh).*
Eleventh. Undécimo *(oondé-thimmoh).*
Eliminate. Eliminar *(ellim-minnárr).*
Emancipate. Emancipar *(em-munthippárr).*
Embalm. Embalsamar *(embúl-summárr).*
Embark. Embarcar *(embarr-cárr).*
Embarrass. Embarazar *(em-búrrerthárr).*
Embellish. Embellecer *(embé-llethárr).*
Embrace. (v.) Abrazar *(úb-bruthárr).*
Embrace. (s.) Abrazo *(ub-brúthoh).*
Embryo. Embrión *(ombreón).*
Emerald. Esmeralda *(esme-rrúlder).*
Emetic. Vomitivo *(vommit-tēēvoh).*
Emigrant. Emigrante *(emmi-grúnteh).*
Emigrate. Emigrar *(emmi-grárr).*
Eminence. Eminencia *(em-minnénthea).*
Eminent. Eminente *(emmin-nénteh).*
Emissary. Emisario *(emmis-sárreoh).*

Employ. Emplear *(empla-yárr).*
Employment. Empleo *(emplá-yoh).*
Empty. (adj.) Vacío *(vuthéoh).*
Empty. (v.) Vaciar *(vu-thiárr).*
Enable. Habilitar *(ubbillitárr).*
Enamel. Esmalte *(esmúlteh).*
Enchant. Encantar *(encun-tárr).*
Enciclopaedia. Enciclopedia *(entheecloppéddea).*
Encourage. Alentar *(ullen-tárr).*
End. Fin *(fin).*
Endorse. Endosar *(endossárr).*
Endorsement. Endoso *(endós-soh).*
Enemy. Enemigo *(ennimēē-goh).*
Energy. Energía *(ennerrhéar).*
Engage. Comprometer *(cóm-prommettáirr).*
Engagement. Compromiso *(comprommissoh).*
English. Inglés *(ingléss).*
Engrave. Grabar *(grubbárr).*
Engraver. Grabador *(grúbber-dórr).*
Engraving. Grabado *(grubbár-doh).*
Enigma. Enigma *(enigma).*
Enigmatic. Enigmático *(enig-mútticoh).*
Enjoy. Disfrutar, gozar *(dis-frootárr, gothárr).*
Enjoyment. Gozo, goce *(góth-hoh, gótheh).*
Enlarge. Agrandar *(uggrun-dárr).*
Enlist. Alistar *(ullistárr).*
Enmity. Enemistad *(ennemis-túd).*

Ennunciate. Enunciar *(ennooutheárr)*.

Enormity. Enormidad *(ennórr-midúd)*.

Enormous. Enorme *(ennórr-meh)*.

Enrich. Enriquecer *(enricke-tháirr)*.

Enslave. Esclavizar *(esluvvi-thárr)*.

Entangle. Embrollar, enredar *(embrolyárr, enreddárr)*.

Entanglement. Enredo *(enréd-doh)*.

Enter. Entrar *(entrárr)*.

Entertain. Entretener *(éntretennáirr)*.

Enthusiasm. Entusiasmo *(entoosiúsmoh)*.

Entire. Íntegro *(integgroh)*.

Entrance. Entrada *(entrár-der)*.

Entrench. Atrincherar *(uttrincherárr)*.

Enumeration. Enumeración *(ennoomerrutheón)*.

Envelope. Sobre *(sóbbreh)*.

Epidemic. Epidemia *(éppid-démmea)*.

Epigram. Epigrama *(eppi-grummer)*.

Epigraph. Epígrafe *(eppigruf-feh)*.

Epilogue. Epílogo *(eppillog-goh)*.

Episode. Episodio *(eppissód-dio)*.

Epistle. Epístola *(eppistoller)*.

Epoch. Época *(éppocker)*.

Equal. Igual *(iggwúll)*.

Equality. Igualdad *(igwull-dúd)*.

Equation. Ecuación *(eckwu-theón)* .

Equator. Ecuador *(eckwud-dórr)*.

Equatorial. Ecuatorial *(ec-kwuttoriúll)*.

Equilibrium. Equilibrio *(ekki-llibreoh)*.

Equitable. Equitativo *(ékkit-tuteëëvoh)*.

Equivalent. Equivalente *(ek-kivvullénteh)*.

Era. Era *(áirer)*.

Err. Errar *(errárr)*.

Escape. (v.) Escapar *(escup-párr)*.

Escape. (s.) Escape *(escúp-peh)*.

Essence. Esencia *(essénthear)*.

Establishment. Establecimiento *(estúblethimyéntoh)*.

Estale. Hacienda, finca *(uthyénder, finker)*.

Esteem. Estimar *(estimmárr)*.

Estimable. Estimable *(estim-múbbleh)*.

Estimate. Presupuesto *(pres-soopwéstoh)*.

Eternal. Eterno *(ettáirrnoh)*.

Eternity. Eternidad *(ettáirr-niddúd)*.

Ether. Éter *(éttairr)*.

Etiquette. Etiqueta *(ettikét-ter)*.

Evaporation. Evaporación *(evvipporrutheón)*.

Eve. Víspera *(vissperrer)*.

Evening's entertainment. Velada *(vellúdder)*.

Evenness. Llaneza *(lyunné-ther)*.

Event. Acontecimiento, suceso *(uckontéthemyéntoh, soot-héssoh)*.

Eventual. Eventual *(evvén-tooúll)*.

Eventuality. Eventualidad *(ev-véntoo.ullidúd)*.

Everything. Todo *(tóddoh)*.

Evidence. Evidencia *(evvid-dénthea)*.

Evident. Evidente *(evviddén-teh)*.

Evil. Mal *(mull)*.

Exact. (v.) Exhibir *(exihbéër)*.

Exact. (adj.) Exacto, cabal *(exúctoh, cubbúll)*.

Exactitude. Exactitud *(eck-zúcktitóöd)*.

Exagerate. Exagerar *(exúh-hairrárr)*.

Exageration. Exageración *(exúhhairrútheón)*.

Examination. Examen *(exum-men)*.

Examine. Examinar *(exum-mennárr)*.

Example. Ejemplo *(ehhém-ploh)*.

Exceed. Sobrar *(sobbrárr)*.

Excellent. Excelente, sobresaliente *(exthellénteh, sob-brehsullyénteh)*.

Except. (v.) Exceptuar *(ex-théptoo.árr)*.

Except. (prep.) Excepto *(ex-théptoh)*.

Exception. Excepción *(exthép-theón)*.

Excess. Exceso *(exthéssoh)*.

Excessive. Excesivo *(exthesëë-voh)*.

Excite. Excitar *(exthettárr)*.

Exclaim. Exclamar *(exclum-márr)*.

Exclusive. Exclusivo *(excloo-sëëvoh)*.

Exclusively. Exclusivamente *(excloosëëvérménteh)*.

Excursion. Excursión *(excoorr-seón)*.

Excuse. (v.) Disculpar, dispensar *(discoolpárr, dispen-sárr)*.

Excuse. (s.) Disculpa *(dis-cöölper)*.

Execute. Ajusticiar, ejecutar *(uh.hoostitheárr, éh.heckoo-tárr)*.

Execution. Ejecución *(ehheh-cootheón)*.

Executioner. Verdugo *(vairr-döögoh)*.

Exercise. Ejercicio *(ehherthëë-theoh)*.

Exhalation. Exhalación *(exu-llutheón)*.

Exhale. Exhalar *(exullárr)*.

Exhaust. Agotar *(uggottarr)*.

Exhibit. Exponer, exhibir *(ex-ponnáirr, exibbéër)*.

Exhibition. Exposición *(exs-possitheón)*.

Exigence. Exigencia *(exihhén-thea)*.

Exile. Desterrar *(desterrárr)*.

Exorbitant. Exorbitante *(exorrbittúnteh)*.

Exotic. Exótico *(exótticoh)*.

Expansion. Expansión *(ecks-punseón)*.

Expedition. Expedición *(ecks-peddítheón)*.

Expel. Expulsar *(expoolsárr)*.

Expense. Gasto *(gústoh)*.

Experience. Experiencia *(ecks-perriénthea)*.

Experiment. (v.) Experimentar *(eckspérrimentárr)*.

Experiment. (s.) Experimento *(ecksperriméntoh)*.

Expert. Experto, perito *(ex-páirrtoh, perríttoh)*.

Explation. Expiación *(eckspiú-theón)*.

Expire. Expiar *(expeárr)*.

Explain. Explicar *(explicárr)*.

Explanation. Explicación, aclaración *(explicútheón, ácklurrutheón)*.

Exploit. Hazaña *(uthúnnyer)*.

Exploitation. Explotación *(explottutheón)*.

Explosion. Explosión *(explosseón)*.

Explosive. Explosivo *(explosséevoh)*.

Export. Exportar *(exporrtárr)*.

Exportation. Exportación *(exporrtutheón)*.

Expose. Exponer *(exponnáirr)*.

Express. Expresar, exprimir *(expressarr, exprimméërr)*.

Expression. Expresión *(expresseón)*.

Expropriate. Expropiar *(exproppeárr)*.

Exquisite. Exquisito *(exkisséëtoh)*.

Extend. Extender *(extendáirr)*.

Extension. Extensión *(extenseón)*.

Exterior. Exterior *(exterreórr)*.

Exterminate. Exterminar *(ekstairrminnárr)*.

Extermination. Exterminio *(eckstairrminneo)*.

External. Externo *(eckstáirrnoh)*.

Extirpate. Extirpar *(exteerpárr)*.

Extract. (v.) Extractar, extraer *(extructárr, extruhyáirr)*.

Extract. (s.) Extracto *(extrúctoh)*.

Extraction. Extracción *(extructheón)*.

Extraordinary. Extraordinario *(éxtra.orrdinnárreoh)*.

Extreme. Extremo *(extrémmoh)*.

Eye. Ojo *(óhhoh)*.

Eyeball. Pupila *(poopiller)*.

Eyelash. Pestaña *(pestúnnyer)*.

Eyelid. Párpado *(párrpuddoh)*.

F

Fable. Fábula *(fúbbooler)*.

Fabrication. Fabricación *(fubbricutheón)*.

Face. Cara, rostro, semblante *(cúrrer, róstroh, semblúnteh)*.

Facet. Faceta *(fussétter)*.

Facilitate. Facilitar *(futhillitárr)*.

Facility. Facilidad *(futhillidúd)*.

Factor. Factor *(fuctórr)*.

Factory. (s.) Fábrica *(fúbbricker)*.

Factory. (adj.) Fabril *(fubbréël)*.

Faculty. Facultad *(fuckooltúd)*.

Fad. Capricho *(cupprēëtohoh)*.

Fade. Ajar *(uh.hárr)*.

Fagot. Haz *(uth)*.

Fail. Fracasar *(fruckussárr)*.

Failure. Fracaso *(fruckússoh)*.

Faint. (v.) Desmayarse *(desmah.yárseh)*.

Faint, fainting. Desfallecimiento *(dessfúllyethimyéntoh)*.

Fair. (s.) Feria *(férrear)*.

Fair. (adj.) Rubio *(rōōbeoh)*.

Faith. Fe *(feh)*.

Faithful. Fiel *(jyéll)*.

Faithfulness. Fidelidad *(fiddéllidúd)*.

Fall. (v.) Caer *(kah.áirr)*.

Fall. (s.) Caída *(kah.ëëder)*.

False. Falso *(fúllsoh)*.

Falsehood. Mentira *(mentēërrer)*.

Falseness. Falsedad *(fullseddúd)*.

Falsification. Falsificación *(fullsifficutheón)*.

Falsify. Falsificar *(fullsifficárr)*.

Fame. Fama *(fúmmer)*.

Familiarity. Roce *(rótheh)*.

Family. Familia *(fummillyer)*.

Famous. Famoso *(fummóssoh)*.

Fan. Abanico *(ubbunnēëkoh)*.

Fanciful. Caprichoso *(cappritchóssoh)*.

Fancy. Capricho *(cuprēët-choh)*.

Fantastic. Fantástico *(funtústickoh)*.

Far. Lejos *(léhhoss)*.

Farce. Sainete *(sah.innétteh)*.

Farinacious. Harinoso *(urrinnóssoh)*.

Farm. Granja *(grúnher)*.

Farse. Farsa *(fárrser)*.

Fashion. (v.) Amoldar *(úmmolldárr)*.

Fashion. (s.) Moda, hechura *(mawder, etchōörer)*.

Fat. (adj.) Gordo *(górrdoh)*.

Fat. (s.) Grasa *(grásser)*.

Fatten. Engordar *(engorrdárr)*.

Fatal. Fatal *(futtúll)*.

Fatality. Fatalidad *(futtúllidúd)*.

Father. Padre *(púddreh)*.

Father-en-law. Suegro *(swégroh)*.

Fatherland. Patria *(púttrear)*.

Fatigue. Fatiga *(futtēëgger)*.

Fault. Tacha *(tútcher)*.

Favour. (v.) Agraciar *(uggrútheárr)*.

Favour. (s.) Favor *(fuvvór)*.

Favourable. Favorable *(fuvvorrúbbleh)*.

Fear. (s.) Miedo *(myéddoh)*.

Fear. (v.) Temer *(temmáirr)*.

Fearful. Temible *(temmēëbleh)*.

Feast. (s.) Festejo *(festéhhoh)*.

Feast. (v.) Festejar *(festehhárr)*.

February. Febrero *(febbráirroh)*.

Fee. Honorario *(onnorrúrreo)*.

Feeble. Débil *(débbil)*.

Feed. Alimentar *(úllimentárr)*.

Feeding. Alimenticio *(úllimentítheo)*.

Feel. Sentir *(sentēërr)*.

Feign. Fingir *(finhēërr)*.

Fell (tress). Talar *(tullárr)*.

Female. Hembra *(émbrer)*.

Feminine. Femenino *(femmennēënoh)*.

Fence. Seto, vallado *(séttoh, vullyúddoh)*.

Ferocity. Ferocidad *(ferróthidúd)*.

Fertile. Fértil *(fáirrtill)*.

Festival. Festival *(festivvúl)*.

Festivity. Festividad *(festivvidúd)*.

Fever. Fiebre, calentura *(fyébbreh, cullentōörrer)*.

Fibre. Fibra, hebra (*fēēbrer, ébbrer*).

Fiction. Ficción (*ficktheón*).

Fictitious. Ficticio (*ficktēētheo*).

Fidelity. Fidelidad (*fiddellidúd*).

Figure. (s.) Figura (*figōōrer*).

Figure. (v.) Figurar (*figgoorárr*).

Field. Campo (*cúmpoh*).

Fiery. Fogoso (*foggóssoh*).

Fifteen. Quince (*kintheh*).

Fifth. Quinto (*kintoh*).

Fifty. Cincuenta (*thinkwénter*).

Fight. Combatir, pelear (*combutteer, pelleárr*).

File. (s.) Lima (*lēēmer*).

File. (v.) Limar (*leemárr*).

Filiation. Filiación (*filliutheón*).

Filigre. Filigrana (*filligrúnner*).

Fill. Llenar (*lyennárr*).

Fill up. Colmar, rellenar (*colmárr, relynnárr*).

Filter. (v.) Colar (*collár*).

Filter. (s.) Filtro (*filltroh*).

Filth. Porquería, suciedad (*porrkerréar, sōōtheerdúd*).

Final. Final (*finnúll*).

Finally. Finalmente (*finnulménteh*).

Find. Encontrar, hallar (*encontrárr, ullyárr*).

Finding. Hallazgo (*ullyúthgoh*).

Fine. (adj.) Fino (*fēēnoh*).

Fine. (s.) Multa (*mōōlter*).

Finger. Dedo (*déddoh*).

Finish. Acabar, finalizar, rematar, terminar (*uckerbárr, finnullithárr, remmuttárr, tairminnárr*).

Fir. Abeto (*ubbéttoh*).

Fire. Incendio, fuego (*inthéndeoh, fwéggoh*).

Fireman. Bombero, fogonero (*bombáirroh, faggonnáiroh*).

Firewood. Leña (*lényer*).

Firm. (s.) Firma (*fēērrmer*).

Firm. (adj.) Firme (*fēērrmeh*).

Firmament. Firmamento (*fēērrmumméntoh*).

First. Primero (*primmáirroh*).

Firstborn. Primogénito (*primmohhénittoh*).

First performance. Estreno (*estrénnoh*).

First performance (to give). Estrenar (*estrennárr*).

Fish. (s.) Pescado, pez (*pescúddoh, peth*).

Fish. (v.) Pescar (*pescárr*).

Fishing-line. Sedal (*seddúll*).

Fist. Puño (*pōōnyoh*).

Fitting. Idóneo (*iddónneoh*).

Five. Cinco (*thínkoh*).

Fivehundred. Quinientos (*kinyéntoss*).

Fix. Fijar (*fihhárr*).

Fixed. Fijo (*fēēhoh*).

Flag. Bandera (*bundáirer*).

Flagrant. Flagrante (*fluggrúnteh*).

Flame. Llama (*lyúmmer*).

Flank. Flanco (*flúnkoh*).

Flat. Llano (*lyúnnoh*).

Flat. Piso (*pēēssoh*).

Flatter. Adular, halagar (*uddoolárr, ullergárr*).

Flattery. Lisonja, zalamería (*lissónher, thullermerréar*).

Flee. Huir (*oo.éarr*).

Fleet. Flota (*flótter*).

Flexibility. Flexibilidad (*flexibillidúd*).

Flight. Vuelo (*vwélloh*).

Float. Flotar (*flottárr*).

Floating. Flotante (*flottúnteh*).

Flog. Azotar (*áthottárr*).

Floor. Suelo (*swélloh*).

Floriculture. Floricultura (*flórricooltōōrrer*).

Florist. Florista (*florríster*).

Flour. Harina (*urrēēner*).

Flourishing. Floreciente (*florrithyénteh*).

Flow. Afluir (*uffloo.ēērr*).

Flower. Flor (*florr*).

Flowerpot. Maceta (*muthéter*).

Fluctuate. Fluctuar (*floocktoo.árr*).

Fluctuation. Vaivén (*vy.ivén*).

Fluid. Fluido (*flōōiddoh*).

Flute. Flauta (*flōwter*).

Fly. (s.) Mosca (*mósker*).

Fly. (v.) Volar (*vollárr*).

Fly wheel. Volante (*vollúnteh*).

Foam. Espuma (*espōōmer*).

Focus. Foco (*fáwcoh*).

Fœtus. Feto (*féttoh*).

Fog. Niebla (*nyébbler*).

Fold. Plegar (*pleggárr*).

Folder. Plegadura (*plégger.-dōōrer*).

Folio. Folio (*fóllioh*).

Follow. Seguir (*seggēērr*).

Following. Siguiente (*sigwénteh*).

Food. Alimento (*úllimēntoh*).

Fool. Necio (*nétheoh*).

Foot. Pie (*pyéh*).

Footstep. Pisada (*pissárder*).

For. Para, por (*púrrer, porr*).

Forbid. Prohibir, vedar (*prohhibbēērr, veddárr*).

Forced. Forzado (*forrthárdoh*).

Forcibly. Forzosamente (*forrthósserménteh*).

Ford. Vado (*vúddoh*).

Forefather. Antecesor (*únteh.théssorr*).

Forehead. Frente (*frénteh*).

Foreigner. Extranjero (*extrunháirroh*).

Forest. Bosque, floresta, selva (*bóskeh, forréster, sélver*).

Forestbred. Selvático (*selvútticoh*).

Foretell. Adivinar (*uddivvinárr*).

Forge. (v.) Forjar (*forrhárr*).

Forge. (s.) Fragua (*frúgwer*).

Forget. Olvidar (*olvíddarr*).

Forgetfulness. Olvido (*olvēēdoh*).

Fork. Tenedor, horquilla (*tennedórr, orkíllyer*).

Form. (s.) Forma (*fórrmer*).

Form. (v.) Formar (*forrmárr*).

Formal. Formal (*forrmúll*).

Formality. Formalidad (*forrmúllidúd*).

Formalize. Formalizar (*forrmúllithárr*).

Forman. Capataz (*cuppertúth*).

Formula. Fórmula (*fórrmooler*).

Formulate. Formular (*forrmoolárr*).

Forseer. Previsor (*previssórr*).

Fort. Fuerte (*fwáirrteh*).

Fortnight. Quincena (*kinthénner*).

Fortune. Fortuna (*forrtōōner*).

Found. Fundar (*foondárr*).

Foundation. Fundamento (*fōōnderméntoh*).

Foundry. Fundición (*foonditheón*).

Fountain. Fuente, surtidor (*fwénteh, soorrtidórr*).

Four. Cuatro (*kwúttroh*).

Fourteen. Catorce (*cuttórrtheh*).

Fowling piece. Escopeta (*escoppétter*).

Fox. Zorro (*thórroh*).

DO YOU WANT TO SPEAK SPANISH?

Fraction. Fracción (*fructheón*).

Fragile. Frágil (*frághill*).

Fragment. Fragmento (*frugméntoh*).

Frank. (v.) **Franquear** (*frunkay.árr*).

Frank. (adj.) **Franco** (*fráncoh*).

Frankly. Francamente (*fránkerménteh*).

Frankness. Franqueza (*frunkéther*).

Fraternise. Fraternizar (*frutláirnithárr*).

Fraternity. Fraternidad (*fruttáirnidúd*).

Fraud. Fraude, timo (*fróödeh, täämoh*).

Freely. Libremente (*lübbrerménteh*).

Freeze. Helar (*ellárr*).

Freight. Flete (*flétteh*).

French. Francés (*frunthéss*).

Frenzy. Frenesí (*frennusséé*).

Frequency. Frecuencia (*freckwénthea*).

Frequently. Frecuentemente (*freckwéntemménteh*).

Fresh. Fresco (*fréscoh*).

Freshness. Frescura (*frescóörer*).

Friction. Rozadura (*rotherdóörer*).

Friday. Viernes (*vyáirrness*).

Friend. Amigo (*umméégoh*).

Friendship. Amistad (*ummistúd*).

Fright. Susto (*sóöstoh*).

Frighten. Asustar, amedrentar (*ussoostárr, umméndrentárr*).

Fright. Susto (*sóöstoh*).

Frightened. Asustado (*assoostárdoh*).

Frightful. Espantoso (*espuntóssoh*).

Fringe. Fleco (*fléckoh*).

Frisk. Retozar (*rettothárr*).

Frivolity. Frivolidad (*frivvólidúd*).

Frog. Rana (*rünner*).

Front. Delante, fachada, frente (*delünteh, futchárder, frénteh*).

Frontier. Frontera (*frontáirrer*).

Fructify. Fructificar (*frooktifficárr*).

Fructuous. Fructuoso (*frooktoo.óssoh*).

Fruit. Fruto, fruta (*fróötoh, fróöter*).

Fruit (preserved). Almíbar (*üllmibárr*).

Fruitful. Fecundo, fructífero (*feckóöndoh, frooktífferroh*).

Frustrate. Frustrar (*froostrárr*).

Fry. Freír (*frayéérr*).

Frying pan. Sartén (*sarrtén*).

Fulfill. Cumplir (*coompléérr*).

Fun. Alegría, broma (*ullegréér, brawmer*).

Function. Función (*foontheón*).

Furious. Furioso (*foorrióssoh*).

Furnish. Amueblar, proporcionar (*úmmerblárr, propporrtheonnárr*).

Furnish. Proporcionar (*propporrtheonnárr*).

Furnish. Suministrar (*soominnistrarr*).

Furniture. Muebles, mobiliario (*myébbless, mobbillidreoh*).

Furrow. (v.) **Surcar** (*soorrcárr*).

Furrow. (s). **Surco** (*sóörrkoh*).

Fury. Furia (*fóörrea*).

Fusion. Fusión (*foosseón*).

Future. Porvenir, futuro (*porrvennéér, footóöroh*).

G

Gag. Mordaza (*morrdúther*).

Gain. (s.) **Ganancia** (*gunnúnthea*).

Gain. (v.) **Ganar** (*gunnárr*).

Gallant. Galante (*gullúnthe*).

Gallery. Galería (*gullerréar*).

Gallicism. Galicismo (*gullithísmoh*).

Gallon. Galón (*gullón*).

Gallop. (v.) **Galopar** (*gulloppár*).

Gallop. (s.) **Galope** (*gullóppeh*).

Gallows. Horca (*órrker*).

Game. Juego, partido (*hwéggoh, parrtéédoh*).

Garden. Jardín (*harrdéén*).

Gardener. Jardinero (*hardinnáirroh*).

Garnish. Guarnecer (*gwarrnetháirr*).

Garret. Buhardilla (*boo.ardílyer*).

Gas. Gas (*guss*).

Gaseous. Gaseoso (*gussióssoh*).

Gasometer. Gasómetro (*gussómmettroh*).

Gate. Reja (*réh.her*).

Gather. Recoger (*recoh.háirr*).

Gaul. Galo (*gúlloh*).

Gazzette. Gaceta (*guthétter*).

Geb. Conseguir, llegar (*conseggéér, lyeggárr*).

Gender. Género (*hénneroh*).

General. General (*hennerrúll*).

Generalize. Generalizar (*hennerrallithárr*).

Generally. Generalmente (*hennerrulménteh*).

Generation. Generación (*hennerutheón*).

Generosity. Generosidad (*hennerrossidúd*).

Generous. Generoso (*hennerróssoh*).

Generously. Generosamente (*hennerrósserménteh*).

Genial. Genial (*henniúl*).

Genteel. Gentil (*henteel*).

Gentle. Dócil (*dóthill*).

Gentleman. Caballero (*cúbbullydirroh*).

Geography. Geografía (*háyografféar*).

Geometry. Geometría (*háyommetréar*).

Germ. Germen (*háirrmen*).

Gestation. Gestación (*hestutheón*).

Gesture. Ademán, gesto (*úddemún, héstoh*).

Get. Conseguir (*conseggéérr*).

Giant. Gigante (*higgúnteh*).

Giddiness. Aturdimiento, vértigo (*uttóörrdimmyéntoh, váirrtiggoh*).

Gift. Don, regalo (*don, reggúlloh*).

Gigantic. Gigantesco *(higguntéscoh)*.
Gild. Dorar *(dorrár)*.
Girdle. (v.) Ceñir *(thenyéarr)*.
Girdle. (s.) Cincha, cinturón *(thintcher, thintoorón)*.
Girl. Niña, muchacha *(nēēnyer, mootchútcher)*.
Give. Dar *(darr)*.
Give up. Abandonar *(ubbúndonhárr)*.
Give way. Ceder *(theddáirr)*.
Giver. Dador *(dárdorr)*.
Glacial. Glacial *(glusseúll)*.
Glance. Ojeada *(ohheh.idler)*.
Glass. Vaso *(vássoh)*.
Gleam. Lucir *(loothēēr)*.
Globe. Globo *(glóbboh)*.
Glorious. Glorioso *(glorriósosoh)*.
Glory. Gloria *(glórrea)*.
Glos. Lustre *(lōōstreh)*.
Glove. Guante *(gwúntek)*.
Glover's. Guantería *(gwunterrréar)*.
Glutton. Glotón *(glottón)*.
Gnaw. Roer *(raw.áirr)*.
Go. Andar, ir *(undárr, eer)*.
Go down. Bajar *(buh.hárr)*.
Go out. Salir *(sullēērr)*.
Go up. Subir *(soobēēr)*.
Goat. Cabra *(cúbbrer)*.
God. Dios *(dēē.oss)*.
Goddess. Diosa *(dee.ósser)*.
Godfather. Padrino *(pudddrēēnoh)*.
God-nother. Madrina *(mudddrēēner)*.
Going. Ida *(ēēder)*.
Gold. Oro *(áwroh)*.
Good. Bueno *(bwénnoh)*.
Boodness. Bondad *(bondúd)*.
Geods. Mercancía *(maircunthēēr)*.
Gospel. Evangelio *(evvunhélleoh)*.

Govern. Gobernar *(gobbairnárr)*.
Government. Gobierno *(gobyérrnoh)*.
Governor. Gobernador *(gobbairrnuddór)*.
Gracious. Gracioso *(gruthióssoh)*.
Grade. Grado *(grárdoh)*.
Graduate. Graduar *(gruddoo.árr)*.
Grammar. Gramática *(grummútticah)*.
Grammatical. Gramatical *(grummutticúll)*.
Gramme. Gramu *(grúmmoh)*.
Grand. Grandioso *(grundióssoh)*.
Grandfather. Abuelo *(ubbwélloh)*.
Grandmother. Abuela *(ubbwéller)*.
Grant. Otorgar *(ottorrgárr)*.
Grape. Uva *(ōōver)*.
Graphic. Gráfico *(grúfficoh)*.
Grapple. Aferrar *(ufferrárr)*.
Grasp. Agarrar *(ugurrárr)*.
Grasshopper. Saltamontes *(sulterrmóntess)*.
Grate. (s.) Fogón, verja *(fogón, vairrher)*.
Grate. (v.) Rallar *(rullyárr)*.
Gratis. Gratis *(grúttiss)*.
Gratitude. Gratitud *(gruttitōōd)*.
Gratuitous. Gratuito *(gruttoo.íttoh)*.
Grave. Grave *(grárveh)*.
Gravity. Gravedad *(grúvvedúd)*.
Gray. Pardo *(párrdoh)*.
Graze. Apacentar *(uppúthentárr)*.
Great. Gran, grande *(grun, gründeh)*.
Great-great-grandfather. Tatarabuela *(tuttarrerbwéller)*.
Great-great-grandson. Tataranieto *(tuttarrernyéttoh)*.

Greatness. Grandeza *(grundéther)*.
Greek. Griego *(gri.éh.goh)*.
Gridiron. Parrillas *(purrilyuss)*.
Grief. Dolor, pena *(dollórr, pénner)*.
Grievious. Gravoso *(gruvvóssoh)*.
Grind. Moler *(molláirr)*.
Groan. Gemir *(hemmēēr)*.
Groin. Ingle *(ingleh)*.
Groop, grooping. (s.) Agrupación *(uggroopútheón)*.
Groop. (v.) Agrupar, -se *(úggroopárr, -seh)*.
Gross. Gruesa *(groo.ésser)*.
Grotesque. Grotesco *(grottéscoh)*.
Grotto. Gruta *(grōōter)*.
Group. Grupo *(grōōpoh)*.
Grove. Alameda, soto *(ullermédder, sóttoh)*.
Grow. Crecer *(cretháirr)*.
Grumble. Refunfuñar *(refoonfoonyárr)*.
Grunt. Gruñido *(groonyēēdoh)*.
Guarantee. Afianzar *(ufféun.thárr)*.
Guard. (v.) Custodiar *(coostoddeárr)*.
Guard. (s.) Guarda, resguardo, guardia *(gwárrder, resgwárrdoh, gwárrdea)*.
Guess right. Acertar *(uthairrtárr)*.
Guest. Huésped *(wésped)*.
Guide. (s.) Guía *(gheer)*.
Guide. (v.) Guiar, dirigir *(gheárr, dirrihhēērr)*.
Guild. Gremio *(grémmeoh)*.
Guillotine. Guillotina *(ghilyottēēner)*.
Guilty. Culpable *(coolpúbbleh)*.
Guitar. Guitarra *(ghittúrrer)*.
Gum. Goma *(gómmer)*.
Gust. Ráfaga *(rúffjerger)*.

H

Haggle. Regatear *(reggutteárr)*.
Hair. Cabello, pelo *(cubbéllyoh, pélloh)*.
Hairdresser. Peluquero *(pellookáiroh)*.
Hairdressing. Peinado *(peinnúddoh)*.
Half. Mitad *(mittúd)*.

Hall. Sala, vestíbulo *(súller, vestibbooloh)*.
Hallucination. Aberración *(úbberrátheón)*.
Halter. Ronzal *(ronthúll)*.
Hammer. Martillo *(marrtilyoh)*.
Hand. Mano *(múnnoh)*.

Handful. Puñado *(poonyárdoh)*.
Handkerchief. Pañuelo *(punyoo.élloh)*.
Handle. Asa, mango *(árrser, mungoh)*.
Handling. Manejo, maniobra *(munnéhhoh, munyóbbrer)*.

Handsan. Serrucho (serrööt-choh).

Handsome. Guapo (gwuppoh).

Hang. Colgar, suspender (colgárr, soospendáirr).

Happen. Acontecer (uckóntetháirr).

Happily. Felizmente (fellithménteh).

Happiness. Felicidad (fellithidid).

Happy. Feliz (fellëëth).

Hard. Duro (dóörroh).

Hardness. Dureza (doorréther).

Hardware. Quincalla (kincúllyer).

Hare. Liebre (lyébbreh).

Harmless. Inofensivo (innofenseevoh).

Harmonise. Armonizar (arrmonnithárr).

Harmony. Armonía (arrmonnëër).

Harpoon. Arpón (arrpón).

Harrow. Trillo (trílyoh).

Harry. Activar, darse prisa (úcktivárr, dárrseh prëëser).

Harvest. Siega (syégger).

Haste. Prisa (prëësser).

Hasten. Apremiar (upprémmeárr).

Hat. Sombrero (sombráirroh).

Hatchet. Hacha (útcher).

Hatred. Odio (óddioh).

Havana. Habano (ubbúnnoh).

Have. Tener, haber (tennáirr, ubbáirr).

Hawker. Revendedor (revvendeddórr).

Hawksbell. Cascabel (cúskerbéll).

He. Él (el).

Head. Cabeza (cubbéther).

Headiness. Desatino (dissuttëënoh).

Heal. Sanar, curar (sunnárr, coorárr).

Health. Salud (sullöödd).

Healthy. Sano (súnnoh).

Heap. (v.) Amontonar (ummóntonnárr).

Heap. (s.) Colmo (cólmoh).

Heap up. Aglomerar (ugglómmerrár).

Hear. Oír (or.ëër).

Heart. Corazón (correrthón).

Heartbeat. Latido (luttëëdoh).

Heat. Calor (cullórr).

Heat again. Recalentar (recullentárr)

Heel. Tacón, talón (tuckón, tullón).

Height. Altura, estatura (ultöörer, estattöörer).

Heir. Heredero (erriddáiroh).

Helicopter. Helicóptero (el-licópterroh).

Helm. Timón (timmón).

Helmsman. Timonel (timmonnél).

Help. (s.) Ayuda (ah.yöö.der).

Help. (v.) Socorrer, ayudar (soccorráirr, ahyoodárr).

Hem. Ribetear (ribbettay.árr).

Hemisphere. Hemisferio (émmis;erréoh).

Hen. Gallina (gullyëëner).

Herb. Hierba (yáirrber).

Herculean. Hercúleo (áirrcööleoh).

Herd. Rebaño (rebbúnyoh).

Here. Aquí (uckëë).

Hereditary. Heriditario (erriddittárreoh).

Heresy. Herejía (errihéar).

Heroic. Heroico (erróicoh).

Heroism. Heroísmo (erroissmoh).

Hesitate. Titubear (tittoobay.árr).

Hey! ¡Eh! (eh).

Hidden. Oculto (occöóltoh).

Hide. Esconder, ocultar (escondáirr, occooltárr).

Hieroglyph. Jeroglífico (herrogglíffícoh).

High. Alto (últoh).

Highwayman. Salteador (sulteh.uddórr).

Hill. Lomo, cuesta (lómmoh, kwéster).

Hill. Monte (monteh).

Hilly. Montuoso (montoo.ossoh).

Hinder. Estorbar (estorrbárr).

Hint. Insinuar (insinnoo.árr).

Hip. Cadera (cuddáirrer).

Hire. Alquilar (állkillárr).

His. Su, suyo (söö, sööyoh).

Historical. Histórico (istórricoh).

History. Historia (istórrea).

Hive. Colmena (collménner).

Hold. Aguantar (úggwuntárr).

Hole. Agujerear (uggöö.herreárr).

Hole. (s.) Hoyo, agujero (óyo, uggooháiroh).

Holidays. Vacaciones (vuckutheóness)

Hollow. (s.) Hueco (wéckoh).

Hollow. (v.) Ahuecar (uh.weckárr).

Homage. Homenaje (ommenáhheh).

Home. Hogar (oggárr).

Honey. Miel (myél).

Honey-comb. Panel (punnúl).

Honour. (s.) Honor, honra (onnórr, hónrer).

Honour. (v.) Honrar (onrárr).

Hook (fish). Anzuelo (unthwélloh).

Hook. (s.) Gancho (gúntchoh).

Hook. (v.) Enganchar (enguntchárr).

Hope. (s.) Esperanza (esperrúnther).

Hope. (v.) Esperar (esperrárr).

Horizon. Horizonte (orrithónteh).

Horizontal. Horizontal (orrithontáll).

Horrible. Horrible (orribleh).

Horror. Horror (orrórr).

Horse. Caballo (cubbúllyoh).

Horseness. Ronquera (ronkárrer).

Hospice. Hospicio (ospítheo).

Hospital. Hospital (ospitúll).

Hospitality. Hospitalidad, hospedaje (ospitullidúd, ospeddáheh).

Host. Anfitrión (unfitreón).

Hostel. Posada (possárder).

Hostess (air). Azafata (útherfárter).

Hostile. Hostil (óstill).

Hot. Caliente (cullyénteh).

Hotel. Hotel, fonda (ottéll, fónder).

House. Casa (cússer).

How much. Cuanto (kwúntoh).

Hum. Zumbar (thoombúrr).

Human. Humano (oomúnnoh).

Humanity. Humanidad (oomúnnidúd).

Humiliation. Humillación (oomillútheón).

Humility. Humildad (oomildúd).

Humming. Zumbido (thoombëëdoh).

Hundred. (adj.) Ciento (thyéntoh).

Hundred. (s.) Centena (thenténner).

Hundredth. Centésimo (thentéssimmoh).

Hung. Suspenso (soospénsoh)

Hunger. Hambre *(úmbreh)*.
Hungry. Hambriento *(umbriéntoh)*.
Hurrah. Bravo *(brárvoh)*.
Hurricane. Huracán *(oorercún)*.
Hurry. Apresurarse *(upréssoorárrseh)*.
Hurt. (v.) Dañar *(dunyárr)*.

Hurt. (s.) Lesión *(lesseón)*.
Husband. Esposo, marido *(espóssoh, marrēédoh)*.
Hut. Choza *(cháwther)*.
Hydrophobia. Hidrofobia *(iddróffóbbea)*.
Hydrophobus. Hidrófobo *(iddróffobboh)*.
Hygiene. Higiene *(ihhyénneh)*.

Hygienic. Higiénico *(ihhyénnicoh)*.
Hymn. Himno *(ímnoh)*.
Hyphen. Guión *(ghión)*.
Hypocrisy. Hipocresía *(ippócrusséah)*.
Hypocrite. Hipócrita, santurrón *(ippócritter, suntoorrón)*.

I

I. Yo *(yoh)*.
Iberian. Ibero *(ibbáirroh)*.
Ice. Hielo *(yéllow)*.
Idea. Idea *(iddáyer)*.
Ideal. Ideal *(iddiúl)*.
Identify. Identificar *(iddentíficárr)*.
Idiot. Idiota *(iddiótter)*.
Idiotism. Idiotismo *(iddiottismoh)*.
Idle. Ocioso *(othióssoh)*.
Idolatry. Idolatría *(iddollutréar)*.
Idolize. Idolatrar *(iddollutrárr)*.
If. Si *(see)*.
Ignoble. Innoble *(innóbbleh)*.
Ignominy. Ignominia *(ignomminnea)*.
Ignorant. Ignorante *(ignorrünteh)*.
Ill. (s.) Enfermo *(enfáirrmoh)*.
Ill. (v.) Enfermar *(enfairrmárr)*.
Illegal. Ilegal *(illeggúll)*.
Illegality. Ilegalidad *(illeggullidúd)*.
Illegitimate. Ilegítimo *(illehittimoh)*.
Illicit. Ilícito *(illilhitoh)*.
Illness. Enfermedad *(enfáirrmeddúd)*.
Illogical. Ilógico *(illóhhicoh)*.
Ill-timed. Intempestivo *(intempestēévoh)*.
Illumination. Iluminación *(illoominutheón)*.
Illustrate. Ilustrar *(illoostrárr)*.
Illustrated. Ilustrado *(illoostrárdoh)*.
Illustration. Ilustración *(illoostrutheón)*.
Illustrious. Ilustre *(illóōstreh)*.
Image. Imagen *((immúhhen)*.

Imagination. Imaginación *(immuhhinnutheón)*.
Imagine. Imaginar *(immuhhinárr)*.
Imbecille. Imbécil *(imbéthill)*.
Imbibe. Embeber *(embebbáirr)*.
Imitate. Imitar *(immittárr)*.
Imitation. Imitación *(immittutheón)*.
Immediate. Inmediato *(inmeddiúttoh)*.
Immediately. Inmediatamente *(inmēddi.uttērmēnteh)*.
Immense. Inmenso *(inménsoh)*.
Immensity. Inmensidad *(inmensiddúd)*.
Immigrant. Inmigrante *(inmiggrünteh)*.
Immigrate. Inmigrar *(inmiggrárr)*.
Immoral. Inmoral *(inmorrúll)*.
Immortal. Inmortal *(inmortúll)*.
Impartial. Imparcial *(imparrtheúll)*.
Impassable. Intransitable *(intrunsittúbleh)*.
Impassible. Impasible *(impussibleh)*.
Impatience. Impaciencia *(imputhyénthea)*.
Impede. Impedir *(impeddēérr)*.
Impediment. Impedimento *(impeddiméntoh)*.
Impenetrable. Impenetrable *(impennitrúbbleh)*.
Imperceptible. Imperceptible *(impairrtheptibbleh)*.
Imperfect. Imperfecto *(impairrféctoh)*.
Imperious. Imperioso *(impairrióssoh)*.

Impertinence. Impertinencia *(impairrtinnénthea)*.
Impetuous. Impetuoso *(impettoo.óssoh)*.
Impiety. Impiedad *(impéeadúd)*.
Implacable. Implacable *(impluckúbleh)*.
Importance. Importancia *(importúncia)*.
Importunate. Asediar *(usséddeárr)*.
Impose. Imponer *(imponnáirr)*.
Impossibility. Imposibilidad *(impossibillidúd)*.
Impossible. Imposible *(impossibleh)*.
Impotence. Impotencia *(impotténthea)*.
Impoverish. Empobrecer *(empóbbretháirr)*.
Impracticable. Impracticable *(impructicúbbleh)*.
Impression. Impresión *(impresseón)*.
Imprison. Aprisionar, encarcelar *(upprisseonárr, encarrthellár)*.
Improper. Impropio *(impróppeoh)*.
Improve. Mejorar *(mehhor.rárr)*.
Imprudence. Imprudencia *(improodénthea)*.
Impudence. Atrevimiento, desahogo *(uttrüvvimyéntoh, désser.óggoh)*.
Impudent. Desahogado *(désser.oggárdoh)*.
Impure. Impuro *(impōōroh)*.
Impute. Achacar *(útchuckárr)*.
In. En *(en)*.
Inadmissible. Inadmisible *(innudmissibleh)*.

Inalterable. Inalterable (*innulterrúbleh*).

Inattentive. Desatento (*dessutténtoh*).

Inauguration. Inauguración (*in.owgoorrutheón*).

Incalculable. Incalculable (*inculcoolúbbleh*).

Incapacity. Incapacidad (*incupputhedúd*).

Incense. Incienso (*inthyénsoh*).

Incensory. Incensario (*inthensúrrioh*).

Incertitude. Incertidumbre (*intháirrtidōōmbreh*).

Incessant. Incesante (*inthessánteh*).

Inch. Pulgada (*poolgárder*).

Incident. Incidente (*inthiddénteh*).

Incitement. Aliciente (*allithyénteh*).

Inclemency. Intemperie (*intemperréa*).

Inclination. Inclinación (*inclinnutheón*).

Incline. Ladear (*luddeárr*).

Inclosed. Incluido, incluso (*incloo.ēēdoh, inclōōsoh*).

Incomparable. Incomparable (*incomparrúbleh*).

Incompatible. Incompatible (*incomputtíbleh*).

Incomplete. Incompleto (*incompléttoh*).

Inconceivable. Inconcebible (*inconthebbíbleh*).

Inconvenient. Incómodo (*incómmoddoh*).

Incorrect. Incorrecto (*incorréctoh*).

Increase. (v.) Aumentar (*owmentárr*).

Increase. (s.) Aumento (*owméntoh*).

Incredible. Increíble (*incrav.íbbleh*).

Inculcate. Inculcar (*incullcárr*).

Incur. Incurrir (*incōōrēērr*).

Incurable. Incurable (*incōōrrúbleh*).

Indefatigable. Incansable (*incunsubbleh*).

Indefensible. Insostenible (*insostennēēbleh*).

Indemnification. Indemnización (*indemnithutheón*).

Independent. Independente (*independénteh*).

Indescribable. Indescriptible (*indescriptibbleh*).

Index. índice (*inditheh*).

Indicate. Indicar, designar (*indickárr, dessignárr*).

Indication. Indicación (*indiccutheón*).

Indicator. Indicador (*indickerdórr*).

Indifference. Indiferencia (*indifferrénthea*).

Indigestion. Indigestión (*indihhesteón*).

Indignation. Indignación (*indignutheón*).

Indispensable. Indispensable, imprescindible (*indispensúbbleh, impresthindíbbleh*).

Individual. (s.) Individuo (*individdōō.oh*).

Individual. (adj.) Individual (*indivviddōō.úll*).

Industry. Industria (*indōōstria*).

Inebriate. Embriagar (*embréuggárr*).

Inestimable. Inestimable (*inestimmúbleh*).

Inevitable. Ineludible (*inelōōdíbbleh*).

Inexhaustible. Inagotable (*innuggottúbleh*).

Inexplicable. Inexplicable (*inexplicúbbleh*).

Inexpressible. Indecible (*indethíbbleh*).

Infamous. Infame (*infúmmeh*).

Infamy. Infamia (*infúmmea*).

Infancy. Infancia (*infúnthia*).

Infect. Contagiar (*contúhhee.árr*).

Infectious. Contagioso (*contahhuggióssoh*).

Inferior. Inferior (*inferriórr*).

Inferiority. Inferioridad (*inferriorridúd*).

Infernal. Infernal (*infurrnúll*).

Infinitely. Infinitamente (*infinnitterménteh*).

Infinity. Infinidad (*infinnidúd*).

Infirmary. Enfermería (*enfáirrmerrēēr*).

Inflamation. Inflamación (*inflummutheón*).

Inflict. Infligir (*inflihhēērr*).

Influence. (s.) Influencia (*inflōō.énthia*).

Influence. (v.) Influir (*infloo.ēērr*).

Inform. Informar (*informárr*).

Information. Información (*informutheón*).

Ingenious. Ingenioso (*inhennióssoh*).

Ingratitude. Ingratitud (*ingruttitōōd*).

Inhabit. Habitar (*ubbittárr*).

Inherit. Heredar (*erriddárr*).

Inheritance. Herencia (*errénthea*).

Inhospitable. Inhospitalario (*inospittul.lárioh*).

Inhuman. Inhumano (*in.oomúnnoh*).

Iniquity. Iniquidad (*innikkiddúd*).

Initial. Inicial (*innitheúll*).

Initiate. Iniciar (*innitheárr*).

Injury. Perjuicio (*pairrhwithioh*).

Injustice. Injusticia (*inhōōstíthia*).

Ink. Tinta (*tinter*).

Inkstand. Tintero (*tintáirroh*).

Inlay. Embutido (*embootēēdoh*).

Inn. Hostería, mesón, parador (*osterréa, messón, purrurdórr*).

Inn-keeper. Hostelero (*ostelláiroh*).

Innocence. Inocencia (*innothénthea*).

Innocent. Inocente (*innothénteh*).

Inundate. Inundar (*innundárr*).

Inquire. Averiguar (*uvvérrigwárr*).

Inquiry. Pesquisa (*peskēēsser*).

Insane. Demente, loco (*demménteh, lóccoh*).

Insatiable. Insaciable (*insuthiúbbleh*).

Insensate. Insensato (*insensúttoh*).

Insensible. Insensible (*insensíbbleh*).

Inseparable. Inseparable (*insepparrúbbleh*).

Insipid. Soso (*sóssoh*).

Insist. Insistir (*insistēērr*).

Insistence. Insistencia (*insisténthea*).

Insolence. Insolencia (*insollénthea*).

Insolent. Insolente (*insollénteh*).

Inspection. Inspección *(inspectheón)*.

Inspector. Inspector *(inspectórr)*.

Inspiration. Inspiración *(inspirrutheón)*.

Instal. Instalar *(instullárr)*.

Installation. Instalación *(instullutheón)*.

Instance. Instancia *(instúnthea)*.

Instant. Instante *(instúnteh)*.

Instinct. Instinto *(instíntoh)*.

Institute. Instituto *(institōōtoh)*.

Institution. Institución *(institōōtheón)*.

Instruct. Instruir *(instrooēērr)*.

Instruction. Instrucción *(instrooéktheón)*.

Instrument. Instrumento *(instrooméntoh)*.

Insult. (v.) Insultar *(insōōltárr)*.

Insult. (s.) Insulto, atropello *(insōōltoh, uttroppéllyoh)*.

Insupportable. Insoportable *(insopporrtúbbleh)*.

Insurrection. Sublevación *(sōōblevvutheón)*.

Intact. Intacto *(intúcktoh)*.

Intellectual. Intelectual *(intellectoo.úll)*.

Intelligence. Inteligencia *(intellihénthea)*.

Intelligent. Inteligente *(intellihénteh)*.

Intensity. Intensidad *(intensiddúd)*.

Intention. Intención *(intentheón)*.

Intercalate. Intercalar *(intairrcullárr)*.

Intercede. Interceder *(intairrtheddáirr)*.

Intercept. Interceptar *(intairrtheptárr)*.

Interest. (s.) Interés *(interréss)*.

Interest. (v.) Interesar *(interressárr)*.

Interested. Interesado *(interressárdoh)*.

Interesting. Interesante *(interressúnteh)*.

Interior. Interior *(interriórr)*.

Interlocutor. Interlocutor *(interrlockōōtórr)*.

Intermediary. Intermediario *(interrméddiarioh)*.

Interminable. Interminable *(intairrminnúbbleh)*.

Internal. Interno *(intáirrnoh)*.

Interpret. Interpretar *(intáirrprettárr)*.

Interpreter. Intérprete *(intáirrpretteh)*.

Interrogate. Interrogar *(interroggárr)*.

Interrupt. Interrumpir *(interrōōmpéērr)*.

Interval. Intervalo *(intáirrvulloh)*.

Intervene. Intervenir *(interrvenéērr)*.

Intervention. Intervención *(interrventheón)*.

Interview. Entrevista *(éntrevvister)*.

Intestine. Intestino *(intestēēnoh)*.

Intimate. Íntimo *(intimmoh)*.

Intolerable. Intolerable, inaguantable *(intollerúbleh, inugguantúbleh)*.

Intractable. Intratable *(intruttúbbleh)*.

Intrepid. Intrépido *(intréppiddoh)*.

Intrepidity. Intrepidez *(intreppiddáith)*.

Intrigue. (s.) Intriga *(intrēēger)*.

Intrigue. (v.) Intrigar *(intriggárr)*.

Introduce. Introducir *(introdōōthéērr)*.

Introduction. Introducción *(introdōōktheón)*.

Inundation. Inundación *(inōōndutheón)*.

Invade. Invadir *(invuddéērr)*.

Invalid. Impedido *(impeddēēdoh)*.

Invariable. Invariable *(invurriúbbleh)*.

Invent. Inventar *(inventárr)*.

Invention. Invento, invención *(invéntoh, inventheón)*.

Inventor. Inventor *(inventórr)*.

Inventory. Inventario *(inventúrrioh)*.

Invest. Invertir *(invairrtéērr)*.

Investigate. Investigar *(investiggárr)*.

Investigation. Investigación *(investiggutheón)*.

Invincible. Invencible *(inventhēēbleh)*.

Invisible. Invisible *(invissēēbleh)*.

Invite. Convidar, invitar *(conviddárr, invitárr)*.

Invoice. (s.) Factura *(fuctōōrer)*.

Invoice. (v.) Facturar *(fuctoorárr)*.

Invoke. Invocar *(invockárr)*.

Involuntary. Involuntario *(involluntárioh)*.

Invulnerable. Invulnerable *(invullnerrúbleh)*.

Iris. Iris *(íriss)*.

Iron. (s.) Hierro *(yérro)*.

Iron. (v.) Planchar *(pluntchárr)*.

Ironclad. Acorazado *(uckórruthárdoh)*.

Irony. Ironía *(irrónnea)*.

Irradiate. Irradiar *(irrardeárr)*.

Irrational. Irracional *(irruthionúll)*.

Irrigation. Riego *(re.éggoh)*.

Irregular. Irregular *(irrégōōlárr)*.

Irremediable. Irremediable *(irremméddeúbleh)*.

Irremissible. Irremisible *(irremmissíbleh)*.

Irresistible. Irresistible *(irressistíbleh)*.

Irresponsable. Irresponsable *(irrisponsúbbleh)*.

Irrevocable. Irrevocable *(irrevocúbbleh)*.

Islander. Isleño *(islénnyoh)*.

Isle. Isla *(ísler)*.

Islet. Islote *(islótteh)*.

Isolate. Aislar *(ice.lárr)*.

Itch. Sarna *(sárrner)*.

Itinerary. Itinerario *(ittinerráreoh)*.

Ivory. Marfil *(marrfēēl)*.

J

Jailer. Carcelero *(carrthelláirroh)*.
January. Enero *(ennáirroh)*.
Japanese. Japonés *(hupponnéss)*.
Jaw. Quijada *(kihhúdder)*.
Jaw-bone. Mandíbula *(mundíbbooler)*.
Jester. Truhán *(trúhhún)*.
Jet. Chorro *(tchórroh)*.
Jewel. Joya *(hóyer)*.
Jeweller's. Joyería *(hoyerréar)*.
Join. Juntar *(hóóntárr)*.

Joke. (s.) Broma, chiste *(bróumer, chisteh)*.
Joke. (v.) Bromear, embromar *(bróumeárr, embrommárr)*.
Journalist. Periodista *(perrioddister)*.
Journey. Viaje *(vëë.úhheh)*.
Journeyman. Jornalero *(horrnulláiroh)*.
Joy. Júbilo *(hóóbilloh)*.
Judge. (s.) Juez *(hweth)*.
Judge. (v.) Juzgar *(hóóthgárr)*.

Judgement. Juicio *(hwítheoh)*.
Juice. Jugo, zumo *(hóógoh, thóómah)*.
July. Julio *(hóóleoh)*.
Jump. (v.) Saltar *(sultárr)*.
Jump. (s.) Salto *(súltoh)*.
June. Junio *(hóóneoh)*.
Just. Justo *(hóóstoh)*.
Justice. Justicia *(hóóstithea)*.
Justify. Justificar *(hóóstiffiicárr)*.
Justly. Justamente *(hóóster.ménteh)*.

K

Keep. Guardar *(gwarrdárr)*.
Key. Clave, llave *(clárveh, lyárveh)*.
Kick. Cocear *(cotheárr)*.
Kidney. Riñón *(rinyón)*.
Kill. Matar *(muttárr)*.
Kilogramme. Kilogramo *(killogrúmmoh)*.
Kilolitre. Kilolitro *(killolëëtroh)*.
Kilometer. Kilómetro *killómmetroh)*.
Kilowat. Kilovatio *(killovútteoh)*.

Kind. Bueno, amable *(buénnoh, ummúbleh)*.
Kindness. Bondad, amabilidad *(bondúd, úmmerbillidúd)*.
King. Rey *(réh.ëë)*.
Kingdom. Reino *(ráy.innoh)*.
Kiosk. Kiosco *(këë.óscoh)*.
Kirie. Kirie *(kírrieh)*.
Kitchen. Cocina *(cothëëner)*.
Kitchin-garden. Huerta *(wérter)*.
Knead. Amasar *(úmmussárr)*.
Knee. Rodilla *(roddílyer)*.

Kneel. Arrodillarse *(urródilyárrseh)*.
Knife. Cuchillo *(cootchíllyoh)*.
Knock down. Aporrear *(upporreárr)*.
Knot. (v.) Anudar *(unnóódárr)*.
Knot. (s.) Nudo *(nóódoh)*.
Know. Saber, conocer *(subbáirr, connotháirr)*.
Knowledge. Conocimiento *(connótheruyéntoh)*.
Known. Conocido *(connothëëdoh)*.
Kodak. Kodak *(kódduk)*.

L

Laborious. Laborioso *(lubborrióssoh)*.
Labour. Labor *(lubbórr)*.
Labourer. Obrero *(obbráirroh)*.
Labourer (land). Labrador *(lubbrerdórr)*.
Lack. Carecer *(curretháirr)*.
Lactation. Lactancia *(lucktúnthea)*.
Ladder. Escala *(escúller)*.
Lagoon. Laguna *(luggóöner)*.
Lamb. Cordero *(corrdáiroh)*.
Lame. Cojo *(cóhhoh)*.

Lamentable. Lamentable *(lúmmentúbbleh)*.
Lamp. Lámpara *(lúmpurrer)*.
Lance. Lanza *(lúnther)*.
Landing. Meseta *(messétter)*.
Landlord. Propietario, casero *(propréaturreoh, cussáirroh)*.
Language. Lengua, idioma *(léngwer, iddiómmer)*.
Lantern. Farol, linterna *(furróll, lintáirrner)*.
Lapel. Solapa *(sollúpper)*.
Larger. Mayor *(mahyórr)*.

Lash. Azote *(uthótteh)*.
Last. Último *(óóltinmoh)*.
Last night. Anoche *(unnótcheh)*.
Late. Tarde *(tárrdeh)*.
Lateness. Tardanza *(tarrdúnther)*.
Lathe. Torno *(tórrnoh)*.
Laugh. Reír *(reh.ëërr)*.
Laughter. Risa *(rëësser)*.
Launch. (v.) Botar, lanzar *(bottárr, lunthárr)*.
Launch. (s.) Lancha *(lúncher)*.

Laundress. Lavandera (luv-vundáirrer).

Laurel. Laurel (lowrél).

Lavatory. Lavatorio (luvvertó-rio).

Law. Ley (láyee).

Lawn. Césped (thésped).

Lawyer. Abogado (ubbogár-doh).

Lawyer's office. Bufete (boof-jétteh).

Lay down. Acostar (uckos-tárr).

Laziness. Pereza (perréther).

Lazy. Holgazán, perezoso (ol-guthín, perrethóssoh).

Lead. (v.) Capitanear (cap-pittúneh-árr).

Lead. (s.) Plomo (plómmoh).

League. Legua (légwer).

Leaf. Hoja (óhher).

Lean. Apoyar, -se (uppoyarr, -seh).

Learn. Aprender, enterarse (apprendáirr, enterrárrseh).

Learned. Docto, sabio (dóctoh, súbbeoh).

Learning. Sabiduría (subbid-doorréer).

Lease rent. Arrendamiento (urrénder.myéntoh).

Leather. Cuero (kwáirroh).

Leave. Dejar (dehárr).

Leech. Sanguijuela (sánghih-hwéller).

Left. Izquierda (ithkyáirrder).

Leg. Pierna, pata (pyáirner, pátter).

Legacy. Legado (leggárdoh).

Legality. Legalidad (leggul-lidád).

Legalize. Legalizar (leggul-lithárr).

Legally. Legalmente (leggul-ménteh).

Legate. Legado (leggárdoh).

Legend. Leyenda (layénder).

Legendary. Legendario (le-hendúrreo).

Legging. Polaina (pollúh.in-ner).

Legion. Legión (lehheón).

Legitimate. Legítimo (lehítti-moh).

Leisure. Ocio (ótheoh).

Lemon. Limón (limmón).

Lemon-coloured. Cetrino (thit-tréēnoh).

Lend. Prestar (prestárr).

Length. Largura (larrgōōrer).

Lengther. Alargar (ullarr,-gárr).

Lens. Lente (lénteh).

Less. Menos (ménnoss).

Lessen. Escatimar, achicar (escuttimárr, útchickárr).

Lesson. Lección (lektheón).

Lethargy. Letargo (lettárr-goh).

Letter. Carta, letra (cárrter, léttrer).

Level. (v.) Allanar (úllyun-nárr).

Level. (s.) Nivel (nivvéll).

Lever. Palanca (pullúncker).

Liar. Embustero, mentiroso (emboostáirroh, mentirrós-soh).

Liberal. Liberal (libberrúl).

Liberty. Libertad (libberrtúd).

Libidinous. Liviano (livviún-noh).

Library. Biblioteca (biblio-técker).

Licit. Licito (lithítoh).

Lid. Cubierto, tapa (coo-byáirrtoh, túpper).

Lie. (s.) Mentira (mentéērer).

Lie. (v.) Mentir (mentéēr).

Lieutenant. Teniente (ten-nyéntch).

Life. Vida (véēder).

Lifebuoy. Salvavidas (sulver-véēdus).

Lifelong. Vitalicio (vittú-litheoh).

Lift. (v.) Alzar (ullthárr).

Lift. (s.) Ascensor (ústhen-sórr).

Light. (v.) Alumbrar, encen-der (úlloombrárr, enthen-dáir).

Light. (s.) Luz (looth).

Light. (adj.) Ligero (lihhái-roh).

Lighten. Esclarecer, aligerar (esclurrithárr, alli.herrarr).

Lighter. Mechero (metcháir-roh).

Lightly. Ligeramente (líhháir-umménteh).

Lightning. Relámpago, rayo (rellúmpuggoh, ráhyoh).

Lightning-rod. Pararrayos (purrer.ráhyoss).

Like. Semejante (semmeh-húnteh).

Likeness. Semejanza (sem-mehhúnther).

Lily. Lirio (lírreoh).

Lime. Cal (cull).

Limit. (s.) Límite (limmiteh).

Limit. (adj.) Limitar (lim-mittárr).

Limited. Limitado (limmit-tárdoh).

Limp. Cojear (cohheárr).

Linden. Tila (téēler).

Line. (v.) Forrar (forrárr).

Line. (s.) Línea (linnear).

Line up. Alinear (ullinneár).

Lineal. Lineal (linneúll).

Lined. Forrado (forrárdoh).

Lining. Forro (fórroh).

Linnet. Jilguero (hilgáirroh).

Lion. León (layón).

Lip. Labio (lúbbeoh).

Liquid. Líquido (likkiddoh).

Liquidate. Liquidar (likkid-dárr).

Liquidation. Liquidación (lik-kiddulheón).

Liquor. Licor (lickórr).

List. Lista (líster).

Literary. Literario (litterrá-rio).

Literature. Literatura (litter-rattōōrer).

Lithography. Litografía (lit-togrúffia).

Litigation. Litigio, pleito (lit-tihheoh, pláyittoh).

Litre. Litro (léētroh).

Little. Poco (póckoh).

Littoral. Litoral (littorrúl).

Live. Vivir (vivvéēr).

Liver. Hígado (igguddoh).

Lividness. Lividez (livvid-déth).

Lizard. Lagarto (luggárrtoh).

Load. Carga (cárrger).

Loan. Préstamo (présstum-moh).

Loathe. Aborrecer (ubbórreth-áirr).

Lobster. Langosta (lungóster).

Local. Local (lockúl).

Locality. Localidad (loculli-dúd).

Lock. (v.) Cerrar (therrárr).

Lock. (s.) Cerradura (thér-ruddōōrer).

Lock up. Encerrar (énther-rárr).

Locker. Gaveta (guvvétter).

Locksmith. Cerrajero (thér-ruh.hérroh).

Locomotive. Locomotora (loc-komottórer).

Locust. Langosta (lungóster).

Lodge. Albergar (ullbairgárr).

Lodging. Albergue (ullbáir-gheh).

Logically. Lógicamente (lóh-hickerménteh).

Loin. Lomo (lómmoh).

Loiter. Vagar (vuggárr).

Loneliness. Soledad (solled-dúd).

Long. (adj.) Largo *(lárrgoh)*.
Long. (v.) Ansiar *(unseárr)*.
Longitude. Longitud *(lonhittóöd)*.
Look. (s.) Mirada *(mirrárder)*.
Look. (v.) Mirar *(meerrárr)*.
Look for. Buscar *(booscárr)*.
Loom. Telar *(tellárr)*.
Loose. Flojo *(flóckoh)*.
Loosen. Soltar *(soltárr)*.
Loquacity. Loquacidad *(lokwuthidúd)*.

Lose. Perder *(pairrdáirr)*.
Loss. Pérdida *(páirrdidder)*.
Lot. Lote *(lótteh)*.
Lottery. Lotería *(lotterréar)*.
Louse. Piojo *(pyóhhoh)*.
Love. (v.) Amar, querer *(ummárr, kerráirr)*.
Love. (s.) Enamorado *(ennúmmorrárdoh)*.
Lover. Amante *(ummúnteh)*.
Lowermost. Ínfimo *(infimmoh)*.

Loyal. Leal *(layáll)*.
Loyally. Lealmente *(layulménteh)*.
Lozenge. Pastilla *(pustilyer)*.
Lucrative. Lucrativo *(lookrutéévoh)*.
Luminous. Luminoso *(loominóssoh)*.
Lunch. Almorzar *(úllmorrthárr)*.
Lung. Pulmón *(poolmón)*.
Luxury. Lujo *(lóöhoh)*.
Lyric. Lírico *(lírrickoh)*.

M

Mace. Maza *(múther)*.
Machine. Máquina *(múckinner)*.
Mad. Rabioso, loco *(rubbeóssoh, lóckoh)*.
Made. Hecho *(étchoh)*.
Madhouse. Manicomio *(munnicómmioh)*.
Madness. Locura *(lockóörer)*.
Magisterial. Magistral *(muhhistrúll)*.
Magistrate. Magistrado *(muhhistrárdoh)*.
Magnetism. Magnetismo *(mugnettismoh)*.
Magnificent. Magnífico *(mugnifficoh)*.
Magnitude. Magnitud *(mugnittóöd)*.
Mahogany. Caoba *(cah.äwber)*.
Maintenance. Manutención, sustento *(munootentheón, soosténtoh)*.
Maize. Maíz *(mah.ëëth)*.
Majestuous. Majestuoso *(muhhéstoo.óssoh)*.
Majesty. Majestad *(muhhestúd)*.
Make. Hacer, confeccionar *(utháirr, confecthionnárr)*.
Male. Macho, varón *(mútchoh, vurrón)*.
Malefactor. Malhechor *(mulletchórr)*.
Malice. Malicia *(mullithea)*.
Malicious. Malicioso *(mullithióssoh)*.
Malignant. Maligno *(múllignoh)*.
Mallow. Malva *(múlver)*.
Mamma. Mamá *(munmár)*.
Man. Hombre *(ómbreh)*.

Manage. Manejar *(munnihárr)*.
Management. Gerencia *(herrénthear)*.
Manager. Gerente, director *(herrénteh, dirrectórr)*.
Mandate. Mandato *(mundúttoh)*.
Mania. Manía *(munnëër)*.
Manifest. Manifiesto *(munnifyéstoh)*.
Manifestation. Manifestación *(munnifestutheón)*.
Manikin. Maniquí *(munnikëë)*.
Manly. Varonil, viril *(vurronnëël, virrill)*.
Manner. Manera *(munnáirer)*.
Mansion. Mansión *(munseón)*.
Manual. Manual *(munooúll)*.
Manufacture. Fabricar *(jubbrickárr)*.
Manuscript. Manuscrito *(munooscríttoh)*.
Map. Mapa *(múpper)*.
Marble. Mármol *(márrmol)*.
March. Marcha *(márrcher)*.
Mare. Yegua *(yégwer)*.
Margin. Margen *(márrhen)*.
Mark. Marca *(márrker)*.
Market. Mercado *(mairrcúddoh)*.
Marriage. Casamiento *(cussermyéntoh)*.
Marry. Casarse *(cussárrseh)*.
Marrow. Medula *(méddooler)*.
Marsh. Pantano *(puntúnnoh)*.
Martyr. Mártir *(márrtirr)*.
Marvel. Maravilla *(murrervilyer)*.
Masculine. Masculino *(muscoolëënoh)*.
Mask. Careta *(currétter)*.
Mason. Albañil *(ullbunnyill)*.

Mass. Masa *(músser)*.
Mass. (igl.) Misa *(mëëser)*.
Massive. Macizo *(mutheethoh)*.
Master. (v.) Amaestrar *(ummáh.estrárr)*.
Master. (s.) Amo, patrono, dueño, maestro *(úmmoh, puttrónnoh, dwényoh, mah.éstroh)*.
Mat. Estera *(estáirrer)*.
Match. Cerilla, fósforo *(therrilyer, jóssforroh)*.
Matchbox. Cerillera *(thérrilyáirrer)*.
Material. Material *(muttáireul)*.
Maternal. Maternal *(muttairrnúl)*.
Mathematics. Matemáticas *(muttimútticuss)*.
Matrice. Matriz *(muttrëëth)*.
Matrimonial. Matrimonial *(muttrimonneúl)*.
Matrimony. Matrimonio *(muttrimmónneoh)*.
Matter. (s.) Asunto, materia *(ussóöntoh, muttáirreah)*.
Matter. (v.) Importar *(importárr)*.
Maturity. Sazón *(suthón)*.
Matutinal. Matutino *(muttootinnoh)*.
Maxim. Máxima *(múcksimmer)*.
Maximum. Máximo *(múcksimmoh)*.
May. Mayo *(máhyoh)*.
Mayor. Alcalde *(ullcúlldeh)*.
Mayor's office. Alcaldía *(ullculldéar)*.
Me. Me *(meh)*.
Meadow. Prado *(prárdoh)*.

Mean. Mezquino *(methkēē-noh)*.

Mean. (v.) Significar *(signif-ficárr)*.

Mean. (s.) Ruin, tacaño, villano *(rooēēn, tuckúnyoh, vilyúnnoh)*.

Meanness. Mezquindad, vileza *(methkinnidúd, ville-ther)*.

Meannig. Significado *(signif-ficúddoh)*.

Means. Medio *(méddioh)*.

Meanwhile. Entretanto *(entri-túntoh)*.

Measure. (s.) Medida *(med-dēēdar)*.

Measure. (v.) Medir *(med-déar)*.

Meat. Carne *(cárrneh)*.

Mechanically. Maquinalmente *(muckinnulménteh)*.

Mechanics. Mecánica *(meckún-niker)*.

Mechan'sm. Mecanismo *(mec-kunnismoh)*.

Medal. Medalla *(medúlyer)*.

Mediation. Mediación *(med-diutheón)*.

Medicine. Medicina *(med-dithēēner)*.

Meditate. Meditar *(meddit-tárr)*.

Meet. Encontrar *(encontrárr)*.

Meeting. Encuentro, reunión *(enkwéntroh, reh.ooneón)*.

Melodious. Melodioso *(mellod-dióssoh)*.

Melody. Melodía *(mellóddear)*.

Melt. Derretir, fundir *(der-ritēērr, foondēērr)*.

Melted. Fundido *(foondēē-doh)*.

Member. Miembro *(myém-broh)*.

Membrane. Membrana *(mem-brúnner)*.

Memorial. Memorial *(mem-morriúl)*.

Memory. Memoria *(memmór-ria)*.

Mend. Remendar *(remmen-dárr)*.

Mention. Mencionar *(men-theonárr)*.

Mercantile. Mercantil *(mairr-cuntíll)*.

Mercy. Misericordia *(misser-ricórdia)*.

Meridian. Meridiano *(merrid-deúnnoh)*.

Meridional. Meridional *(mer-riddeonnúl)*.

Merit. Mérito *(mérrittoh)*.

Merriment. Alegría *(ulle-gréar)*.

Merry. Alegre *(alléggreh)*.

Message. Mensaje, recado *(mensúhheh, reccúddoh)*.

Messenger. Mensajero *(men-suhháirroh)*.

Metal. Metal *(mettúl)*.

Metallic. Metálico *(mettúl-licoh)*.

Meter. Metro *(méttroh)*.

Method. Método *(méttoddoh)*.

Mexican. Mejicano *(mehhic-kúnnoh)*.

Microscope. Microscopio *(mi-croscóppeoh)*.

Middling. Mediano *(meddi-únnoh)*.

Midnight. Medianoche *(méd-diernótcheh)*.

Milk. Leche *(létcheh)*.

Mill. Molino *(mollēēnoh)*.

Milligramme. Miligramo *(mil-ligrúmmoh)*.

Millimeter. Milímetro *(millim-metroh)*.

Million. Millón *(milyón)*.

Millionth. Millonésimo *(mil-yonéssimoh)*.

Mine. Mina *(mēēnar)*.

Mine. Mío *(mēēoh)*.

Miner. Minero *(minnáiroh)*.

Mineral. Mineral *(minnerrúl)*.

Minimum. Mínimo *(minnim-moh)*.

Minor. Menor *(mennórr)*.

Minute. Minuto *(minnōōtoh)*.

Miracle. Milagro *(millúgroh)*.

Miraculous. Milagroso *(mil-lugróssoh)*.

Mire. Fango *(fúngoh)*.

Miriameter. Miriámetro *(mir-riúmmetro)*.

Mirror. Espejo *(espéhhoh)*.

Miscarry. Abortar *(ubborr-tárr)*.

Miserable. Miserable *(misser-rúbleh)*.

Misery. Miseria *(missáirrear)*.

Misfortune. Desgracia, infortunio, percance *(desgrút-hear, inforrtōōneoh, pairr-cúntheh)*.

Mislead. Extraviar *(extruv-veárr)*.

Mission. Misión *(misseón)*.

Misspend. Malbaratar *(múl-burrestárr)*.

Mistake. Equivocación, error *(ekkivvocutheón, errórr)*.

Mister. Señor *(senyórr)*.

Mistress. Ama *(úmmer)*.

Mitigate. Amortiguar *(um-mórrtigwárr)*.

Mix. Mezclar *(methclarr)*.

Mixed. Mixto *(mixtoh)*.

Mixture. Mezcla *(méthcler)*.

Mockery. Burla, mofa *(bōōrr-lah, móffer)*.

Mode. Modo *(móddoh)*.

Model. Modelo *(moddélloh)*.

Moderate. (v.) Moderar *(mod-derárr)*.

Moderate. (adj.) Módico *(móddiccoh)*.

Modern. Moderno *(moddáir-noh)*.

Modesty. Modestia *(moddes-téar)*.

Modify. Modificar *(moddiffic-kárr)*.

Molar. Muela *(mwéller)*.

Mole. Lunar *(loonárr)*.

Molestation. Molestia *(mol-léstea)*.

Moment. Momento *(mommén-toh)*.

Monarchy. Monarquía *(mon-narkēērr)*.

Monday. Lunes *(lōōness)*.

Money. Dinero *(dinndírroh)*.

Monologue. Monólogo *(mon-nóllogoh)*.

Monomania. Monomanía *(mon-nomunnēēr)*.

Monopoly. Monopolio *(mon-nopóllioh)*.

Monosyllable. Monosílabo *(monnosíllubboh)*.

Monster. Monstruo *(móns-troo.oh)*.

Monstrosity. Monstruosidad *(monstroo.óssidúd)*.

Monstrous. Monstruoso *(mons-troo.ósooh)*.

Month. Mes *(mess)*.

Monthly. Mensual *(mensoo.úl)*.

Monument. Monumento *(mon-noomántoh)*.

Moon. Luna *(lōōner)*.

Moor. (v.) Atracar *(uttruc-kárr)*.

Moor. (s.) Moro *(mórroh)*.

Moral. Moral *(morrúll)*.

Morally. Moralmente *(morrul-ménteh)*.

More. Más *(muss)*.

Morning star. Lucero *(loo-tháiroh)*.

Mortal. Mortal *(morrtúll)*.

Mortify. Mortificar *(morrtif-ficárr)*.

Mosaic. Mosaico *(mossáh.ic-coh)*.

Mosquito net. Mosquitero (*mosskittáiroh*).
Moth. Polilla (*póllilyer*).
Mother. Madre (*múddreh*).
Mother-in-law. Suegra (*swégrah*).
Motive. Motivo (*mottéévoh*).
Motive force. Motriz (*mottréëth*).
Motor. Motor (*mottórr*).
Motor bus. Autobús (*owtohbóöss*).
Motor car. Automóvil (*owtohmóvvil*).
Motor road. Autopista (*owtoppíster*).
Motorist. Automovilista (*ommtommóvvellister*).
Motto. Lema (*lémmer*).
Mould. Molde (*móldeh*).
Moulding. Moldura (*moldöörer*).
Mount. Montar (*montárr*).
Mountain. Montaña (*montúnyer*).
Mounter. Montador (*montuddórr*).

Mournful. Lúgubre (*lóögoobreh*).
Mourning. Luto (*lóötoh*).
Mouse. Ratón (*ruttón*).
Move. (v.) Mover, conmover (*movvárrr, conmovváirr*).
Move. (s.) Traslado (*truslúddoh*).
Move house. Trasladar (*trusluddárr*).
Movement. Movimiento (*movvimyéntoh*).
Much. Mucho (*möötchoh*).
Mud. Barro, fango (*búrroh, fúngoh*).
Muddy. Turbio (*tóörrbtoh*).
Mule. Mula (*mööler*).
Multiplication. Multiplicación (*moolttiplicuthéíon*).
Multiply. Multiplicar (*moolttipliccárr*).
Multitude. Multitud (*moolttitööd*).
Municipal Corporation. Ayuntamiento (*ahyööntermyéntoh*).

Murder. (v.) Asesinar (*ussessinárr*).
Murder. (s.) Homicidio (*ommethiddeo*).
Murderer. Asesino (*usseséënoh*).
Murmur. (v.) Murmurar (*moorrmoorrárr*).
Murmur. (s.) Murmullo (*moorrmöölyoh*).
Muscatel. Moscatel (*mosscuttéll*).
Muscle. Músculo (*möösscooloh*).
Muscular. Musculoso (*mooscoolóssoh*).
Museum. Museo (*moossáyoh*).
Mushroom. Seta (*sétter*).
Music. Música (*moosicker*).
Muting. Motín (*mottéën*).
Mutton. Carnero (*carrnáirroh*).
Mutual. Mutuo (*möötloo.oh*).
Muzzle. Bozal (*botnúll*).
My. Mi (*me*).
Mystery. Misterio (*mistáirreoh*).

N

Nacre. Nácar (*núcker*).
Nail. (s.) Clavo (*clárvoh*).
Nail. (v.) Clavar (*cluvvárr*).
Naked. Desnudo (*desnóödoh*).
Name. (v.) Nombrar (*nombráirr*).
Name. (s.) Nombre (*nómbreh*).
Name. Nombre (*nómbreh*).
Nap. Siesta (*syéster*).
Napkin. Servilleta (*sairrvilyétter*).
Narcissus. Narciso (*narrthissoh*).
Narrate. Relatar, explicar (*relluttár, explickárr*).
Narration. Relato (*rellúttoh*).
Narrow. Estrecho (*estrétchoh*).
Nation. Nación (*nutheón*).
Nativity. Natividad (*nuttivvidúd*).
Natural. Natural (*nuttoorúll*).
Naturalness. Naturalidad (*nuttoorrullidúd*).
Nature. Naturaleza, índole (*nuttoorrulléther, indolleh*).
Naughty. Travieso (*truvvyéssoh*).
Navel. Ombligo (*ombléëgoh*).

Navigate. Navegar (*nuvvegárr*).
Navigation. Navegación (*núvvegútheón*).
Navy. Armada, marina (*urmárder, murréëner*).
Near. (adv.) Cerca (*tháirrker*).
Near. (adj.) Cercano (*thirrcúnnoh*).
Necessary. Menester (*mennéstáir*).
Necessity. Forzoso (*forrthóssoh*).
Neck. Cuello (*kwéllyoh*).
Need. (v.) Necesitar (*nethessitár*).
Need. (s.) Necesidad (*nethessidúd*).
Needle. Aguja (*uggóöher*).
Negation. Negación (*neggutheón*).
Negative. Negativa (*neggutéëver*).
Negligence. Negligencia (*negglihéntheur*).
Negotiate. Agenciar, negociar (*uhhénthearr, neggotheárr*).

Neigh. Relinchar (*rellintchárr*).
Neighbour. Próximo, vecino (*próximoh, vethéënoh*).
Neighbourhood. Vecindad (*vethindúd*).
Neither. Tampoco, ni (*tumpóccoh, nee*).
Nephew. Sobrino (*sobréënoh*).
Nerve. Nervio (*náirrveoh*).
Nervous. Nervioso (*nairrveóssoh*).
Nest. (s.) Nido (*néëdoh*).
Nest. (v.) Anidar (*unneedárr*).
Net. Red (*red*).
Neuter. Neutro (*náyootroh*).
Neutral. Neutral (*nayootrúll*).
Never. Nunca, jamás (*nöönker, hummús*).
New. Nuevo (*nwévvoh*).
Newspaper. Periódico (*perrióddicoh*).
Nice. Simpático (*simputticoh*).
Nickel. Níquel (*nickéll*).
Nicotine. Nicotina (*nickottéëner*).
Niece. Sobrina (*sobréëner*).

Night. Noche *(nötcheh)*.

Night out. Trasnochar *(trus-notchárr)*.

Nine. Nueve *(nwévveh)*.

Ninety. Noventa *(novvénter)*.

Ninth. Novena *(novvénner)*.

No. No *(noh)*.

Nobility. Hidalguía, nobleza *(iddulgéar, nobléther)*.

Noble. Noble *(nóbbleh)*.

Nobody. Nadie *(núddi.eh)*.

Noise. Ruido, estrépito *(roo-éédoh, estréppitoh)*.

Noisy. Ruidoso *(roo.iddóssoh)*.

Nominal. Nominal *(nommin-núl)*.

Nomination. Nombramiento *(nombrummyéntoh)*.

None. Ningún *(ningóon)*.

Nonsense. Disparate, tontería *(dispurrárrteh, tonterréar)*.

Noon. Mediodía *(méddioh.-déar)*.

Nor. Ni *(nee)*.

Normal. Normal *(norrmúll)*.

Normality. Normalidad *(norr-mullidúd)*.

North. Norte *(nórrteh)*.

Northeast. Nordeste *(norr-déssteh)*.

Nose. Nariz *(nurréeth)*.

Notability. Notabilidad *(not-tubbillidúd)*.

Notary. Notario *(nottárreoh)*.

Notary's office. Escribanía *(escribbunnéar)*.

Notch. Mellar *(mellyárr)*.

Note. (v.) Anotar *(únnotárr)*.

Note. (s.) Nota *(nótter)*.

Nothing. Nada *(nárder)*.

Notice. Noticia, aviso *(not-téethea, uvvéésoh)*.

Novel. Novela *(novvéller)*.

Novelty. Novedad *(novved-dúd)*.

November. Noviembre *(nov-vyémbreh)*.

Novice. Novicio *(novvitheo)*.

Novitiate. Noviciado *(novvi-thiúddoh)*.

Noxious. Nocivo *(nothéévoh)*.

Nudity. Desnudez *(desnoo-déth)*.

Null. Nulo *(nóöloh)*.

Number. Número *(nóömairoh)*.

Numerous. Numeroso *(noo-mairróssoh)*.

Nuptials. Nupcias *(nööp-theus)*.

Nurse. (v.) Amamantar *(um-múmmuntárr)*.

Nurse. (s.) Aya, nodriza *(áryer, nozdrééther)*.

Nursery garden. Plantel *(pluntél)*.

Nut. Tuerca *(twáirker)*.

Nutrition. Nutrición *(nootri-theón)*.

O

Oak. Roble, encina *(róbbleh, enthééner)*.

Oar. Remo *(rémmoh)*.

Oath. Juramento *(hoorer.-méntoh)*.

Obedience. Obediencia *(obbe-dyénthia)*.

Obedient. Obediente *(obbed-dyénteh)*.

Obey. Obedecer *(obbedde-tháirr)*.

Object. Objeto *(obhéttoh)*.

Objection. Objeción *(obye-thión)*.

Obligation. Obligación *(obli-guthéon)*.

Obligatory. Obligatorio *(oblig-guttórioh)*.

Oblige. Obligar *(obligárr)*.

Oblique. Oblicuo *(obliquoh)*.

Observance. Observancia *(ob-sairrvúnthea)*.

Observation. Observación *(ob-sairrvuthéon)*.

Observatory. Observatorio *(obsairrvuttórioh)*.

Observe. Observar *(obsáirr-várr)*.

Obstacle. Obstáculo *(obstúc-kooloh)*.

Obstinacy. Porfía, terquedad *(porrféar, tairrkeddúd)*.

Obstinate. Obstinado, terco *(obstinnúddoh, táirrcoh)*.

Obstinately. Tercamente *(tairrcumménteh)*.

Obstination. Obstinación *(obs-tinnuthéón)*.

Obstruct. Obstruir *(obstroo-éérr)*.

Obstruction. Estorbo *(estórr-boh)*.

Obtain. Obtener *(obtennáirr)*.

Occasion. Ocasión *(occusséon)*.

Occident. Occidente *(octhid-dénteh)*.

Occidental. Occidental *(oc-thiddentúll)*.

Occupation. Ocupación *(oc-cooputhéon)*.

Occupy. Ocupar *(occoopárr)*.

Occur. Ocurrir *(occoréér)*.

Occurrence. Ocurrencia *(oc-coorrénthea)*.

Ocean. Océano *(otháy.unnoh)*.

October. Octubre *(octóöbreh)*.

Odd. Impar *(imparr)*.

Odious. Odioso *(oddióssoh)*.

Offence. Ofensa *(offénser)*.

Offend. Agraviar, ofender *(uggruvveárr, offendáirr)*.

Offer. (v.) Ofrecer *(offre-tháirr)*.

Offer. (s.) Oferta *(offáirr-ter)*.

Offering. Donativo, ofrecimiento *(donnertéévoh, of-fréthimyéntoh)*.

Office. Despacho, oficina *(des-pútchoh, offithééner)*.

Often. A menudo *(ummen-nóödoh)*.

Oh! Oh! *(oh)*.

Oil. Aceite *(utháyteh)*.

Oil can. Aceitera *(uthéyit-táyrer)*.

Ointment. Ungüento *(oon-gwéntoh)*.

Old. Viejo, anciano *(vyéh.hoh, úntheúnnoh)*.

Old age. Vejez *(vehhéth)*.

Olive. Aceituna *(úthettööner)*.

Omelet. Tortilla *(torrtilyer)*.

Omit. Omitir *(ommittéérr)*.

Ommission. Omisión *(ommis-seón)*.

Omnibus. Ómnibus *(ómni-booss)*.

Omoplate. Omóplato *(ommó-pluttoh)*.

On. Sobre, encima de *(sób-breh, enthéémer deh)*.

Once. Una vez *(óöner véth)*.

One. Uno, una *(óönoh, ööner)*.

One-eyed. Tuerto *(twáirrtoh)*.

One-handed. Manco *(mún-coh)*.

Onion. Cebolla *(thebbóllyer)*.

Only. Solamente *(sollermén-teh)*.

Opaque. Opaco (oppúckoh).

Open. (adj.) Abierto (ubbyáirtoh).

Open. (v.) Abrir (ubbrëërr).

Opera. Ópera (ópperrah).

Operate. Operar (opperrárr).

Operation. Operación (opperrutheón).

Opinion. Opinión, dictamen (oppinneón, dictármen).

Opportunity. Oportunidad (opportoonidúd).

Opposite. Opuesto (opwéstoh).

Opposition. Oposición (oppossitheón).

Oppression. Opresión (opresseón).

Oppressor. Abrumador (ubbröömer.dórr).

Opulence. Opulencia (oppoolénthea).

Opulent. Opulento (oppoolléntoh).

Orange. Naranja (nurrúnker).

Orange blossom. Azahar (úther.hárr).

Orang-outang. Orangután (orrungootún).

Oratory. Oratorio (orruttórrioh).

Orbit. Órbita (órrbitter).

Orchestra. Orquesta (orrkésster).

Order. (s.) Orden, encargo, consigna (órrden, encárrgoh, consíggner).

Order. (v.) Ordenar (orrdennárr).

Ordinary. Ordinario (orrdinnúrrioh).

Ordination. Ordenanza (orrdinnúnther).

Organ. Órgano (órgunnoh).

Organisation. Organización (orrgunnithútheón).

Organism. Organismo (orrgunnismoh).

Orient. Oriente (orriénteh).

Oriental. Oriental (orriontúll).

Orientation. Orientación (orrientutheón).

Original. Original (orrigginnúl).

Orphan. Huérfano (wérfunnoh).

Orthography. Ortografía (ortoggruffèa).

Oscillation. Oscilación (ossilutheón).

Ostentation. Alarde (úllárrdeh).

Ostentation. Ostentación (ostentutheón).

Ounce. Onza (ónther).

Our, ours. Nuestro (nwéstroh).

Out. Fuera (fwáirrer).

Oven. Horno (órrnoh).

Overcoat. Abrigo (ubbrëëgoh).

Overcome. Vencer, sobrevenir (ventháirr, sobbreh.vennëërr).

Overfloat. Sobrenadar (sobbrehnuddárr).

Overflow. Rebosar (rebbossárr).

Overheat. Achicharrar (utchitohurrárr).

Overseer. Capataz (cuppertúth).

Owl. Búho (böö.oh).

Ox. Buey (bwáy).

Oxigen. Oxígeno (oxihhennoh).

P

Pacific. Pacífico (puthífficoh).

Pacify. Pacificar (pussifficárr).

Pack. Embalar (embullárr).

Padlock. Candado (cundárdoh).

Page. Página (púhhinner).

Pain. (s.) Pena (pénner).

Pain. (v.) Penar (pennárr).

Painful. Penoso (pennóssoh).

Paint-brush. Brocha, pincel (brótcher, pinsél).

Painter. Pintor (pintórr).

Painting. Pintura (pintóörer).

Pair. Pareja, par (purréhher, parr).

Palace. Palacio (pullútheoh).

Palate. Paladar (pulluddárr).

Pale. Pálido (púlliddoh).

Paleness. Palidez (pulliddéh).

Palette. Paleta (pullétter).

Palisade. Empalizada (empullithárder).

Palm. Palma (púllmer).

Palm-tree. Palmera (pullmáirrer).

Palpable. Palpable (pulpúbleh).

Palpitate. Palpitar (pulpitárr).

Palpitating. Palpitante (pulpitúnteh).

Palpitation. Palpitación (pulpitutheón).

Pampa. Pampa (púmper).

Pamphlet. Folleto (foylléttoh).

Pan. Cazuela (cuthuéller).

Panic. Pánico (púnnicoh).

Panorama. Panorama (punnorrúmmer).

Pantheon. Panteón (punteón).

Panther. Pantera (puntáirrer).

Paper. Papel (puppél).

Paper (a sheet). Pliego (plyéggoh).

Parade. Desfilar (desfillárr).

Paradise. Paraíso (purrer.issoh).

Paralize. Paralizar (purrer.lithárr).

Parallel. Paralelo (purrerlélloh).

Paralyse. Entorpecer, paralizar (entórpetháirr, púrrullitharr).

Parapet. Parapeto (purrer.pettoh).

Parasol. Sombrilla (sombrilyer).

Parcel. Paquete (pukkétteh).

Parchment. Pergamino (pairrgummëënoh).

Pardon. Indulto, perdón (indöóltoh, pairrdón).

Parenthesis. Paréntesis (purrréntessiss).

Parish. Parroquia (purróckeer).

Parliament. Parlamento (parrlumméntoh).

Parlour. Locutorio (lockootórreoh).

Parody. (s.) Parodia (purróddear).

Parody. (v.) Parodiar (parroddeárr).

Parricide. Parricida, parricidio *(purrithéēder, purrithíddeoh)*.

Parrot. Papagayo *(puppergáhyoh)*.

Part. Parte *(párrteh)*.

Partial. Parcial *(parrtheúl)*.

Particular. Particular *(parrticoolárr)*.

Particularidad. Particularidad *(parrticoolurridúd)*.

Partition. Tabique *(tubbēēkeh)*.

Partner. Socio *(sótheoh)*.

Pass. Pasar *(pussárr)*.

Passage. Pasaje *(pussúhheh)*.

Passenger. Pasajero *(pusser.-háirroh)*.

Passerby. Transeúnte *(trunsay.óōnteh)*.

Passion. Pasión *(pusseón)*.

Passive. Pasivo *(pussēēvoh)*.

Passport. Pasaporte *(pusserpórrteh)*.

Paste. Pasta *(pússter)*.

Pasture. Pasto *(pústoh)*.

Patch. Parche, remiendo *(párrtcheh, remmyéndoh)*.

Patent. Patente *(putténteh)*.

Patent leather. Charol *(churról)*.

Paternal. Paternal *(puttáirrnúl)*.

Paternity. Paternidad *(puttairrniddúd)*.

Path. Senda, sendero *(sénder, sendáirroh)*.

Patience. Paciencia *(puthyénthea)*.

Patrimony. Patrimonio *(puttrimónnioh)*.

Patriotism. Patriotismo *(puttriotíssmoh)*.

Pattern. Patrón *(puttrón)*.

Pause. Pausa *(pōwser)*.

Pave. Adoquinar *(uddóckinárr)*.

Pavement. Acera, empedrado, pavimento *(utháirer, empedrárdoh, puvviméntoh)*.

Pavillion. Pabellón *(pubbelyón)*.

Pawn. Empeñar *(empenyárr)*.

Pay. Pagar *(puggárr)*.

Pay duty. Adeudar *(uddáyoodárr)*.

Payment. Pago *(púggoh)*.

Peace. Paz *(púth)*.

Peartree. Peral *(perrúll)*.

Pebble. Guijarro *(ghihhúrroh)*.

Peculiar. Peculiar *(peckooleárr)*.

Pedal. Pedal *(peddúll)*.

Pedant. Pedante *(peddúnteh)*.

Pedestrian. Pedestre *(peddéstreh)*.

Peel. (s.) Cáscara *(cússkurrer)*.

Peel. (v.) Mondar, pelar *(mondárr, pellárr)*.

Peep. Asomar *(ussohmárr)*.

Peg. Tarugo *(turróōgoh)*.

Pen. Pluma *(plōōmer)*.

Pencil. Lápiz *(lúppith)*.

Pendent. Pendiente *(pendyénteh)*.

Penetrate. Penetrar *(pennetrárr)*.

Peninsula. Península *(penninsooler)*.

Pension. Pensión *(pensión)*.

Penitence. Penitencia *(penniténthea)*.

Penultimate. Penúltimo *(pennōōltimmoh)*.

People. (s.) Gente, pueblo *(hénteh, pwébloh)*.

People. (v.) Poblar *(poblárr)*.

Pepper. Pimiento *(pimmyéntoh)*.

Perceive. Apercibir *(uppáirthebbēēr)*.

Perch. Percha *(páirrtcher)*.

Perfect. Perfecto *(pairrféctoh)*.

Perfectly. Perfectamente *(pairrfcectérmenteh)*.

Perfidy. Perfidia *(pairrfiddea)*.

Perforate. Perforar, acribillar *(páirforrárr, uckríbbilyárr)*.

Perform. Funcionar *(foontheonnárr)*.

Perfume. (s.) Perfume *(pairrfōōmeh)*.

Perfume. (v.) Sahumar *(sah.oomárr)*.

Perfumer's. Perfumería *(pairrfoomerréar)*.

Perhaps. Acaso, quizá *(uckússoh, keethárr)*.

Period. Período *(perrēē.oddoh)*.

Perish. Perecer *(perrítháirr)*.

Permanent. Permanente *(pairrmunnénteh)*.

Permit. Permitir *(pairrmittēēr)*.

Perpendicular. Perpendicular *(pairrpendicoolúr)*.

Perpetual. Perpetuo *(pairrpéttoo.oh)*.

Persecute. Perseguir *(pairrseggēērr)*.

Persecution. Persecución *(páirrseckootheón)*.

Persist. Persistir *(pairrsistēēr)*.

Person. Persona *(pairrsónner)*.

Personage. Personaje *(pairrsonnúhheh)*.

Personality. Personalidad *(pairrsonnullidúd)*.

Personally. Personalmente *(pairrsonnulménteh)*.

Perspications. Perspicaz *(pairrspicúth)*.

Persuade. Persuadir *(pairrswuddēēr)*.

Pervert. Pervertir *(pairrvairrtēēr)*.

Pest. Peste *(pésteh)*.

Petition. Petición *(pettitheón)*.

Petroleum. Petróleo *(pettrólleoh)*.

Phantom. Fantasma *(funtússmer)*.

Phase. Fase *(fússy)*.

Phenomenon. Fenómeno *(fennómennoh)*.

Philosopher. Filósofo *(fillóssoffoh)*.

Philosophy. Filosofía *(fillosoféar)*.

Phonograph. Fonógrafo *(fonnóggruffoh)*.

Photographer. Fotógrafo *(fotóggruffoh)*.

Photography. Fotografía *(fóttoggrufféar)*.

Physician. Médico *(méddicoh)*.

Physiognomy. Fisionomía *(fissonnómmea)*.

Piano. Piano *(peúnnoh)*.

Pick-axe. Azadón *(utherdón)*.

Pickpocket. Ratero *(ruttáirroh)*.

Picture. Cuadro *(kwúdroh)*.

Pie. Pastel *(pustél)*.

Piece. Pieza, trozo, pedazo *(pyéther, tróthoh, peddúthoh)*.

Piety. Piedad *(pé.eddúd)*.

Pig. Cerdo, puerco *(tháirrdoh, pwáirrcoh)*.

Pigeon-house. Palomar *(pullommárr)*.

Pigsty. Zahurda *(thuh.óōrder)*.

Pile. Pila *(pēēler)*.

Pilgrimage. Romería *(rommerréarr)*.

Pillar. Pilar *(pillárr)*.

Pillow (small). Almohadilla *(úllmoher.dillyer)*.

Pin. Alfiler *(ullfillárr)*.

Pincers. Alicates *(ullicártess)*.

Pinch. (s.) Pellizco (*pellyíthcoh*).

Pinch. (v.) Pinchar (*pintchárr*).

Pine. Pino (*pēēnoh*).

Pine-apple. Piña (*pēēnyer*).

Pine nut. Piñón (*pinyón*).

Pine wood. Pinar (*pinnárr*).

Pip. Pepita (*peppēēter*).

Pipe. Pipa (*pēēper*).

Pirate. Pirata (*pirrútter*).

Pistol. Pistola (*pistóller*).

Piston. Pistón (*pistón*).

Pitcher. Cántaro (*cúntarroh*).

Pitiful. Lastimoso (*lustimmóssoh*).

Pity. (v.) Compadecer (*compúddethárr*).

Pity. (s.) Compasión, lástima (*compusseón, lústimmer*).

Place. (v.) Colocar (*collocárr*).

Place. (s.) Lugar, plaza, sitio (*loogárr, plúther, sittioh*).

Plagiarize. Plagiar (*pluggeárr*).

Plague. Plaga (*plúgger*).

Plain. (s.) Llanura (*lyunōōrer*).

Plain. (adj.) Plano (*plúnnoh*).

Plan. Plan (*plún*).

Planet. Planeta (*plunnétter*).

Plane-tree. Plátano (*plúttunnoh*).

Plant. (s.) Planta (*plúnter*).

Plant. (v.) Plantar (*pluntárr*).

Plaster. Yeso (*yéssoh*).

Plate. (v.) Chapear (*chuppeárr*).

Plate. (s.) Plancha, plato, lámina (*plúntcher, plúttoh, lúmminner*).

Platform. Plataforma (*plútterfórrmer*).

Platinum. Platino (*pluttēēnoh*).

Play. Jugar (*hoogárr*).

Plead. Pleitear (*pláyitteárr*).

Pleasant, pleasing. Agradable (*úggruddúbleh*).

Please. Agradar, complacer (*úggruddárr, compluthárr*).

Pleasure. Placer (*pluthárr*).

Pledge. Prenda (*prénder*).

Plenitude. Plenitud (*plenittōōd*).

Plough. Arado (*urrárdoh*).

Plumber. Lampista (*lumpister*).

Plunder. Saqueo (*suckéh.oh*).

Plural. Plural (*ploorúl*).

Pneumatic. Neumático (*nay.-oomútticoh*).

Pneumonia. Pulmonía (*poolmónnear*).

Pocket-book. Cartera (*carrtáirrer*).

Poet. Poeta (*poh.étter*).

Poetical. Poético (*poh.étticoh*).

Poetry. Poesía (*poh.essēēr*).

Point. (v.) Apuntar (*uppoontárr*).

Point. (s.) Punto, punta (*pōōntoh, pōōnter*).

Point out. Señalar (*senyulárr*).

Poison. (v.) Envenenar, atosigar (*envéninnárr, uttóssigárr*).

Poison. (s.) Veneno (*vennénnoh*).

Poisonous. Venenoso (*vennennóssoh*).

Polar. Polar (*pollárr*).

Pole. Polo (*pāwloh*).

Police. Policía (*pollithéa*).

Polish. Bruñir (*broonyéarr*).

Polite. Cortés (*corrtés*).

Politeness. Cortesía (*corrtesséar*).

Politics. Política (*pollitticker*).

Pond. Estanque (*estúnkeh*).

Ponder. Ponderar (*ponderárr*).

Poniard. Puñal (*poonyúll*).

Pontiff. Pontífice (*pontifftheh*).

Poop. Popa (*pópper*).

Poor. Pobre (*póbbreh*).

Poplar. Álamo (*úllummoh*).

Popular. Popular (*poppoolárr*).

Popularity. Popularidad (*poppoolurridúd*).

Population. Población (*poblutheón*).

Porc. Tocino (*tothēēnoh*).

Porch. Atrio, portal, zaguán (*úttreo, pórrtáll, thuggwún*).

Pore. Poro (*pāwroh*).

Portable. Portátil (*porrtúttil*).

Porter. Portero, mozo (*porrtáiroh, móthoh*).

Portion. Porción (*porrtheón*).

Portmanteau. Valija (*vullēēher*).

Portrait. Retrato (*rettrúttoh*).

Portray. Retratar (*rettruttárr*).

Portuguese. Portugués (*porrtooguéss*).

Position. Posición (*possittheón*).

Positive. Positivo (*possittēēvoh*).

Possess. Poseer (*possay.áirr*).

Possessor. Poseedor (*possay.-iddórr*).

Possibility. Posibilidad (*possibbilidúd*).

Possible. Posible (*possēēbleh*).

Post. Correo (*curráy.oh*).

Postman. Cartero (*carrtáirroh*).

Postage. Franqueo (*frunkáyoh*).

Postal. Postal (*postúll*).

Posterior. Posterior (*posterreórr*).

Posterity. Posteridad (*posterridúd*).

Posthumous. Póstumo (*pósstoomoh*).

Postpone. Aplastar (*upplustárr*).

Posture. Postura (*postōōrer*).

Pot. Olla (*óllyer*).

Pot (food). Puchero (*pootchárroh*).

Potash. Potasa (*pottússer*).

Potatoe. Patata (*puttútter*).

Pothook. Garabato (*gurrerbártoh*).

Pottage. Potaje (*pottúh.heh*).

Pound. Libra (*lēēbrer*).

Poverty. Pobreza (*pobréther*).

Powder. (s.) Polvo (*pólvoh*).

Powder. (v.) Empolvar (*empolvárr*).

Power. Poder (*poddáirr*).

Powerful. Poderoso, pudiente (*podderróssoh, poodyénteh*).

Practicable. Practicable (*prukticúbbleh*).

Practice. (s.) Práctica (*prúckticker*).

Practice. (v.) Practicar (*pruckticárr*).

Praise. (s.) Alabanza, elogio (*uller.búnther, ellohheoh*).

Praise. (v.) Alabar (*ullerbárr*).

Praiseworthy. Laudable (*lowdúbleh*).

Pray. Orar, rezar, rogar (*orrárr, rethárr, roggárr*).

Prayer. Oración, súplica (*orrutheón, sōōplicker*).

Preach. Predicar (*preddicárr*).

Preamble. Preámbulo (*preh.-úmbooloh*).

Precaution. Precaución (pre-ckowtheón).

Precept. Precepto (presséptoh).

Preceptor. Preceptor (pres-septórr).

Precious. Precioso (pretheós-soh).

Precipice. Precipicio (prethip-pitheoh).

Precipitate. Precipitar (pre-thippittárr).

Precipitation. Precipit a c i ó n (prethippittutheón).

Precise. (v.) Precisar (pre-thissárr).

Precise. (adj.) Preciso (pre-thēēso).

Precisely. Precisamente (pre-thisserménteh).

Precision. Precisión (prethis-seón).

Predestinate. P r e d e s t i n a r (predestinnárr).

Predestination. Predestinación (preddestinnutheón).

Predomination. Predominio (preddomminneoh).

Preface. Prefacio (peffútheoh).

Prefer. Preferir (prefferrēēr).

Preferable. Preferible (pref-ferrēēbleh).

Preference. Preferencia (pref-ferrénthea).

Prejudice. Perjuicio (pairr-hwítheo).

Prejudicial. Perjudicial (pairr-hooditheúl).

Preliminary. Preliminar (prel-limminnárr).

Prelude. Preludio (prellōōdioh).

Premeditation. Premeditación (premmedditatheón).

Preoccupation. Preocupación (preh.occooputheón).

Preparation. P r e p a r a c i ó n (preppurrutheón).

Preparative. P r e p a r a t i v o (preppurruttēēvoh).

Prepare. Preparar (preppur-rárr).

Preposition. Preposición (prep-possitheón).

Presage. Presagio (pressúh-heoh).

Prescribe. Recetar (rethet-tárr).

Prescription. Receta (rethét-ter).

Presence. Presencia (pressén-thear).

Present. (v.) Obsequiar, re-galar, presentar (obsék-kyarr, reggullárr, pressen-tárr).

Present. (s.) Regalo (reggúl-loh).

Presentation. Obsequio (ob-sékkeoh).

Presentiment. Presentimiento (pressentimyéntoh).

Preservation. Conser v a c i ó n (consairrvútheón).

Preserve. Conservar, preservar (consairrvárr, pressairrvárr).

Preside. Presidir (pressidēēr).

Presidence. Presidencia (pres-siddénthea).

President. Presidente (pres-sidénteh).

Press. (v.) Estrujar (estroo-hárr).

Press. (s.) Prensa (prénser).

Pressure. Presión (presseón).

Prestige. Prestigio (prestíh-heoh).

Presume. Presumir (pressoo-mēērr).

Pretend. Fingir (finhēērr).

Pretender. Pretendiente (pret-tendyenteh).

Pretension. Pretensión (pret-tenseón).

Pretext. Pretexto (prettéxtoh).

Prevent. Evitar, precaver (ev-vitárr, preckuvvárr).

Prevention. Prevención (pre-ventheón).

Preventive. Preventivo (prev-ventēēvoh).

Price. Precio (prétheoh).

Prick. (v.) Picar, pinchar (picárr, pintchárr).

Prick. (s.) Picadura (picker-dōōrer).

Pricking. Punzante (poon-thúnteh).

Pride. Soberbia, orgullo (sob-bāirrbear, orgōōlyoh).

Priest. Sacerdote (sutherdót-teh).

Prime. Prima (prēēmer).

Primitive. Primitivo (prim-mittēēvoh).

Principal. Principal (printhip-púl).

Print. (s.) Impreso (imprés-soh).

Print. (v.) Imprimir (imprim-mēērr).

Printer. Impresor (impres-sorr).

Printer's error. Errata (er-rárter).

Printing works. Imprenta (imprénter).

Prison. Cárcel, prisión (cárr-thel, prisseón).

Prisoner. Preso (préssoh).

Privilege. Privilegio (privvil-léhheoh).

Privileged. Privilegiado (priv-villehheúddoh).

Prize. Premio (prémmeoh).

Probability. P r o b a b i l i d a d (probberbilliddúd).

Probable. Probable (probbúb-bleh).

Problem. Problema (problém-mer).

Process. Proceso (prothéssoh).

Procession. Procesión (pro-thesseón).

Procure. Procurar (prockoo-rárr).

Prodigious. Portentoso (porr-tentóssoh).

Prodigy. Prodigio, portento (prodíhheo, porrténtoh).

Producer. Productor (prod-doocktórr).

Product. Producto (proddōōck-toh).

Profanation. P r o f a n a c i ó n (proffunnutheón).

Profess. Profesar (proffes-sárr).

Profession. Profesión (prof-fesseón).

Professor. Profesor (proffes-sórr).

Profile. Perfil (pairrjēēl).

Profit. Aprovechar (úpprov-vetchárr).

Profit. Beneficio, provecho (bénneffēētheoh, provétcho).

Profitable. Provechoso (prov-vetchóssoh).

Prognostic. Pronóstico (pro-nósticoh).

Program. Programa (prog-grámmer).

Progress. (v.) Progresar (pro-gressárr).

Progress. (s.) Progreso (pro-gréssoh).

Project. Proyecto (proyéctoh).

Projectil. Proyectil (proyéck-til).

Projection. Proyección (pro-yectheón).

Proletarian. Proletario (prol-lettárreoh).

Prolix. Prolijo (prollíhhoh).

Prologue. Prólogo (próllog-goh).

Prolong. Prolongar *(prollongárr)*.

Promenade. Rambla *(rámbler)*.

Prominence. Realce *(ray.íltheh)*.

Promise. (v.) Prometer *(prommettáirr)*.

Promise. (s.) Promesa *(prommésser)*.

Promissory note. Pagaré *(puggerréh)*.

Promontory. Promontorio *(prommonttórreoh)*.

Promote. Promover *(prommovvárr)*.

Promptness. Prontitud *(prontittóod)*.

Pronoun. Pronombre *(pronnómbreh)*.

Pronunciation. Pronunciación *(pronnoontheuthéon)*.

Proof. Prueba *(prwébber)*.

Propaganda. Propaganda *(proppergúnder)*.

Propagate. Propagar *(proppergárr)*.

Propense. Propenso *(proppénsoh)*.

Proper. Propio *(próppeoh)*.

Property. Propiedad *(proppeerdúd)*.

Prophesy. Profecía *(proffethéar)*.

Prophet. Profeta *(proffétter)*.

Proportion. Proporción *(propporrthéon)*.

Propose. Proponer *(propponnáirr)*.

Proposition. Proposición *(proppossithéon)*.

Proprietor. Propietario *(próppi.ettúrreoh)*.

Prorrogation. Prórroga *(prórrogger)*.

Prose. Prosa *(prósser)*.

Prosody. Prosodia *(prossóddea)*.

Prospectus. Prospecto *(prospéctoh)*.

Prosper. Prosperar *(prosperrárr)*.

Prosperity. Prosperidad *(prosperridúd)*.

Protect. Amparar, proteger *(úmpurrárr, prottehháirr)*.

Protection. Protección *(protecktheón)*.

Protector. Protector *(protecktórr)*.

Protest. (s.) Protesta *(prottéster)*.

Protest. (v.) Protestar *(prottestárr)*.

Protestant. Protestante *(prottestúnteh)*.

Proud. Soberbio, orgulloso *(sobbáirrbeoh, orgoolyóssoh)*.

Proverb. Proverbio, refrán *(provváirrbeoh, refrrán)*.

Proverbial. Proverbial *(provvairrheúl)*.

Providence. Providencia *(provviddéntheer)*.

Providential. Providencial *(provviddentheúl)*.

Province. Provincia *(provvinthear)*.

Provincial. Provincial *(provvintheúl)*.

Provisional. Provisional *(provvisseonnúl)*.

Provisions. Víveres *(vééveress)*.

Provocation. Provocación *(provvockuthéon)*.

Provocative. Provocativo *(provvockuttéévoh)*.

Provoke. Provocar *(provvoccárr)*.

Prow. Proa *(práwer)*.

Proximity. Proximidad *(prozimmiddúd)*.

Prudence. Prudencia *(proodénthear)*.

Prudent. Prudente *(proodénteh)*.

Prune. Podar *(poddárr)*.

Pruning knife. Podadera *(poddáirrer)*.

Psalm. Salmo *(súllmoh)*.

Public. Público *(póoblickoh)*.

Publication. Publicación *(pooblicuthéon)*.

Publish. Publicar *(pooblicárr)*.

Publisher. Editor *(eddittór)*.

Pudding (black). Morcilla *(morrthílyer)*.

Pulley. Polea *(polláyer)*.

Pulmonary. Pulmonar *(poolmonnárr)*.

Pulsation. Pulsación *(poolsutheón)*.

Pulse. Pulso *(póolsoh)*.

Pulverize. Pulverizar *(poolverríthárr)*.

Pumpkin. Calabaza *(cúllerbúther)*.

Punch. Ponche *(póntchoh)*.

Punctuality. Puntualidad *(poontoo.ullidúd)*.

Punctuation. Puntuación *(poontoo.uthéon)*.

Punish. (v.) Castigar *(custigárr)*.

Punishment. (s.) Castigo *(custéégoh)*.

Pure. Puro *(póorroh)*.

Purgative. Purgante *(poorgúnteh)*.

Purge. Purgar *(poorgárr)*.

Purity. Pureza *(poorréther)*.

Purpose. Propósito *(proppóssittoh)*.

Purpurine. Purpurina *(poorrpoorééner)*.

Purse. Monedero *(monneddáiroh)*.

Pursue. Proseguir *(prossiggéérr)*.

Pus. Pus *(pooss)*.

Push. Empujar *(empoohhárr)*.

Pusillanimous. Pusilánime *(poossillúnnimmeh)*.

Put. Poner *(ponnáirr)*.

Put in. Meter *(mettáirr)*.

Putrefaction. Putrefacción *(pootreffucktheón)*.

Pyramid. Pirámide *(pirrúmmiddeh)*.

Pyramidal. Piramidal *(pirrer.middúl)*.

Pyrenean. Pirenaico *(pirrennáh.ickoh)*.

Q

Quadrant. Cuadrante *(kwudrúnteh)*.

Qualify. Calificar *(cullificárr)*.

Quality. Calidad *(cullidúd)*.

Quantity. Cantidad *(cuntidúd)*.

Quarantine. Cuarentena *(kwurrentener)*.

Quarrel. Reñir *(renyéérr)*.

Quarry. Cantera *(cuntáirrer)*.

Quarter. (v.) Acuartelar *(uckwúrtellarr)*.

Quarter. (s.) Cuarta parte (kwárterpárty).
Queen. Reina (ray.ēēner).
Quench. Aplacar (úppluckárr).
Question. Cuestión, pregunta (kwesteón, preggōōnter)

Quicksilver. Azogue (uthóggeh).
Quiet. Tranquilo (trunkílloh).
Quietness. Tranquilidad (trunkillidúd).

Quinine. Quine (kēēner).
Quinsy. Angina (unhēēner).
Quotation. Cotización (cottithútheón).
Quote. Cotizar (cottithárr).

R

Rabbit (young). Gazapo (guthúppoh).
Race. Carrera, raza (curráirrer, rúther).
Radiant. Radiante (ruddeúnteh).
Radical. Radical (ruddickúl).
Radish. Rábano (rúbbunnoh).
Raffle. Rifa (rēēfer).
Raft. Balsa (bullser).
Rag. Andrajo, harapo, trapo (undrúhhoh, úrruppoh, trúppoh).
Rage. (s.) Rabia (rúbbear).
Rage. (v.) Rabiar (rubbeárr).
Ragged. Haraposo (urrerpóssoh).
Rag-shop. Trapería (trupperrēēr).
Railway. Ferrocarril (férrocurríll).
Rain. Lluvia (lyōōvia).
Raise. Subir, levantar, alzar (soobēēr, levvuntárr, ullthárr).
Rake. Rastrillo (rustrílyoh).
Ram. Borrego (borráygoh).
Rancid. Rancio (rúntheoh).
Rancorous. Rencoroso (rencorróssoh).
Rancour. Rencor (rencórr).
Range (mountains). Cordillera (cordillydárrer).
Ransack. Saquear (suckeárr).
Ransom. Rescate (rescútteh).
Rapid. Rápido (rúppiddoh).
Rapidity. Rapidez (ruppiddéth).
Rapine. Rapiña (ruppēēnyer).
Rare. Raro (rárroh).
Rarity. Rareza (rurréther).
Rascal. Granuja (grunōōh.her.
Rasp. Raspador (rusperdórr).
Rat. Rata (rútter).
Ration. Ración, cuota (rutheón, quórter).
Rational. Racional (rutheonnúl).
Rattle. Estertor (estairrtór).

Ravage. (v.) Asolar (ússoh.lárr).
Ravage. (s.) Estrago (estrúggoh).
Raw. Crudo (crōōdoh).
Reach. Alcanzar (úllcunthárr).
Read. Leer (layáirr).
Reading. Lectura (lecktōōrer).
Ready. Listo (lístoh).
Real. Real (ray.úl).
Reality. Realidad (ray.ullidúd).
Realize. Realizar (ray.ullithárr).
Ream. Resma (résmer).
Reanimate. Reanimar (ray.unnimárr).
Reaper. Segador (seggudórr).
Reason. Razón (ruthón).
Reasonable. Razonable (ruthonúbleh).
Rebel. (s.) Rebelde (rebbéldeh).
Rebel. (v.) Rebelarse (rebbellárrseh).
Rebound. Resaltar, rebotar (ressultárr, rebbottárr).
Recall. Acordarse (uckorrdárrseh).
Receipt. Recibo (rethēēboh).
Receive. Acoger, recibir (úckohhdirr, réthebbēēr).
Recent. Reciente (rethyénteh).
Reception. Recepción (retheptheón).
Reception clerk. Recepcionista (retheptheonnister).
Recharge. (v.) Recargar (reckárrgárr).
Recharge. (s.) Recargo (reckárrgoh).
Recipient. Recipiente (rethippyénteh).
Reclaim. Reclamar (recklummár).
Recollection. Recolección (reckollecktheón).

Recommend. Encomendar, recomendar (encommendárr, recommendárr).
Recommendation. Recomendación (reckommendutheón).
Record. Acta (úckter).
Recourse. Recurso (recōōrrsoh).
Recover. Recobrar, recuperar (reckobbrárr, recooperárr).
Recreate. Recrear (reckreárr).
Recriminate. Recriminar (reckrimminárr).
Rectify. Rectificar (rectiffícárr).
Rectitude. Rectitud (rectitōōd).
Rector. Rector (réctorr).
Recur. Recurrir (recorrēēr).
Red. Rojo (róh.hoh).
Redeem. Redimir (reddimmēērr).
Redeemer. Redentor (reddentórr).
Redemption. Redención (reddentheón).
Red-hot. Ascua (ússkwer).
Reduce. Rebajar, reducir (rebbuhhárr, reddoothēēr).
Reduction. Reducción, rebaja (reddooktheón, rebbúhher).
Reed. Carrete (currétteh).
Reenlist. Reenganchar (rehenguntchárr).
Re-establish. Restablecer (restublethárr).
Re-establishment. Restablecimiento (restublethimyéntoh).
Refer. Referir (refferrēēr).
Reference. Referencia (refferrénthea).
Reflect. Reflejar, reflexionar (refflehhárr, refflexionnárr).
Reflector. Reverbero (revvebbáirroh).
Reform. (v.) Reformar (refforrmárr).

Reform. (s.) Reforma *(ref-fórrmer)*.

Refresh. Refrescar *(reffrescárr)*.

Refreshment. Refresco *(refréscoh)*.

Regenerate. Regenerar *(reh-hennerrárr)*.

Regeneration. Regener a c i ó n *(rehhennerrutheón)*.

Regent. Regente *(rehhénnteh)*.

Regime. Régimen *(réhhimmen)*.

Region. Región *(rehheón)*.

Register. (v.) Registrar, certificar *(rehhistrárr, tháirrtifficárr)*.

Register. (s.) Registro, matrícula *(rehhistroh, mutricooler)*.

Regular. Regular *(reggoolárr)*.

Regularly. Regularmente *(reggoolarrménteh)*.

Regulate. Reglamentar *(reglermentárr)*.

Regulation. Reglamiento *(reglermyéntoh)*.

Rehabilitate. Rehabilitar *(reh-hubbilittarr)*.

Rehearsal. Ensayo *(ensy.oh)*.

Rehearse. Ensayar *(ensy.árr)*.

Reign. Reinar *(reh.innárr)*.

Reigning. Reinante *(raynúnteh)*.

Reimburse. Reembolsar *(reh.-embolsárr)*.

Rein. Rienda *(re-énder)*.

Reinforcement. Refuerzo *(ref-fwáirrthoh)*.

Reiterate. Reincidir *(reh.in-thiddéërr)*.

Reject. Rechazar *(retchuthárr)*.

Rejoice. Alegrar, -se *(ullegyráry, -soh)*.

Rejoicing. Regocijo *(reggoh.-théëhoh)*.

Rejuvenate. Rejuvenecer *(reh-hoovennetháirr)*.

Relapse. Recaer *(reccah.áirr)*.

Relation. Relación *(rellutheón)*.

Relationship. Parentesco *(purrrentéthcoh)*.

Relative. (s.) Pariente *(purryénteh)*.

Relative. (adj.) Relativo *(rellutteëvoh)*.

Relic. Reliquia *(rellih.kear)*.

Relief. Alivio *(ulléëvioh)*.

Relieve. Aliviar, relevar *(ul-livvéarr, rellevvárr)*.

Religion. Religión *(relíih.heón)*.

Remain. Demorar, restar, permanecer *(demmorrárr, restárr, pairrmunnetháirr)*.

Remainder. Resto *(réstoh)*.

Remarkable. Insigne *(insigneh)*.

Remedy. (v.) Remediar *(remmeddiárr)*.

Remedy. (s.) Remedio *(remméddeoh)*.

Remembrance. Recuerdo *(reckwáirrdoh)*.

Remind. Recordar *(reckorrdárr)*.

Remit. Remitir *(remmittéerr)*.

Remittance. Envío *(envéo)*.

Remorse. R e m o r d i m i e n t o *(remmorrdimmyéntoh)*.

Remote. Remoto *(remmóttoh)*.

Remount. Remontar *(remmontárr)*.

Removal. Mudanza *(moodúnther)*.

Remove. Mudar, quitar, sacar *(moodárr, kittárr, succárr)*.

Remunerate. Remunerar *(remmoonerrárr)*.

Renaissance. Renaci m i e n t o *(rennuthimmyéntoh)*.

Renew. Renovar *(rennovvárr)*.

Renounce. Renunciar *(rennoontheárr)*.

Renown. Renombre *(rennómbreh)*.

Rent. Alquiler, rasgón *(állkildárr, rusgón)*.

Renunciation. Renuncia *(rennöóntheer)*.

Reorganisation. Reorganización *(reh.orrgunnithutheón)*.

Repair. Reparar *(reppurrárr)*.

Reparation. Reparación *(reppurrutheón)*.

Repeat. Repetir *(reppettéërr)*.

Repent. Arrepentirse **úrrep**pentéërseh).

Repentance. Arrepentimiento *(urreppéntimyéntoh)*.

Repertory. Repertorio *(repperrtórréoh)*.

Replace. Reemplazar, reponer *(reh.empluthárr, repponáirr)*.

Reply. Contestar *(contestárr)*.

Reprehend. Reprender *(reprendáirr)*.

Reprehensible. Reprensible *(reprenséëbleh)*.

Represent. Representar *(repressentárr)*.

Representation. Representación *(repressentutheón)*.

Representative. Representante *(repressentúnteh)*.

Repress. Reprimir *(reprimméërr)*.

Reprimand. Reprimenda *(reprimménder)*.

Reproach. Reproche *(reprótcheh)*.

Reproduce. Reproducir *(reproddoothéërr)*.

Reproduction. Reproducción *(reproddooktheón)*.

Reptile. Reptil *(reptéēl)*.

Republic. República *(reppoóblicker)*.

Repugnance. Repug n a n c i a *(reppoognúnthear)*.

Repulsive. Repulsivo *(reppoolséëvoh)*.

Require. Requerir *(reckerréërr)*.

Research. Investigación *(investiggutheón)*.

Reserve. (v.) Reservar *(res-sairrvárr)*.

Reserve. (s.) Reserva *(res-sáirrver)*.

Reside. Residir *(ressiddéërr)*.

Residence. Residencia *(res-sidénthea)*.

Residue. Sobrante *(sobbrúnteh)*.

Resign. Resignarse *(ressignárrseh)*.

Resignation. Dimisión *(demmisseón)*.

Resin. Resina *(ressēëner)*.

Resinous. Resinoso *(ressinnóssoh)*.

Resist. Resistir *(ressistéërr)*.

Resistence. Resistencia *(res-sisténthea)*.

Resolution. Resolución *(ressollootheón)*.

Resolve. Resolver *(ressolváirr)*.

Resonance. Resonancia *(res-sonnúnthea)*.

Resonant. Resonante *(ressonnúnteh)*.

Resound. Retumbar *(rettoombárr)*.

Respect. (v.) Respetar *(res-pettárr)*.

Respect. (s.) Respeto *(respéttoh)*.

Respectable. Respetable *(respettúbleh)*.

Respective. Respectivo *(respectēēvoh)*.

Responsability. Responsabilidad *(responsubbillidúd)*.

Responsable. Responsable *(responsúbbleh)*.

Rest. (v.) Reposar, descansar *(reppossárr, descansárr)*.

Rest. (s.) Reposo, descanso *(reppóssoh, descúnsoh)*.

Restaurant. Restaurante *(restowrúnteh)*.

Restore. Restaurar, restituir *(restowrrárr, restitoo.ēērr)*.

Restrain. Restringuir *(restringgēērr)*.

Resuscitate. Resucitar *(ressoothitárr)*.

Result. (s.) Resultado *(ressooltárdoh)*.

Result. (v.) Resultar *(ressooltárr)*.

Retain. Retener *(rettennáirr)*.

Retard. Retardar *(rettarrdárr)*.

Retention. Retención *(rettentheón)*.

Return. Volver *(volváirr)*.

Retina. Retina *(rettēēner)*.

Retire. Retirar *(rettirrárr)*.

Retouch. Retocar *(rettockárr)*.

Retort. Retorta *(rettórrter)*.

Retreat. Retirada *(retirrárder)*.

Retribute. Retribuir *(rettribboo.ēērr)*.

Retrocede. Retroceder *(rettrotheddáirr)*.

Retrocession. Retroceso *(rettrothéssoh)*.

Return (give back). Devolver *(devvolváirr)*.

Return. (v.) Volver, regresar *(volváirr, regressárr)*.

Return. (s.) Regreso *(regréssoh)*.

Reveal. Revelar *(revvellárr)*.

Revelation. Revelación *(revvelluthcón)*.

Revenue. Renta *(rénter)*.

Reverence. Reverencia *(revverrénthea)*.

Reverse. Revés *(revvéss)*.

Review. Revista *(revvíster)*.

Revise. Revisar *(revvissárr)*.

Revisor. Revisor *(revvissórr)*.

Revocable. Revocable *(revvockúbbleh)*.

Revoke. Revocar *(revvocárr)*.

Revolt. Revuelta *(rennvélter)*.

Revolution. Revolución *(revvolloothcón)*.

Revolve. Revolver *(revolváirr)*.

Reward. (v.) Premiar, gratificar, recompensar *(premmeárr, gruttiffcárr, reckompensárr)*.

Reward. (s.) Recompensa *(recompénser)*.

Rheumatism. Reumatismo *(roh.oommuttíssmoh)*.

Rib. Costilla *(costíllyer)*.

Ribbon. Cinta *(thínter)*.

Rice. Arroz *(urróth)*.

Rich. Rico *(ríckoh)*.

Riches. Riqueza *(rickéther)*.

Ride. Cabalgar *(cubbulgárr)*.

Ridicule. Ridículo *(riddíckooloh)*.

Ridiculous. Ridículo *(riddíckooloh)*.

Rifle. Fusil *(fōōssíll)*.

Right. (s.) Derecho *(derrétchoh)*.

Right. (adj.) Derecho, derecha *(derrétchoh, derrétcher)*.

Rigid. Rígido *(riggíddoh)*.

Rigidity. Rigidez *(riggiddéth)*.

Rigor. Rigor *(ríggorr)*.

Ring. (s.) Anillo, sortija *(unníllyoh, sorrtíhher)*.

Ring. (v.) Tocar (un timbre) *(tockárr)*.

Ripe. Maduro *(muddōōroh)*.

Risk. (s.) Riesgo *(re.ésgoh)*.

Risk. (v.) Arriesgar *(úrre.esgárr)*.

Rival. Rival *(rivvúll)*.

Rivalry. Rivalidad *(rivvullidúd)*.

River. Río *(rēē.oh)*.

Rivet. Remachar *(remmutchárr)*.

Rivulet. Arroyo *(urróyoh)*.

Road. Carretera, camino *(cúrrettáyrer, cummēēnoh)*.

Roadcar. Autocar *(ōwtoccarr)*.

Roar. (s.) Rugido *(roohēēdoh)*.

Roar. (v.) Rugir *(roo.hēērr)*.

Roaring. Bramido *(brammēēdoh)*.

Roast. (s.) Asado *(ussárdoh)*.

Roast. (v.) Asar *(ussárr)*.

Robust. Robusto *(robbōōstoh)*.

Robustness. Robustez *(robbouslélh)*.

Rock. (v.) Mecer *(metháirr)*.

Rock. (s.) Roca, peña *(rócker, pényer)*.

Rod. Vara *(várrer)*.

Rodent. Roedor *(roydórr)*.

Roll. Rodar *(roddárr)*.

Roller. Rodillo *(roddílyoh)*.

Romance. Romance *(rommúntheh)*.

Roof. Tejado *(tehhúddoh)*.

Room. Habitación *(ubbitutheón)*.

Root. (v.) Arraigar *(úrruy.gárr)*.

Root. (s.) Raíz *(rý.ith)*.

Rope. Maroma, cuerda, soga *(murrómma, kwáirrder, sógger)*.

Rotten. Podrido *(podrēēdoh)*.

Rose. Rosa *(rosser)*.

Rose tree. Rosal *(rossúll)*.

Rough. Rudo, escabroso *(rōōdoh, escubróssoh)*.

Roulette. Ruleta *(roolétter)*.

Round. (adj.) Redondo *(reddóndoh)*.

Round. (v.) Rodear *(roddeárr)*.

Routine. Rutina *(rootēēner)*.

Row. Renglón, fila *(renglón, fēēler)*.

Royal. Real *(ray.úl)*.

Rub. Frotar, refregar, rozar, restregar *(frottárr, reffregárr, rothárr, restreggárr)*.

Rub out. Borrar *(borrárr)*.

Rubber. Caucho *(cōwchoh)*.

Ruffian. Rufián *(rooffcún)*.

Ruin. (v.) Arruinar *(urōō.inárr)*.

Ruin. (s.) Ruina *(rooēēner)*.

Ruinous. Ruinoso *(roo.innóssoh)*.

Rule. Regla *(réggler)*.

Ruminate. Rumiar *(roomeárr)*.

Rumour. Rumor *(roommórr)*.

Run. Correr *(corrárr)*.

Run over. Arrollar, recorrer *(úrrollyárr, reckorrárr)*.

Rupture. Ruptura *(rooptōōrer)*.

Rural. Rural *(roorrúll)*.

Rustic. Rústico *(rōōstickoh)*.

Rye. Centeno *(thenténnoh)*.

S

Sabre. Sable *(sábbleh)*.

Sabrestroke. Sablazo *(subblúthoh)*.

Sacrament. Sacramento *(suckrerméntoh)*.

Sacramental. Sacram e n t al *(suckrerméntúll)*.

Sacrifice. Sacrificio *(suckriffítheo)*.

Sacrilege. Sacrilegio *(suckrilléh.hio)*.

Sacristan. Sacristán *(suckristún)*.

Sad. Triste, aciago *(trissteh, utheárgoh)*.

Sadden. Apesadumbrar, entristecer *(uppésser.doombrárr, entristetháirr)*.

Sadness. Tristeza *(tristéther)*.

Sailor. Marinero *(murrináiroh)*.

Saint. Santo *(súntoh)*.

Salary. Salario, sueldo *(sullúrrioh, swéldoh)*.

Sale. Venta *(vénter)*.

Salient. Saliente *(sulliyénteh)*.

Saliva. Saliva *(sullĕĕver)*.

Salmon. Salmón *(salmón)*.

Saloon. Salón *(sullón)*.

Salt. (s.) Sal *(sull)*.

Salt. (v.) Salar *(sullárr)*.

Salt-cellar. Salero *(sulláirroh)*.

Saltcellar. Salero *(sulláirroh)*.

Salted. Salado *(sullúddoh)*.

Saltish. Salobre *(sullóbreh)*.

Salute. Saludo *(sullŏŏdoh)*.

Salvation. Salvación *(salvutheón)*.

Same. Mismo *(mísmoh)*.

Sample. Muestra *(mwéstrer)*.

Sanction. Sancionar *(suntheonárr)*.

Sanctity. Santidad *(suntidúd)*.

Sand. Arena *(urrénner)*.

Sanitary. Sanitario *(sunnitárreoh)*.

Sanitation. Sanidad *(sunnidúd)*.

Sap. Savia *(súvveer)*.

Sapper. Zapador *(thupperdórr)*.

Sarcasm. Sarcasmo *(sarrcássmoh)*.

Sardine. Sardina *(sarrdĕĕner)*.

Sarsaparrilla. Zarzaparr i ll a *(tharrthupperrílyer)*.

Satellite. Satélite *(suttéllitteh)*.

Satire. Sátira *(súttirrer)*.

Satisfaction. Satisfacción *(suttisfuckseón)*.

Satisfactory. Satis f a c t o r i o *(suttisfuntórrioh)*.

Satisfied. Satisfecho *(suttisfétchoh)*.

Satisfy. Satisfacer *(suttisfutháirr)*.

Saturday. Sábado *(súbberdoh)*.

Sauce. Salsa *(súlser)*.

Saucepan. Cacerola *(cútherróller)*.

Saucer. Platillo *(pluttílyoh)*.

Sausage. Salsicha, embutido *(sullsĕĕtcher, embootĕĕdoh)*.

Savage. Salvaje *(sulvúhheh)*.

Save. Salvar, ahorrar *(sullvárr, uh.orrárr)*.

Savings. Ahorro *(uh.órroh)*.

Saviour. Salvador *(sulverdórr)*.

Savory. Sabroso *(subbróssoh)*.

Saw. (v.) Aserrar *(ússerrárr)*.

Saw. (s.) Sierra *(syérrer)*.

Scabbard. Vaina *(víyner)*.

Scaffold. Patíbulo *(puttĭĭbooloh)*.

Scaffolding. Andamio *(undúmmeoh)*.

Scale. (s.) Escama, escala *(escúmmer, escúller)*.

Scale. (v.) Escalar *(escullár)*.

Scales. Balanza *(bullanther)*.

Scandal. Escándalo *(escúndulloh)*.

Scandalous. Escandaloso *(escúndullóssoh)*.

Scar. Cicatriz *(thickutrĕĕth)*.

Scarce. Escaso *(escússoh)*.

Scarecrow. Espantajo *(espuntúhhoh)*.

Scene. Escena *(esthénner)*.

School. Escuela, colegio *(eskweller, colléh.heoh)*.

School-fellow. Condis c í p u l o *(condisthíppoolloh)*.

Science. Ciencia *(thyénthea)*.

Scissors. Tijeras *(tihháirruss)*.

Scorpion. Alacrán *(uller.crún)*.

Scoundrel. Bribón *(bribbón)*.

Scratch. Arañar, rascar *(urrunnyárr, ruscárr)*.

Screen. Pantalla *(puntúlyer)*.

Screw. (v.) Atornillar *(uttórrnillyárr)*.

Screw. (s.) Tornillo *(torníllyoh)*.

Screwdriver. Destorni ll a d o r *(déstorrníllyerdórr)*.

Scrub. Fregar *(freggárr)*.

Scruple. Escrúpulo *(escrŏŏpoolloh)*.

Scrupulous. Escrupuloso *(escrŏŏpoollóssoh)*.

Sculptor. Escultor *(escooltórr)*.

Scythe. Guadaña *(gwuddúnyer)*.

Sew. Coser *(cossáirr)*.

Sea. Mar *(marr)*.

Seal. (v.) Sellar *(selyárr)*.

Seal. (s.) Sello *(sélyoh)*.

Sealed. Sellado *(selyúddoh)*.

Sealingwax. Lacre *(lúccreh)*.

Seam. Costura *(costŏŏrer)*.

Search. Indagar *(induggárr)*.

Season. (v.) Sazonar *(suthonárr)*.

Season. (s.) Temporada *(temporrúdder)*.

Season ticket. Abono *(ubbonnoh)*.

Seat. Asiento *(ussyéntoh)*.

Second. Segundo *(seggŏŏndoh)*.

Secret. Secreto *(seckréttoh)*.

Secretary. Secretario *(seckretúrrioh)*.

Sect. Secta *(séckter)*.

Seduce. Seducir *(seddootheérr)*.

Seducer. Seductor *(seddooktórr)*.

Seduction. Seducción *(seddooctheón)*.

See. Ver *(váirr)*.

Seed. Grano, semilla *(grúnnoh, semmíllyer)*.

Seed-time. Siembra *(syémbrer)*.

Seize. Embargar, prender *(embarrgárr, prenddárr)*.

Selfish. Egoísta *(eggoh-isster)*.

Selfishness. Egoísmo *(éggoh.íssmoh)*.

Sell. Vender *(vendáirr)*.

Senate. Senado *(sennúddoh)*.

Senator. Senador *(sennud-dórr)*.
Send. Enviar *(ennveárr)*.
Senior. Decano *(decúnnoh)*.
Sensation. Sensación *(sensu-theón)*.
Sense. Sentido *(sentéédoh)*.
Sensible. Sensato *(sensúttoh)*.
Sensual. Sensual *(sensoo.úll)*.
Sensuality. Sensualidad *(sensoo.ullidúd)*.
Sentence. Sentencia, frase *(senténthear, frússeh)*.
Sentiment. Sentimiento *(sentimyéntoh)*.
Sentimental. Sentimental *(sentimentúll)*.
Sentinel. Centinela *(thentinéller)*.
Separable. Separable *(sepperrúbbleh)*.
Separate. (adj.) Separado *(seppurrárdoh)*.
Separate. (v.) Separar, apartar *(sepperrárr, úpparrtárr)*.
Separation. Separación *(sepperutheón)*.
September. Septiembre *(septyémbreh)*.
Septentrion. Septentrión *(septentreón)*.
Sequestrate. Secuestrar *(seckwestrárr)*.
Sequestration. Secuestración *(seckwestrutheón)*.
Serenade. Serenata *(serrennárter)*.
Serene. Sereno *(serrénnoh)*.
Series. Serie *(sérrieh)*.
Seriousness. Seriedad *(serri.eddúd)*.
Sermon. Sermón *(sairrmón)*.
Serpent. Serpiente *(sairrpyénteh)*.
Servant. Sirviente *(sirrvyénte)*.
Serve. Servir *(sairrvéérr)*.
Service. Servicio, servidumbre *(sairrvitheoh, sairrviddóömbreh)*.
Session. Sesión *(sesseón)*.
Set. Colocar *(collocárr)*.
Settle. Asentar *(ussentárr)*.
Seven. Siete *(syétteh)*.
Seven hundred. Setecientos *(sétteh.thyéntoss)*.
Seventh. Séptimo *(séptimmoh)*.
Seventieth. Septuagésimo *(septooerhéssimmoh)*.
Seventy. Setenta *(setténter)*.
Severity. Severidad *(severridúd)*.
Sex. Sexo *(sécksoh)*.

Sexual. Sexual *(sexooúl)*.
Shade. Sombra *(sómbrer)*.
Shaking. Sacudida *(suckoodééder)*.
Shame. Vergüenza *(vairrgwénther)*.
Share. (v.) Participar *(parrticipárr)*.
Share. (s.) Porción, acción, participación, parte *(porrtheón, ucktheón, parrtíthipu-theón, párteh)*.
Shareholder. Accionista *(ácktheonister)*.
Sharp. Agudo *(uggóödoh)*.
Sharpen. Afilar *(uffillárr)*.
Sharper. Fullero *(foollyáiroh)*.
Shave. Afeitar, afeitarse *(uffaytárr, uffaytárrseh)*.
Shawl. Mantón *(muntón)*.
She. Ella *(éllyer)*.
Sheep. Oreja *(oréhher)*.
Sheet. Sábana *(súbberner)*.
Shelf. Escollo *(escóllyoh)*.
Shelter. (s.) Abrigo *(ubbréégoh)*.
Shelter. (v.) Abrigar, refugiar *(ubbregárr, reffoohe.árr)*.
Shepherd. Pastor *(pustórr)*.
Shepherd's bag. Zurrón *(thoorrón)*.
Sherbet. Sorbete *(sorbétteh)*.
Shield. Escudo *(escóödoh)*.
Shin-bone. Tibia *(tibbeer)*.
Shine. Brillar, relucir *(brilyárr, relloothéér)*.
Ship. Barco, buque *(barrcoh, bóökeh)*.
Shipwreck. Náufrago *(nówgruggoh)*.
Shirt. Camisa *(cummééser)*.
Shocking. Chocante *(shockúnteh)*.
Shoe. (v.) Calzar *(cullthárr)*.
Shoe. (s.) Zapato *(thuppúttoh)*.
Shoe horses. Herrar *(errárr)*.
Shoemaker. Zapatero *(thupputtáiroh)*.
Shoemaker's. Zapatería *(thupper.terréar)*.
Shoot. Disparar, fusilar *(disparrárr, foossillár)*.
Shop. Tienda *(tyénder)*.
Shopkeeper. Tendero *(tendáirroh)*.
Short. Corto, breve *(córrtoh, brévveh)*.
Shot. Disparo *(dispúrroh)*.
Shoulder. Hombro *(ómbroh)*.
Shovel (fire). Badila *(buddééler)*.
Shrink. Encoger *(encohháirr)*.

Shroud. Amortajar *(ummórtuhhárr)*.
Shudder. Estremecer *(estremmeth(áirr)*.
Shuddering. Estremecimiento *(éstremméthimmyéntoh)*.
Shuttle. Lanzadora *(lúntherdórer)*.
Shut up. Callar *(cullyárr)*.
Sick. Enfermo *(enfáirrmoh)*.
Sickle. Hoz *(oth)*.
Sickly. Achacoso *(utchuckóssoh)*.
Side. Lado, costado *(lárdoh, costárdoh)*.
Sidewalk. Acera *(utháirer)*.
Sigh. Suspiro *(soospééroh)*.
Sight. Vista *(vister)*.
Sign. (v.) Firmar *(féérrmárr)*.
Sign. (s.) Indicio, señal, signo, rótulo *(inditheoh, senyúl, signoh, róttoolóh)*.
Sign (writing). Letrero *(lettráiroh)*.
Signature. Firma *(féérrmer)*.
Silence. Silencio *(sillénthco)*.
Sill. Alféizar *(ullfáithur)*.
Silly. Necio *(nétheoh)*.
Silver. Plata *(plútter)*.
Silverplate. Platear *(plutteárr)*.
Silversmith. Platero *(pluttáirroh)*.
Simple. Simple *(simpleh)*.
Simplicity. Sencillez, simpleza *(senthilyéth, simpléther)*.
Simplify. Simplificar *(simplificárr)*.
Simulachre. Simulacro *(simmoolúckroh)*.
Simultaneous. Simultáneo *(simmooltúnneoh)*.
Sin. (s.) Pecado *(peckúddoh)*.
Sin. (v.) Pecar *(peckárr)*.
Sincerely. Sinceramente *(sintherrerménteh)*.
Sincerity. Sinceridad *(sintherridúd)*.
Sing. Cantar *(cúntarr)*.
Singular. Singular *(singoolárr)*.
Sinister. Siniestro *(sinyéstroh)*.
Sink. Ahondar, -se, hundir *(uh.ondarr, -seh, oondéér)*.
Sinnous. Sinuoso *(sinnoo.óssoh)*.
Sip. (v.) Sorber *(sorrbáirr)*.
Sip. (s.) Sorbo *(sórrboh)*.
Sister. Hermana *(airmúnner)*.
Sit down. Sentarse *(sentárrseh)*.

Situation. Situación *(sittoo.-útheon)*.

Six. Seis *(sáy.iss)*.

Six hundred. Seiscientos *(sáyisthéntoss)*.

Six months. Semestre *(semméstreh)*.

Sixth. Sexto *(séckstoh)*.

Sixtieth. Sexagésimo *(sekserhéssimmoh)*.

Sixty. Sesenta *(sessénter)*.

Size. Talla, tamaño *(túlyer, tummúnyoh)*.

Skein. Madeja *(muddéhher)*.

Sketch. Croquis *(orockiss)*.

Skilfull. Diestro *(dyéstroh)*.

Skill. Maña, acierto *(múnyer, uthiáirtoh)*.

Skin. (v.) Desollar *(dessollyárr)*.

Skin. (s.) Piel, pellejo *(pyél, pelyéhhoh)*.

Skirt. Falda *(fúllder)*.

Skull. Cráneo *(crárrneoh)*.

Sky. Cielo *(thyélloh)*.

Skyness. Pudor, timidez *(poodórr, timmiddéth)*.

Slap. Abofetear *(ubbúffetehárr)*.

Slaughter. (v.) Degollar *(degollyárr)*.

Slaughter. (s.) Matanza *(muttúnther)*.

Slaughter-house. Matadero *(mutterdáirroh)*.

Slave. Esclavo *(esclúvvoh)*.

Slavery. Esclavitud *(esclúvvittúd)*.

Sleep. (s.) Sueño *(swénnyoh)*.

Sleep. (v.) Dormir *(dorméer)*.

Sleep (send to). Adormecer *(uddórmettháir)*.

Sleep walker. Somnámbulo *(somnúmboolóh)*.

Sleeve. Manga *(múnger)*.

Slice. Raja, rebanada, tajada *(rúhher, rebunnárder, tuhhúdder)*.

Slide. Deslizar *(deslithárr)*.

Sling. Honda *(ónder)*.

Slip. Resbalar *(resbullárr)*.

Slipper. Babucha *(bubbóötcher)*.

Slippery. Resbaladizo *(resbulluddééthoh)*.

Sloping. Escote *(escótteh)*.

Slow. Lento *(léntoh)*.

Slowness. Lentitud *(lentitóöd)*.

Skeleton. Esqueleto *(eskellétoh)*.

Small. Pequeño, menudo *(peckényoh, menöödoh)*.

Smallness. Pequeñez *(peckenyéth)*.

Smart. Elegante *(ellegunteh)*.

Smartness. Aseo *(ussáyoh)*.

Smell. (v.) Oler *(olláir)*.

Smell. (s.) Olor *(ollórr)*.

Smile. Sonreir *(sonray.éérr)*.

Smith. Herrero *(erráirroh)*.

Smoke. (v.) Fumar, ahumar *(foomárr, uh.oomárr)*.

Smoke. (s.) Humo *(öömoh)*.

Smoker. Fumador *(foomerdórr)*.

Smooth. (adj.) Liso *(lééssoh)*.

Smooth. (v.) Alisar *(úllisárr)*.

Smuggling. Contrabando *(cóntrerbúndoh)*.

Snail. Caracol *(currer.cóll)*.

Snarl. Regañar *(reggunyárr)*.

Sneeze. Estornudar *(cotórrnoodárr)*.

Snore. (v.) Roncar *(roncárr)*.

Snore. (s.) Ronquido *(ronkidoh)*.

Snow. Nieve *(nyévveh)*.

Snowdrift. Ventisquero *(ventiskáirroh)*.

So. Tan, así *(tun, usséé)*.

Soak. Remojar *(remmohhárr)*.

Soap. Jabón *(hubbón)*.

Soapdish. Jabonear *(hubbonáirrer)*.

Sob. (s.) Llanto, sollozo *(lyúntoh, solyóthoh)*.

Sob. (v.) Sollozar *(solyothárr)*.

Sober. Sobrio *(sóbreoh)*.

Sobriety. Sobriedad *(sobréuddúd)*.

Sociable. Sociable *(sotheúbleh)*.

Socialism. Socialismo *(sotheullismoh)*.

Sock. Calcetín *(cúllthetéēn)*.

Socle. Zócalo *(thóckulloh)*.

Sofa. Sofá *(sofár)*.

Soften. Ablandar, suavizar *(ubblundárr, swuvvithárr)*.

Softhy. Suavemente *(swuvvemménteh)*.

Solder. Soldar *(soldárr)*.

Soldier. Soldado *(soldárdoh)*.

Solemn. Solemne *(sollémneh)*.

Solemnity. Solemnidad *(sollemniddúd)*.

Solfa. Solfear *(solfeárr)*.

Solicit. Solicitar *(sollissittárr)*.

Solicitude. Solicitud *(sollithitóöd)*.

Solid. Sólido *(sólliddoh)*.

Solidity. Solidez *(sollidéth)*.

Solidly. Sólidamente *(sollidder.ménteh)*.

Some. Algún *(ullgöön)*.

Somebody. Alguien *(úllghee.n)*.

Someone. Alguno *(ullgöönoh)*.

Something. Algo *(úllgoh)*.

Somewhere. Alguna parte *(ullgööner párrteh)*.

Son. Hijo *(ihhoh)*.

Song. Canción *(cuntheón)*.

Son-in-law. Yerno *(yáirrnoh)*.

Sonorous. Sonoro *(sonnórroh)*.

Soon. Pronto *(próntoh)*.

Soul. Alma *(úllmer)*.

Sound. (v.) Sonar, sondar *(sonnárr, sondárr)*.

Sound. (s.) Sonido, sonda *(sonnéédoh, sónder)*.

Soup. Sopa *(sópper)*.

Sour. Agrio *(uggreoh)*.

Sour, to turn. Agriar *(uggreárr)*.

Source. Manantial *(munnuntiúll)*.

South. Sur *(soorr)*.

Sovereign. Soberano *(sobberrúnnoh)*.

Sow. Sembrar *(sembrárr)*.

Space. Espacio *(espútheoh)*.

Spade. Pala *(púller)*.

Spaniard. Español *(espunyóll)*.

Spanish. Español *(espunyóll)*.

Spatter. Salpicar *(sulpickárr)*.

Speak. Hablar *(ubblárr)*.

Special. Especial *(espetheúl)*.

Specialist. Especialista *(espethiullister)*.

Species. Especie *(espéthea)*.

Spectacle. Espectáculo *(espectúckooloh)*.

Spectacles. Gafas *(gúffers)*.

Spectre. Espectro *(espéctroh)*.

Speculate. Especular *(especoolárr)*.

Speculation. Especulación *(espécooluthcón)*.

Speed. Velocidad *(vellossiddúd)*.

Spend. Gastar, pasar *(gustárr, pussárr)*.

Sphere. Esfera *(esfáirrer)*.

Spill. Derramar, verter *(dérrer.márr, vairrtáirr)*.

Spin. Hilar *(illárr)*.

Spine. Espinazo *(espinnúthoh)*.

Spiral. Espiral *(espirrúll)*.

Spiritual. Espiritual *(espirritooúll)*.

Spit. Escupir *(escoopéērr)*.

Splash. Salpicar *(sullpickárr)*.

Splendid. Espléndido (*espléndidoh*).

Split. Hendir (*endēērr*).

Spoils. Despojo (*despóh.hoh*).

Sponge. Esponja (*espónher*).

Spontaneous. Espontáneo (*espontúnneoh*).

Spoon. Cuchara (*cootchúrrer*).

Spot. Borrón (*borrón*).

Spring. (v.) Manar (*munnárr*).

Spring. (s.) Resorte, muelle, primavera (*ressórrteh, mwéllyeh, primmerváirrer*).

Sprinkle. Rociar (*rotheárr*).

Sprout. Retoñar (*rettonyárr*).

Spun. Hilado (*illárdoh*).

Spunk. Yesca (*yésker*).

Spur. Espuela (*espwéller*).

Square. Cuadrado, plaza (*kwudrárdoh, plúther*).

Squeak. Crujir (*croo.hēēr*).

Squeaking. Crujido (*croo.hēēdoh*).

Squeamish. Empalagoso (*empullergóssoh*).

Stable. Caballeriza, establo (*cúbbullyerēēther, estúbloh*).

Stage. Etapa (*etúpper*).

Stagger. Tambalear (*tumbulleárr*).

Stain. Mancha (*múntcher*).

Stain with blood. Ensangrentar (*ensúngrentárr*).

Stainless. Intachable (*intutchúbbleh*).

Stairs. Escalera (*escullárrer*).

Stammer. Balbucear, tartamudear (*bulboothayárr, tarrtermoodayárr*).

Standard. Norma (*nórrmer*).

Stamp. Sello (*sélyoh*).

Star. Estrella, astro (*estrélyer, ústroh*).

Starch. (s.) Almidón (*úllmiddón*).

Starch. (v.) Almidonar (*úllmiddonárr*).

State. Estado (*estúddoh*).

Station. Estación (*estutheón*).

Stationer's. Papelería (*puppellerrēēr*).

Statistics. Estadística (*estuddísticker*).

Statue. Estatua (*estúttoo.er*).

Statute. Estatuto (*estuttōōtoh*).

Stay. (v.) Quedar, -se (*keddárr, -seh*).

Stay. (s.) Estancia, permanencia (*estúnthea, pairrmuznénthea*).

Stay. Estancia (*estúnthea*).

Steal. Robar (*robbárr*).

Steam. Vapor (*vuppórr*).

Steel. Acero (*utháirroh*).

Steelyard. Romana (*rommúnner*).

Steep. Acantilado (*uckúntillárdoh*).

Stem. Tallo (*túllyoh*).

Step. Escalón, peldaño, paso (*escullón, peldúnyoh, pússoh*).

Step-daughter. Hijastra (*ihhústrer*).

Step-father. Padrastro (*pudrústreh*).

Step-son. Hijastro (*ihhústroh*).

Steps, take. Gestionar (*héstionnárr*).

Stereotypography. Estereotipia (*estérreoh.típpea*).

Sterile. Estéril (*estáirrill*).

Sterility. Esterilidad (*esterrillidud*).

Stewardess. Azafata (*útherjarter*).

Stick. Palo (*púlloh*).

Still. (adj.) Quieto, tranquilo (*kee.éttoh, trunkēēlo*).

Still. (adv.) Todavía, aún (*toddervēēr, ow.ōōn*).

Stimulate. Estimular (*estímmoolárr*).

Stingy. Tacaño (*tuckúnyoh*).

Stipulate. Estipular (*estippoolárr*).

Stir (the fire). Atizar (*uttitharr*).

Stirrup. Estribo (*estrēēboh*).

Stocking. Media (*méddia*).

Stocks. Cepo (*théppoh*).

Stomach. Estómago (*estómmergoh*).

Stone. (s). Piedra (*pyéddrah*).

Stone. (v.) Apedrear (*uppédreh.árr*).

Stone throw. Pedrada (*pedrúdder*).

Stool. Taburete (*tubboorrétteh*).

Stool, small bench. Banquete (*bunkétter*).

Stop. (s.) Parada (*purrárder*).

Stop. (v.) Parar, detener, tapar (*purrár, dettennáirr, tuppárr*).

Stopper. Taco (*túckoh*).

Store. Provisión (*provisseón*).

Stores. Almacén (*úllmuthén*).

Storm. Tempestad, tormenta (*tempestúd, torménter*).

Stove. Estufa (*estōōfer*).

Straggler. Rezagado (*rethergúddoh*).

Straight. Recto (*réctoh*).

Stranger. Forastero (*forrustáiroh*).

Strangle. Estrangular (*estrungoolárr*).

Strap. Correa (*corráyer*).

Stratagem. Ardid (*arrdēēd*).

Strategy. Estrategia (*estruttéh.heár*).

Straw. Paja (*púhher*).

Street. Calle (*cúllyeh*).

Strength. Fuerza (*fwáirrther*).

Strengthen. Reforzar (*refforrthárr*).

Stretch. Estirar, tender (*estirrárr, tendáirr*).

Strike. Huelga (*wélger*).

String. Bramante, cuerda, cordel (*brummúnteh, kwáirrder, corrdéll*).

Strip. Gira (*hēērer*).

Stripe. Raya (*ráhyer*).

Striped. Rayado (*rahyúddoh*).

Strong. Fuerte (*fwáirrteh*).

Strophe. Estrofa (*estrófjer*).

Struggle. (v.) Luchar (*lootchárr*).

Struggle. (s.) Lucha (*lōōtcher*).

Student. Estudiante (*estoodeúnteh*).

Study. Estudiar (*estoodeárr*).

Stumble. (v.) Tropezar (*troppethárr*).

Stumble. (s.) Tropezón (*troppethón*).

Stun. Atolondrar (*uttóllondrárr*).

Stupefy. Embrutecer (*embrootetháirr*).

Stupid. Estúpido, tonto, torpe (*estōōpiddoh, tóntoh, tórrpeh*).

Stupidity. Estupidez, sandez (*estooppidéth, sundéth*).

Stupity. Atontar (*utton.tárr*).

Stupor. Estupor (*estoopórr*).

Style. Estilo (*estēēloh*).

Subaltern. Subalterno (*soobultáirrnoh*).

Subdue. Subyugar (*soobyoogárr*).

Subject. Súbdito, sujeto, asunto, tema (*sōōbdíttoh, soohéttoh, ussōōntoh, támer*).

Subjunctive. Subjuntivo (*soobhoontēēvoh*).

Sublime. Sublime (*soobléēmeh*).

Submission. Sumisión *(soom-misseón)*.

Submit. Someter *(sommet-táirr)*.

Subordinate. Subordinado *(sooborrdinnúddoh)*.

Subscribe. Subscribirse *(soobscribbéěrrseh)*.

Subscriber. Subscriptor *(soobscriptórr)*.

Subscription. Subscripción *(soobscríptheón)*.

Subsist. Subsistir *(soobsistéěrr)*.

Subsistence. Subsistencia *(soobsisténthea)*.

Substance. Substancia *(soobstúnthea)*.

Substantive. Substantivo *(soobstuntéěvoh)*.

Substitute. (v.) Substituir *(soobstittoo.éěrr)*.

Substitute. (s.) Substituto, suplente *(soobstittöötoh, sooplénteh)*.

Substract. Restar *(restárr)*.

Substraction. Resta *(réster)*.

Subterranean. Subterráneo *(soobterrúnneo)*.

Suburb. Suburbio *(sooböörrbeoh)*.

Subvention. Subvención *(soobventheón)*.

Succeed. Tener éxito *(tennáirr éxittoh)*.

Success. Éxito *(éxittoh)*.

Successively. Sucesivamente *(soothessivverménteh)*.

Successor. Sucesor *(soothessorr)*.

Succumb. Sucumbir *(soockoombéěrr)*.

Suck. Chupar *(tchoopár)*.

Suckle. Mamar *(mummárr)*.

Sudden. Repentino *(reppentéěnoh)*.

Suddenly. Súbitamente *(soobittumménteh)*.

Sudorific. Sudorífico *(soodorrífickoh)*.

Suffer. Padecer, sufrir *(puddetháirr, soofréěrr)*.

Suffering. Padecimiento, sufrimiento *(puddethimmyéntoh, sööfrimyéntoh)*.

Sufficient. Suficiente *(soofíthyénteh)*.

Suffocate. Asfixiar, sofocar *(ussfixeárr, soffoccárr)*.

Suffocation. Sofocación *(soffocutheón)*.

Sugar. Azúcar *(uthööckarr)*.

Suicide. Suicidio, suicida *(soo.ithíddeoh, soo.ithéěder)*.

Suit. Traje *(tráhheh)*.

Sulphor. Azufre *(uthööfreh)*.

Sulphurous. Sulfuroso *(soolfoorrósoh)*.

Sum. Suma *(söömmer)*.

Summary. Resumen *(ressöömen)*.

Summer. Verano, estío *(verrúnnoh, estěě.oh)*.

Summer residence. Veraneo *(verrunnéh.oh)*.

Summer resident. Veraneante *(verrunneúnteh)*.

Sumptuous. Suntuoso *(soontoo.óssoh)*.

Sun. Sol *(sol)*.

Sunday. Domingo *(dommíngo)*.

Supercargo. Sobrecargo *(sobbrehcárrgoh)*.

Superficial. Superficial *(sööpirrfitheúl)*.

Superfluous. Superfluo *(soopáirrfloo.oh)*.

Superhuman. Sobrehumano *(sobbre.oomúnnoh)*.

Superior. Superior *(soopairriórr)*.

Superiority. Superioridad *(soopairriorridúd)*.

Supernatural. Sobrenatural *(sobbrehnuttoorrúll)*.

Supper. Cena *(thénner)*.

Supplant. Suplantar *(soopluntárr)*.

Supply. Abastecer *(ubbústeh.thairr)*.

Support. (s.) Apoyo *(uppóyoh)*.

Support. (v.) Soportar *(sopporrtárr)*.

Suppose. Suponer *(soopponáirr)*.

Supreme. Supremo *(sooprémmoh)*.

Sure. Seguro *(seggööroh)*.

Surely. Seguramente *(seggöörer.ménteh)*.

Surface. Superficie *(soopairrfithiéh)*.

Surname. Apellido *(uppellyéědoh)*.

Surpass. Sobrepujar, superar *(sóbbrehpoohárr, sooperrár)*.

Surprise. (v.) Sorprender *(sorprendárr)*.

Surprise. (s.) Sorpresa, sobresalto *(sorpresser, sobbrehsúltoh)*.

Surprising. Sorprendente *(sorprendénteh)*.

Surrender. Rendir *(rendéěr)*.

Surrendered. Rendido *(rendéědoh)*.

Surroundings. Alrededores *(üllreddidórress)*.

Surveyor. Agrimensor *(úggrimensórr)*.

Suspect. Recelar, sospechar *(rethellár, sospetchárr)*.

Suspicion. Sospecha *(sospétcher)*.

Suspicious. Sospechoso *(sospetchóssoh)*.

Sustain. Sostener *(sosten-náirr)*.

Swain. Zagal *(thuggúl)*.

Swallow. (s.) Golondrina *(góllondréěner)*.

Swallow. (v.) Tragar *(truggárr)*.

Sweat. (v.) Sudar *(sooddárr)*.

Sweat. (s.) Sudor *(sooddórr)*.

Sweet. Dulce *(dóöltheh)*.

Sweeten. Endulzar *(endoolthárr)*.

Sweet-tooth. Goloso *(gollóssoh)*.

Swell. Hincharse *(intchárrseh)*.

Swelling. Hinchazón *(intchuthón)*.

Swift. Veloz *(vellóth)*.

Swim. Nadar *(nuddárr)*.

Swindle. Estafa *(estúffer)*.

Swing. Mecer *(metháirr)*.

Syllable. Sílaba *(síllerber)*.

Symbol. Símbolo *(símbolloh)*.

Symbolical. Simbólico *(simbólliccoh)*.

Sympathetic. Comprensivo *(comprenséěvoh)*.

Sympathy. Simpatía *(simputhéar)*.

Symphony. Sinfonía *(sinfónnéar)*.

Symptom. Síntoma *(síntommer)*.

Syndicate. Agremiar *(uggremmeárr)*.

Synonimous. Sinónimo *(sinnónnimmoh)*.

Synonym. Sinónimo *(sinnónnimmoh)*.

Syntax. Sintaxis *(sintúckcis)*.

Synthesis. Síntesis *(sintessis)*.

Syrop. Jarabe *(hurrárbeh)*.

System. Sistema *(sistémmer)*.

T

Table. Mesa *(messer)*.
Table-cloth. Mantel *(muntél)*.
Table cover. Tapete *(tuppétteh)*.
Table service. Vajilla *(vuhhillyer)*.
Tack. (s.) Tachuela *(tutchwéller)*.
Tack. (v.) Virar *(virrár)*.
Tact. Tacto *(túcktoh)*.
Tail. Cola, rabo *(cöoler. rúbboh)*.
Tailor. Sastre *(sústreh)*.
Take. Tomar *(tommárr)*.
Tale. Cuento *(kwéntoh)*.
Talent. Talento *(tulléntoh)*.
Talker. Charlatán *(charluttún)*.
Tall. Alto *(úlltoh)*.
Tallow. Sebo *(sébboh)*.
Tame. Amansar, domar *(ummunsárr, dommárr)*.
Tamer. Domador *(dommerdórr)*.
Tap. Espita, grifo *(espēēter, griffoh)*.
Tapeworm. Solitaria *(sollittárrea)*.
Tar. Brea *(bráyer)*.
Tardy. Moroso *(morróssoh)*.
Tariff. Tarifa, arancel *(turriffer, urrunthéll)*.
Task. Tarea *(turráyer)*.
Tassel. Borla *(bórrear)*.
Taste. (v.) Gustar, probar, saborear *(goostárr, probárr, subborreárr)*.
Taste. (s.) Gusto, sabor *(goostoh, subbórr)*.
Tavern. Taberna *(tubbáirner)*.
Tea. Té *(teh)*.
Tea (meal). Merienda *(merryénder)*.
Teach. Enseñar *(ensennyárr)*.
Teacher. Profesor *(proffessórr)*.
Teaching. Enseñanza *(ensennyúnther)*.
Tear. (v.) Desgarrar, rasgar *(desgurrárr, rusgárr)*.
Tear. (s.) Lágrima *(lúgrimmer)*.
Tear, to pieces. Despedazar *(despédduthárr)*.
Telegram. Telegrama *(telleggrúmmer)*.

Telegraph. Telégrafo *(telléggruffoh)*.
Telephone. (s.) Teléfono *(telléffjonnoh)*.
Telephone. (v.) Telefonear *(telleffonneárr)*.
Tell. Decir *(dethēērr)*.
Temerity. Temeridad *(temmerridúd)*.
Temper. Templar *(templárr)*.
Temperament. Temperamento *(temperrermentoh)*.
Tempered. Templado *(templúddoh)*.
Temple. Templo *(témploh)*.
Tempt. Tentar *(tentárr)*.
Temptation. Tentación *(tentutheón)*.
Ten. Diez *(dyéth)*.
Tenacious. Tenaz *(tennúth)*.
Tenacity. Tenacidad *(tennassidúd)*.
Tenant. Inquilino *(inkillēēnoh)*.
Tendency. Tendencia *(tendéntheer)*.
Tender. Tierno *(tyairrnoh)*.
Tenderness. Ternura *(tairrnōörer)*.
Tendon. Tendón *(tendón)*.
Tenmillionth. Diezmillonésimo *(dēē-ethmillyonnéssimmoh)*.
Tenor. Tenor *(tennórr)*.
Tenth. Décimo *(déthimmoh)*.
Tenthousandth. Diezmilésimo *(dyéthmilléssimoh)*.
Tepid. Tibio *(tíbbeoh)*.
Term. Término, plazo *(tairrminnoh, plúthoh)*.
Terminating. Terminante *(tairrminnúnteh)*.
Termination. Terminación *(tairrminnutheón)*.
Terrace. Terraza *(terruther)*.
Terrain. Terreno *(terrénnoh)*.
Terrestrial. Terrenal *(terrennúl)*.
Terrible. Terrible *(terrēēbleh)*.
Terrify. Aterrar *(utterrárr)*.
Territory. Territorio *(territórreoh)*.
Terror. Terror *(terrórr)*.
Text. Texto *(téxtoh)*.
Textile. Tejido *(tehhēēdoh)*.
Textual. Textual *(textoo-úll)*.

Thank. Agradecer *(ugruddetháirr)*.
Thanks. Gracias *(grátheus)*.
That. Aquel *(uckéll)*.
The. El, la, lo *(el, lah, loh)*.
Theatre. Teatro *(tayúttroh)*.
Theft. Robo, hurto *(róbboh, õõrrtoh)*.
Then. (adv.) Entonces, luego *(entónthess, loo.éggoh)*.
Then. (conj.) Pues *(pwess)*.
Theory. Teoría *(tayorrēēr)*.
There. Allá *(ullyáh)*.
There is, are. Hay *(i)*.
Thermometer. Termómetro *(tairrmómmetroh)*.
Thick. Espeso *(espéssoh)*.
Thief. Ladrón *(luddrón)*.
Thigh. Muslo *(mõõsloh)*.
Thin. (adj.) Delgado *(delgárdoh)*.
Thin. (v.) Adelgazar *(addélguthárr)*.
Thing. Cosa *(cosser)*.
Think. Pensar *(pensárr)*.
Thinness. Delgadez *(délguddéth)*.
Third. Tercero *(tairrtháirrroh)*.
Thirst. Sed *(sedd)*.
Thirsty. Sediento *(sedyéntoh)*.
Thirteen. Trece *(trétheh)*.
This. Este, esta, esto *(ésteh, éster, éstoh)*.
Thought. Pensamiento *(pensummyéntoh)*.
Thousand. Mil, millar *(meel, milyárr)*.
Thousandth. Milésima *(milléssimmer)*.
Thorax. Tórax *(tórrucks)*.
Threat. Amenaza *(ummenúther)*.
Threaten. Amenazar *(ummenner.thúrr)*.
Three. Tres *(tress)*.
Three hundred. Trescientos *(tressthyéntoss)*.
Thee months. Trimestre *(trimméstreh)*.
Thresh. Trillar *(trilyárr)*.
Threshold. Umbral *(oombrúll)*.
Thrill. Apasionar *(uppússeonárr)*.
Throat. Garganta *(garrgúnter)*.
Throne. Trono *(trónnoh)*.

Throw. Arrojar, tirar, lanzar *(urrohhárr, tirrárr, lúnthár)*.

Throw down. Abatir *(ubbutëërr)*.

Thunder. (v.) Tronar *(tronnárr)*.

Thunder. (s.) Trueno *(trwénnoh)*.

Thunderbolt. Centella *(thentéllyer)*.

Thundering. Atronador *(uttronnadórr)*.

Thursday. Jueves *(hwévvess)*.

Tie. Amarrar, atar *(úmmerrárr, uttárr)*.

Tie (games). Empatar *(emputtárr)*.

Tiger. Tigre *(tëëgreh)*.

Tight. Estrecho *(estrétchoh)*.

Tighten. Estrechar *(estretchárr)*.

Tightly. Estrechamente *(estrétcherménteh)*.

Tile. Azulejo, teja *(uthoolléhhoh, téhher)*.

Tiled-floor. Embaldosado *(embúlldossárdoh)*.

Time. Tiempo *(tyémpoh)*.

Time table. Horario *(orrárreoh)*.

Timidity. Timidez *(timmiddeth)*.

Tin. Estaño, hojalata *(estúnnyo, óhherlútter)*.

Tint. Matiz *(mutteeth)*.

Tip. Propina *(proppëëner)*.

Tire (v.) Cansar *(cunsárr)*.

Tiredness. Cansancio *(cunsúntheoh)*.

Tireless. Infatigable *(infuttigúbbleh)*.

Tiring. Fatigoso *(futtiggóssoh)*.

Title page. Portada *(porrtárder)*.

Titular. Titular *(tittoolárr)*.

Toast. (s.) Tostada *(tostúdder)*.

Toast. (v.) Tostar *(tostárr)*.

Tobacco. Tabaco *(tubbúckoh)*.

Tobacco shop. Estanco *(estúncoh)*.

Today. Hoy *(oy)*.

Toilet. Tocado *(tockúddoh)*.

Tolerable. Tolerable *(tollerrúbleh)*.

Tolerate. Tolerar *(tollerrárr)*.

Tomb. Tumba, sepulcro *(töömber, sepöölcroh)*.

Tomorrow. Mañana *(munyúnner)*.

Ton. Tonelada *(tonnellúdder)*.

Tongs. Tenaza *(tennúther)*.

Tongue. Lengua *(léngwer)*.

Tonic. Reconstituyente *(reckonstittooyénteh)*.

Too much. Demasiado *(demmússiárdoh)*.

Tool. Herramienta *(érrer.myénter)*.

Tooth. Diente *(dyénteh)*.

Toothpick. Palillo *(pullilyoh)*.

Top. Cima *(thëëmer)*.

Topographer. Topógrafo *(toppóggruffoh)*.

Topography. Topografía *(toppoggruffëër)*.

Torment. (v.) Atormentar *(uttórrmentárr)*.

Torment. (s.) Tormento *(torrméntoh)*.

Torpedo. Torpedo *(torrpéddoh)*.

Torpedo-boat. Torpedero *(torrpeddáirroh)*.

Tortoise. Tortuga *(torrtöóger)*.

Torture. Tortura *(torrtöörer)*.

Total. Total *(tottúll)*.

Touch. Tocar *(toccárr)*.

Tourism. Turismo *(toorissmoh)*.

Tourist. Turista *(toorister)*.

Tow. (s.) Estopa *(estópper)*.

Tow. (v.) Remolcar *(remmolcárr)*.

Towards. Hacia *(úthear)*.

Towel. Toalla *(toúllyer)*.

Tower. Torre *(tórreh)*.

Town. Ciudad *(thëë-oodúd)*.

Town crier. Pregonero *(preggonnáirroh)*.

Toy. Juguete *(hoogétteh)*.

Trace. (s.) Huella, pista, rastro *(wéllyer, píster, rústroh)*.

Trace. (v.) Trazar *(truthárr)*.

Trace (draw). Calcar *(cullcárr)*.

Tractable. Tratable *(truttúbleh)*.

Tradition. Tradición *(truddithéón)*.

Tragedy. Tragedia *(truhhéddear)*.

Train. (s.) Adiestrar *(úddyestrárr)*.

Train. (s.) Tren *(tren)*.

Traject. Trayecto *(truy.éctoh)*.

Tram. Tranvía *(trunvëër)*.

Trample. Atropellar *(uttroppelyárr)*.

Tranquillity. Tranquilidad *(trunkillidúd)*.

Transatlantic. Transatlántico *(trunsutlúnticoh)*.

Transcendency. Transcendencia *(trunsthendéntheer)*.

Transfer. (v.) Trasladar, transferir, traspasar *(trusluddárr, trunsferrëërr, truspussárr)*.

Transfer. (s.) Transferencia *(trunsferrénthéa)*.

Transform. Transformar *(trunsformárr)*.

Transformation. Transformación *(trunsformuthéón)*.

Transit. Tránsito *(trúnsittoh)*.

Translate. Traducir *(truddoothëërr)*.

Translation. Traducción *(truddookthéón)*.

Translator. Traductor *(traddooktórr)*.

Transparency. Transparencia *(trunspurrénthea)*.

Transplant. Trasplantar *(truspluntárr)*.

Transport. Transportar *(trunsporrtárr)*.

Trap. Trampa *(trúmper)*.

Trapeze. Trapecio *(truppétheoh)*.

Travel. Viajar *(veerhárr)*.

Traveller. Viajero *(vee.uhháirroh)*.

Tray. Bandeja *(bundéh.her)*.

Tread. Pisar *(pissárr)*.

Treason. Traición *(try.itheón)*.

Treasure. (s.) Tesoro *(tessórroh)*.

Treasure. (v.) Atesorar *(uttessorrárr)*.

Treasurer. Tesorero *(tessorráirroh)*.

Treat. Tratar *(truttárr)*.

Treatise. Opúsculo *(oppööscooloh)*.

Treatment. Tratamiento *(truttermyéntoh)*.

Tree. Árbol *(árrboll)*.

Tremble. Temblar *(temblárr)*.

Trembling. Temblor *(temblórr)*.

Tress. Trenza *(trénther)*.

Triangle. Triángulo *(tree.úngooloh)*.

Tribe. Tribu *(tríbboo)*.

Tribunal. Juzgado *(hoothgárdoh)*.

Tribunal. Tribunal *(tribboonnúl)*.

Tribute. Tributar *(tribbootárr)*.

Trinity. Trinidad *(trinnidúd)*.

Trinket. Dije *(díhheh)*.

Triple. Triple *(tripleh)*.
Triumph. Triunfo *(tree.ôônfoh)*.
Trivial. Trivial *(trivveúl)*.
Troop. Tropa *(tróper)*.
Trot. (v.) Trotar *(trottárr)*.
Trot. (s.) Trote *(trótteh)*.
Trousers. Pantalones *(puntullónness)*.
Truant. Tunante *(toonnúnteh)*.
True. Verdadero *(vairrduddáirroh)*.
Trumpet. Trompeta *(trompétter)*.
Trunk. Tronco, cofre *(trónkoh, cóffreh)*.
Trust. (v.) Confiar, fiar *(conféarr, feárr)*.
Trust. (s.) Confianza *(confeúnther)*.
Trusting. Fiado, confiado *(feárdoh, confeárdoh)*.
Truth. Verdad *(vairrdúd)*.
Try. Probar, intentar *(probbárr, intentárr)*.
Tub. Cubo *(côôboh)*.
Tube. Tubo *(tôôboh)*.

Tuberculosis. Tuberculosis *(toobairrcoolóssiss)*.
Tuesday. Martes *(márrtess)*.
Tumour. Tumor *(toomórr)*.
Tune. (v.) Afinar *(úffinnárr)*.
Tune. (s.) Melodía *(mellodéa)*.
Tunic. Túnica *(tôônicker)*.
Tunnel. Túnel *(tôônell)*.
Turbulent. Revoltoso *(revoltóssoh)*.
Tureen. Sopera *(soppáirrer)*.
Turkey. Pavo *(púvvoh)*.
Turn. Vuelta, turno *(tôôrrnoh)*.
Turn leaves. Hojear *(ohheárr)*.
Turn (on lathe). Tornear *(torrneárr)*.
Turner. Tornero *(torrnáirroh)*.
Tusk. Colmillo *(colmillyoh)*.
Tutor. Tutor *(toottórr)*.
Twelfth. Duodécimo *(doo.oh.-déthimoh)*.
Twelve. Doce *(dótheh)*.
Twenty. Veinte *(véh.inteh)*.
Twenty-eight. Veintiocho *(ventiótchoh)*.

Twenty-five. Veinticinco *(ventithínkoh)*.
Twenty-fur. Veinticuatro *(ventikúatroh)*.
Twenty-nine. Veintinueve *(ventinuévveh)*.
Twenty-one. Veintiuno *(ventiôônoh)*.
Twenty-seven. Veintisiete *ventisêê-etteh)*.
Twenty-three. Veintitrés *(ventitréss)*.
Twenty-two. Veintidós *(ventidóss)*.
Twin. Gemelo *(hemmélloh)*.
Twist. Torcer, enroscar, retorcer *(torrtháir, enroscárr, rettortháirr)*.
Two. Dos *(doss)*.
Twylight. Crepúsculo *(creppôôscooloh)*.
Typhus. Tifus *(têêfooss)*.
Typography. Tipografía *(tippoggruffèêr)*.
Tyranny. Tiranía *(tirrunnèêr)*.
Tyrant. Tirano *(tirrúnnoh)*.

U

Ugliness. Fealdad *(fáy.ull.-dúd)*.
Ugly. Feo *(fáy.oh)*.
Ulcer. Llaga, úlcera *(lyúgger, ôôlthairrer)*.
Ultramarine. Ultramar *(ooltrermárr)*.
Umbrella. Paraguas *(purrúgwus)*.
Unaccomodating. Intransigente *(intrunsihhénteh)*.
Unbind. Desatar *(déssuttárr)*.
Uncertain. Incierto *(intháirrtoh)*.
Uncle. Tío *(têê.oh)*.
Unconditional. Incondicional *(incondithionúll)*.
Uncork, uncover. Destapar *(destuppárr)*.
Under. Debajo *(debbúh.hoh)*.
Underline. Subrayar *(soobrahyárr)*.
Undermine. Socavar *(sockervárr)*.
Underskirt. Refajo *(reffúh.hoh)*.
Understand. Comprender, entender *(comprendáirr, entendáirr)*.

Undertake. Emprender *(emprendáirr)*.
Undertaking. Empresa *(emprésser)*.
Undervalue. Menospreciar *(ménnospretheárr)*.
Undo. Deshacer *(déssutháirr)*.
Undress. Desnudar *(desnoodárr)*.
Uneasiness. Malestar *(mullestárr)*.
Unedited. Inédito *(inéddittoh)*.
Unequal. Desigual *(dessigwáll)*.
Unevenness. Desnivel *(désnivvél)*.
Unexpected. Inesperado *(inesperrárdoh)*.
Unfaithful. Infiel *(infêê.él)*.
Unfavorable. Desfavorable *(desfúvvorrúbleh)*.
Unfold. Desplegar *(despleggárr)*.
Unfortunate. Infortunado *(inforrtoonárdoh)*.
Unhappy. Infeliz *(infellith)*.
Unheard of. Inaudito *(in.owdêêtoh)*.

Uniform. Uniforme *(ooniffórrmeh)*.
Uninhabited. Deshabitado *(dessubbittárdoh)*.
Union. Unión *(ooneón)*.
Unique. Único *(ôônikoh)*.
Unite. Unir *(oonnêêrr)*.
Unity. Unidad *(oonidúd)*.
Universal. Universal *(oonivvairrsúll)*.
Universe. Universo *(oonivváirrsoh)*.
University. Universidad *(oonivvairrsiddúd)*.
Unjust. Injusto *(inhôôstoh)*.
Unlike. Desigual *(dessigwáll)*.
Unlikely. Inverosímil *(inverrossimmíll)*.
Unlimited. Ilimitado *(illimmittárdoh)*.
Unmerited. Inmerecido *(inmerrithéêdoh)*.
Unpardonable. Imperdonable *(impáirrdonnúbleh)*.
Unpeople. Despoblar *(despoblárr)*.
Unprovided. Desprovisto *(désprovvistoh)*.

DO YOU WANT TO SPEAK SPANISH? 277

Unpunished. Impunemente *(impoonerménteh).*
Unqualifiable. Incalificable *(inculliffickúbbleh).*
Unrealizable. Irrealizable *(irrayullithúbleh).*
Unstick. Despegar *(déspeggárr).*
Unsure. Inseguro *(inseggóoroh).*
Until. Hasta *(úster).*
Unwrap. Desenvolver *(déssenvolváir).*
Up. Hacia arriba *(úthea urréeber).*

Upholsterer. Tapicero *(tuppitháirroh).*
Upon. Sobre, en *(sobbreh, en).*
Upset. Trastornar *(trustornárr).*
Upsetting. Vuelco *(vwélcoh).*
Urge. Urgir *(oorhéerr).*
Urgence. Urgencia *(oorhénthear).*
Urgent. Urgente *(oorrhénteh).*
Urine. Orina *(oréener).*
Urn. Urna *(óorrner).*
Us. Nos, nosotros *(noss, nossóttross).*

Use. Usar, utilizar *(oossárr, ootíllithárr).*
Used. Usado *(oossúddoh).*
Useful. Util *(óotill).*
Useless. Inútil *(inóotill).*
Useless. render. Inutilizar *(inootillithárr).*
Usher. Ujier *(oohéerr).*
Usual. Usual *(oossoo.úll).*
Usurer. Usurero *(oossoorái-roh).*
Usurpation. Usurpación *(oosoorrputheón).*
Usury. Usura *(oossóorer).*
Utensil. Utensilio *(ootensíl-leoh).*

V

Vacant. Vacante *(vuckúnteh).*
Vacate. Desocupar *(desoccoopárr).*
Vaccinate. Vacunar *(vuccoonárr).*
Vaccine. Vacuna *(vuccóoner).*
Vacillate. Vacilar *(vuthillárr).*
Vagabond. Vagabundo *(vuggerbóondoh).*
Vagrancy. Vagancia *(vuggúnthear).*
Vagrant. Vago *(vúggoh).*
Vain. Vano *(vúnnoh).*
Vainly. Vanamente *(vunner-ménteh).*
Valley. Valle *(vúlyeh).*
Value. (v.) Tasar *(tussárr).*
Value. (s.) Valor *(vullórr).*
Valve. Válvula *(vúlvooler).*
Vanity. Vanidad *(vunniddúd).*
Vanquish. Vencer *(ventháirr).*
Variable. Variable *(vurriúbleh).*
Variation. Variación *(vurri.-utheón).*
Variety. Variedad *(vúrri.eddúd).*
Vary. Variar *(vurriárr).*
Vast. Vasto *(vústoh).*
Vault. Bóveda *(bóvvedder).*
Veal. Ternera *(tairrnáirrer).*
Vegetable. Vegetal, legumbre *(vehhettúl, leggóombreh).*
Vegetables. Hortalizas *(orrtallééthus).*
Vegetation. Vegetación *(vehhettutheón).*
Vehement. Vehemente *(vehhemménteh).*
Vehicle. Vehículo *(veh.iccooloh).*

Vein. Vena *(vénner).*
Vein (mineral). Filón *(fillón).*
Velvet. Terciopelo *(tairrtheoppélloh).*
Vengeance. Venganza *(vengúnther).*
Ventilate. Ventilar *(ventillárr).*
Verb. Verbo *(váirrboh).*
Verse. Verso *(váirrsoh).*
Vertibrate. Vertebrado *(vairrtibbrúddoh).*
Vertibre. Vértebra *(váirrtebbrer).*
Vertical. Vertical *(vairrtickúl).*
Vertiginous. Vertiginoso *(vairrtihhinnóssoh).*
Very. Muy *(móo.ee).*
Vessel. Nave, vasija *(núvveh, vusséeher).*
Veterinary. Veterinario, albéitar *(vetterrinárrioh, ullbaytárr).*
Vex. Hostigar, enfadar, fastidiar *(ostiggárr, enfudárr, fusstiddeárr).*
Vibrate. Vibrar *(vibbrárr).*
Vibrating. Vibrante *(vibbrúnteh).*
Vice. Vicio *(vítheoh).*
Vicious. Vicioso *(vittheóssoh).*
Victime. Víctima *(victimmer).*
Vigorous. Vigoroso *(viggorróssoh).*
Vigour. Vigor *(viggórr).*
Village. Aldea *(ulldóyer).*
Vine. Cepa, parra *(thépper, púrrer).*
Vine shoot. Sarmiento *(sarrmyéntoh).*

Vineleaf. Pámpano *(púmpunnoh).*
Violate. Violentar *(veolentárr).*
Violence. Violencia *(veollén-theer).*
Violent. Violento *(veoléntoh).*
Violin. Violín *(veolinn).*
Virgin. Virgen *(virrhen).*
Virtue. Virtud *(veerrtúd).*
Virtuous. Virtuoso *(veerrtoo.-óssoh).*
Visa. Visado *(vissúddoh).*
Visible. Visible *(visséébleh).*
Vision. Visión *(visseón).*
Visit. (s.) Visita *(vissééter).*
Visit. (v.) Visitar *(vissittárr).*
Vitriol. Vitriolo *(vittreólloh).*
Vituperate. Vituperar *(vittooperrár).*
Vocabulary. Vocabulario *(voccubboolúrreoh).*
Vocation. Vocación *(voccutheón).*
Voice. Voz *(voth).*
Volcano. Volcán *(volcún).*
Volume. Tomo, volumen *(tómmoh, vollóomen).*
Voluntarily. Voluntariamente *(volluntárrearménteh).*
Vote. (v.) Votar *(vottárr).*
Vote. (s.) Voto *(vóttoh).*
Voting. Votación *(votiutheón).*
Vowel. Vocal *(voccúll).*
Voyage. Viaje (por mar) *(vee.úhheh porr márr).*
Vulgar. Vulgar *(voolgárr).*
Vulgarly. Vulgarmente *(voolgárrménteh).*
Vulture. Buitre *(bwéétreh).*

W

Wafer. Oblea *(oblayer)*.
Wag. Burlón *(boorlón)*.
Wage. Jornal *(horrnúl)*.
Wagon. Vagón *(vuggón)*.
Waist. Cinto, cintura, talle *(thintoh, thintöörer, túllyeh)*.
Waistcoat. Chaleco *(chulléckoh)*.
Wait. Aguardar *(úggwarrdárr)*.
Waiter. Camarero *(cúmmerráirroh)*.
Wake. Despertar *(despairtárr)*.
Walk. (v.) Andar, caminar, pasear *(undárr, cumminnárr, pusseárr)*.
Walk. (s.) Paseo *(pusság.oh)*.
Wall. Pared, muralla *(purréd, moorúllyer)*.
Wanderings. Peregrinación *(perrigrinnutheón)*.
Want. Querer *(kerráirr)*.
War. Guerra *(ghérrer)*.
Wardrobe. Ropero *(roppáirroh)*.
Warehouse. (s.) Almacén *(úllmuthén)*.
Warehouse. (v.) Almacenar *(úllmuthenárr)*.
Wares. Género *(hénnerroh)*.
Warm. (adj.) Caliente *(cullyénteh)*.
Warm. (v.) Calentar *(cullyentárr)*.
Warmed. Acalorado *(uckúllerrárdoh)*.
Warn. Avisar, advertir *(uvvisárr, uddvairtéërr)*.
Warranty. Garantía *(gurruntéarr)*.
Wart. Verruga *(verrööger)*.
Wash. Lavar *(luvvárr)*.
Washstand. Lavabo *(luvvúbboh)*.
Waste. (s.) Despilfarro *(despillfúrroh)*.
Waste. (v.) Malgastar *(mulgustárr)*.
Watch. (s.) Pulsera, reloj *(pullsáirer, rellóh)*.
Watch. (v.) Vigilar, contemplar, velar *(vihhillárr, contemplárr, vellárr)*.
Watchmaker. Relojero *(rellóh.háirroh)*.

Watchmaker's. Relojería *(rellóh.herréar)*.
Watchman. Vigilante *(viggillúnteh)*.
Water. Agua *(úgwer)*.
Water-closet. Retrete *(rettrétteh)*.
Watercolour. Acuarela *(uckwurreller)*.
Waterfall. Catarata *(cútterrútter)*.
Watering pot. Regadera *(regguddáirer)*.
Wave. (s.) Ola, onda *(áwler, ónder)*.
Wave. (v.) Ondear *(onday.árr)*.
Wax. Cera *(tháirrer)*.
Way. Vía *(véër)*.
We. Nosotros *(nossóttross)*.
Weak. Débil, flojo *(débbil, flóhhoh)*.
Weakness. Debilidad, flaqueza *(debbillidúd, fluckéther)*.
Wear out. Desgastar *(desgustárr)*.
Weather. Tiempo *(tyémpoh)*.
Weathercock. Veleta *(vellétter)*.
Weave. Tejer *(tehháirr)*.
Weaving. Tejido *(tehhéëdoh)*.
Wedge. Cuña *(cöönyer)*.
Wednesday. Miércoles *(myáirrcolless)*.
Week. Semana *(semmúnner)*.
Weekly. Semanal, semanario *(semmunnúll, semmunnárreoh)*.
Weigh. Pesar *(pessárr)*.
Weight. Peso *(péssoh)*.
Well. Pozo *(póthoh)*.
West. Oeste *(owésteh)*.
Wet. Mojado *(mohhúddoh)*.
Whale. Ballena *(bullyénner)*.
What. Que *(keh)*.
Wheat. Trigo *(tréëgoh)*.
Wheel. Rueda *(rwédder)*.
When. Cuando *(kwúndoh)*.
Where. Dónde *(dóndeh)*.
Which. Cual *(kwull)*.
Whichever. Cualquiera *(kwulkyáirrer)*.
While. (s.) Rato *(rúttoh)*.
While. (conj.) Mientras *(myéntruss)*.
Whip. Látigo *(lúttigoh)*.

Whirlwind. Torbellino *(torbellyéénoh*.
Whistle. (s.) Silbido, pito *(silbéédoh, péétoh)*.
Whistle. (v.) Silbar *(silbárr)*.
Who. Quién, que *(kee.én, keh)*.
Whole. Conjunto, entero *(conhöóntoh, entáirroh)*.
Wick. Mecha *(métcher)*.
Wickedness. Maldad *(muldúd)*.
Wicket. Postigo *(postéëgoh)*.
Wide. Ancho *(úntchoh)*.
Widen. Ensanchar *(ensuntchárr)*.
Widening. Ensanche *(ensúntcheh)*.
Widow. Viuda *(vyöóder)*.
Widower. Viudo *(vyöódoh)*.
Wild. Silvestre, salvaje *(silvéstreh, selvúhheh)*.
Wild beast. Fiera *(fee.áyrer)*.
Will. Testamento, voluntad *(testerméntoh, volloontúd)*.
Wind. Viento *(vyéntoh)*.
Window. Ventana *(ventúnner)*.
Wine. Vino *(véënoh)*.
Winepress. Lagar *(luggárr)*.
Wing. Ala *(úller)*.
Winter. Invierno *(invyáirrnoh)*.
Wire. Alambre *(ullúmbreh)*.
Wish. Deseo *(dessáy.oh)*.
With. Con *(con)*.
Within. Adentro *(uddéntroh)*.
Without. Sin *(sin)*.
Witness. Testigo *(testéëgoh)*.
Wolf. Lobo *(lóbboh)*.
Woman. Mujer *(mooháirr)*.
Wonder. Extrañar, preguntarse *(extrunyárr, preggoontárrseh)*.
Wood. Bosque, madera *(bóskeh, muddáirrer)*.
Wool. Lana *(lúnner)*.
Word. Palabra, vocablo *(púlúbrer, voccúbleh)*.
Work. Obra, trabajo *(óbbrer, trubbúhhoh)*.
Workman. Obrero *(obráirroh)*.
Workshop. Taller *(tullyáirr)*.
World. Mundo *(möóndoh)*.
Worn out. Gastado *(gustárdoh)*.

Worry. (v.) Inquietar (*inkéatarr*).

Worry. (s.) Inquietud (*inkéatúd*).

Worse. Peor (*payórr*).

Worsen. Empeorar (*empéh.-orrár*).

Worst. Pésimo (*péssimmoh*).

Worth, to be. Valer (*vúl-láirr*).

Wound. Herido (*errēēdoh*).

Wrap. Envolver (*envolváirr*).

Wrinkle. (s.) Arruga (*urrōōger*).

Wrinkle. (v.) Arrugar (*urroōgárr*).

Write. Escribir (*escribbéar*).

Writing. Escritura (*escrittōōrrer*).

Wrong. Malo, equivocado (*márloh, ekkivoccárdoh*).

Y

Year. Año (*únnyoh*).

Yearly. Anual (*únnoo.úll*).

Yellow. Amarillo (*úmmorrillyoh*).

Yes. Sí (*see*).

Yet. Aun (*ahōōn*).

Yolk. Yema (*yémmer*).

You. Usted (*oostéh*).

Young. Joven (*hóvven*).

Young lady. Señorita (*senyorēēter*).

Youth. Juventud (*hooventōōd*).

Z

Zeal. Celos (*thélloss*).

Zed. Zeta (*thétter*).

Zenith. Cenit (*thénnit*).

Zero. Cero (*tháirroh*).

Zinc. Cinc (*think*).

Zodiac. Zodíaco (*thoddéuckoh*).

Zone. Zona (*thónner*).

W

Worry, (v.) Inquietar (Inkietar).
Worry, (s.) Inquietud (Inkietu).
Worse, Peor (Peor).
Worth, Enterato (?)...

Word, Palabra (Palabra).
Work, Trabajo (Trabajo).
Worm, Gusano (Gusano).
Worn, to be, Usar (Usár).
Wound, Herida (Herida).
Wrap, Envolver (Embolber).
Wrinkle, (s.) Arruga (Arru-ga).

Whistle, (v.) Silbar (Silbar).
Writer, Escritor (Escritor).
Wrong, Malo, equivocado (malo, ekibocado).

Y

Year, Año (Anyo).
Yearly, Anual (Anual).
Yellow, Amarillo (Amariyo).
Yes, Sí (Si).

Yet, Aún (Aun).
Yolk, Yema (Yema).
Young, Joven (Hoben).

Young lady, Señorita (Senyorita).
Youth, Juventud (Hubentud).

Z

Zeal, Celo (Selo).
Zero, Cero (Sero).
Zenith, Cenit (Senit).

Zero, Cero (Sero).
Zinc, Cinc (Sink).

Zodiac, Zodíaco (Sodiako).
Zone, Zona (Sona).

NOTAS

NOTAS

Ann Edelman
11506 Wornall
Kansas City, Missouri
816-942-3721   64114

Line Rivard   Ave
1438 Des Gouverneurs
Sillery P.Q. G1T-2G5
688 - 1476